KB077162

구석구석 전라도 여행

구석구석 전라도 여행

이지훈 지음

작가의 말

사람에 대한 호칭은 자신이 있는 위치나 지위에 따라 달라지는 것 같습니다. 맨 처음 직장에서는 '팀장님' 내지는 '과장님', 그다음 직장에서는 '상임이사님', 이후 직장에서는 '대표님'이었습니다. 각기의 호칭이 불릴 때마다 그곳이 직장으로서는 마지막이리라 생각했었지만, 결국은 여러 직장을 전전하게 되었답니다. 또다시 호칭이 바뀔 듯합니다. 이렇게 말이죠.

"李 작가님!"

두 번째 책을 발간합니다.

어릴 적 꿈이 연애소설 한 편 써 보는 것이었습니다. 그런데 특출한 감정이입의 능력이 없는 인간이기에 연애소설을 쓴다는 것 자체가 너무 버거운 것 같아서, 그냥 단순한 여행책 한 권 정도 쓰는 것으로 어릴 적 꿈을 대신하기로 했습니다. 얼마 전 산티아고 순례길과 남미 5개국 여행 이야기를 모아 독립 출판이라는 형식으로 출간은 했지만, 혼자 힘으로 원고 쓰고, 교정 보고, 편집 디자인하고, 인쇄까지 하다 보니 여러 가지 면에서 힘겨웠습니다. 돌이켜 보니, '독립 출판'이라는 의미에 집착한 대가는 모든 면에서의 "부족함"이었습니다. 그래서 이번에 발간할 국내 여행책은 잘 써 보겠다는 굳은 마음을 먹고, 원고 내용은 물론, 교정과 교열 작업에 있어 검토와 검토를 거듭했습니다. 무엇보다도 디자인에 오랜 시간 공을 들였습니다만, 어쩔 수 없는 것이 능력의 한계인지라 또다시 부족함의 연속이었습니다.

이번에 발간하는 두 번째 책은 필자가 오랫동안 살았고, 죽는 순간까지 살아야만 하는 남도의 아름다운 곳에 대한 감회와 광주光州에서의 일상, 그리고 또 다른 멋진 관광지 전라북도 여행기와 지리산 종주 등반 이야기입니다.

전반적으로 미진합니다. 여행 이야기 중에는 시간이 많이 흘러 정보의 오류도 있을 수 있고, 다소간 감정의 과장도 있을 겁니다. 다만, 전업 작가가 아닌 여행을 좋아하는 평범한 사람의 미숙한 여행 일기日記 내지는 일지日誌라고 이해해 주면 좋겠습니다. 그리고 책은 특정한 사람들만이 쓰는 게 아니라, 평범한 일상을 살아가고 있는 사람들 누구나 쓸 수 있다는 것을 말하고 싶었고, 떠나려는 욕망을 항상 품고 사는 사람들에게 격려와 부추김을 주고도 싶었습니다. 염치없지만 계속해서 여행책을 발간할 계획입니다. 『산티아고 순례길, 그리고 남미 여행 이야기』에 이어, 이번 『구석구석 전라도 여행』 출간 이후에도 남도의 섬 기행 등 몇 가지 여행 이야기를 준비하고 있답니다.

첫 번째 책에 이어, 이번 두 번째 책이 나오기까지 여행 작가로서의 꿈을 갖게 해준 사랑하는 아내는 물론, 필자와 함께 일하면서 귀중한 영감靈感을 주었던 「광주국제교류센터」,와 「광주관광컨벤션뷰로」 친구들에게도 감사의 말씀을 드리고 싶습니다. 아낌없는 격려와 사랑을 부탁합니다. 그리고 이 책을 읽는 여러분 모두의 일상이 아름다운 여행지旅行地처럼 평화로웠으면 좋겠습니다. 더불어 〈모터사이클 다이어리〉에서 여행자들에게 주는 격려의 한마디를 다시 한번 여러분에게도 주고 싶습니다.

"길 위에서 보낸 시간이 나를 송두리째 변화시켰다."

2024년 6월 전라도 광주

이지훈

contents

제2장 내가 사는 곳, 광주

제3장 가까운 이웃 전라북도

제4장 꿈! 지리산 종주 산행

제1장

내 고향 남도 이야기

그곳이 차마 꿈엔들 잊힐 리야!

"한 번쯤은 강 건너편에서 고향집을 바라보고 싶었습니다. 그곳은 언제나 낯선 곳이었습니다. 다리 건너 영강동 삼거리는 국도 1호선에서 가장 붐비는 곳이었으며, 아버지 손을 잡고 내영산 할아버지 산소를 가던 그 길이었답니다. 영산강 강둑에 앉아 저 너머 고향집을 한동안 바라보았습니다. 이제는 이곳에 아무도 없다는 생각에 가슴이 미어집니다."

영산포榮山浦**!**

'영산포'는 특이하게도 바닷가가 아닌 내륙 깊숙한 곳에 있는 포구입니다. 고려 시대 수운水運의 발달로 만들어진 영산포 포구는 조선 선조 이후에는 세곡을 저장했다가 한양으로 보내는 '영산창榮山倉'이 있던 곳이었습니다. 당시에는 나주·순천·강진·진도·화순·고흥·무안·영암·보성·장흥·해남 등 전라도 지방 17개 고을에서 거둬들였던 세곡稅穀을 이곳 '영산창'에 모은 후 선박을 통해 한양으로 올려보냈다고 합니다.

이러한 영산포는 1897년 목포항이 개항하고부터는 목포와 함께 전라

남도 경제의 중심지 역할을 하기 시작했습니다. 1910년 한일합방이 되자 일제는 영산포까지 배가 자유롭게 드나들 수 있도록 개폐식 목교를 설치하였고, 1930년대에는 목교를 철근콘크리트 다리로 대체해서 나주평야에서 생산되는 쌀을 효과적으로 수탈해 가기 위한 주요 거점으로서 영산포를 이용했다고 합니다. 1960년대까지만 해도 영산포는 전국 유일의 내륙 포구浦口로서, 흑산도 홍어와 추자도 젓갈이나 소금 등의 수산물을 내륙으로 이동시키는 길목 역할을 했으며, 쌀이나 면화 등 농산물의 공급처 역할을 하던 곳이었습니다. 그러나 1970년대 말 홍수 예방을 위해 만들어진 영산강 하구언 댐으로 인해 더 이상 배들이 드나들지 않게 되면서부터는 내륙 포구로서의 기능은 할 수 없게 되었답니다.

지금은 옛 포구에 남아 있는 '영산포 등대'만이 화려했던 과거의 모습을 어렴풋이나마 짐작하게 해줍니다. 영산포 등대는 1915년 일제가 영산강 수위를 측정하기 위해 설치한 시설입니다. 우리나라 등대 대부분이 해안가에 있지만, 영산포 등대는 해안이 아닌 내륙 강가에 있는 국내 유일의 내륙 등대랍니다. 영산포 등대는 포구로 들어오는 선박들의 길잡이 외에 영산강 수위를 측정하는 역할까지 했다고 합니다. 예전에는 영산강 유역이 해마다 물난리가 났기 때문에 수위 측정시설이 필요했던 모양입니다. 이런 이유로 영산포 등대가 한동안 수위 측정 용도로 활용되다가, 1989년 인근에 새로운 수위 측정시설이 생기게 되면서부터 수위 측정 역할은 더 이상 하지 않게 되었답니다. 이제는 배도 드나들지 않아 등대로써의 역할은 물론 수위를 측정하는 기능도 없어졌지만, 내륙하천에 남아 있는 유일한 등대라는 역사성과 상징적 가치는 여전합니다. 현재 등대는 국가 등록문화재로 지정받아 관리되고 있습니다. 영산포 등대가 있는 옛날 포구는 지금은 관광용 유람선인 '황포돛배'의 선착장이 되었습니다. 이곳의 황포돛배는 외형은 고풍스러운 목선처럼 보이지만, 실제로는 현대식 엔진을 장착하고 있는 관광 유람선이랍니다. 이 유람선을 타면 하류 쪽으로 5km 떨어진 나주시 다시면 '한국 천연염색 박물관' 근처까지 다녀올 수 있지요. 유람선은 매시간 포구를 출발하는데, 찾아간 때가 하필 점심시간이어서 직접 타보지는 못했습니다. 기회가 되면 꼭 한번 타서 영산강의 아름다운 풍광을 보고 싶습니다.

한때 수많은 어선과 선원들로 북적이던 선창船艙 일대는 지금은 영산포 특산물 판매를 위한 "홍어의 거리"가 되어 많은 홍어 판매점과 요릿집이 영업 중입니다. 거리 전체가 홍어와 관련된 가게라고 보시면 될 겁니다. 거리를 걷는데, 특유의 홍어 삭힌 냄새가 코를 찌릅니다. 홍어洪魚가 영산포를 대표하는 음식이 된 것은 고려 시대 왜구의 침입과 관련이 있다고 합니다. 공민왕恭愍王 때 왜구가 흑산도 등 전라도 섬들을 자주 노략질하자, 당시 조정은 섬을 비워두는 공도空島 정책을 펴서 섬 지방 주민들을 영산강 내륙 포구인 영산포로 강제 이주시켰답니다. 이 무렵이 흑산도 주민들이 홍어라는 물고기를 영산포에 가져와 알리게 된 시기라고 합니다. 과거에는 흑산도黑山島에서 영산포까지 300리 정도 떨어져 있어 뱃길로만 5일

이상 걸렸을 뿐만 아니라, 냉동 보관 기술도 발달하지 않아 운송 도중에 홍어가 부패하게 되었는데, 부패한 홍어를 버리기 아깝다고 생각한 사람들이 이런 홍어를 먹기 시작했나 봅니다. 그 이후부터 홍어를 삭혀 먹는 음식문화가 이곳 영산포에서 자리 잡았다는 주장이 설득력을 얻고 있다고 합니다.

영산포 등대에서 탐방로 강둑길을 따라 서쪽으로 300여m쯤 걸어가면, 왼편으로 '영산나루'라는 브런치 카페가 보일 겁니다. 200여 년 된 커다란 팽나무 한 그루가 서 있는 카페로 들어서면, 정원 한쪽에 있는 붉은색 벽돌 건물 하나를 볼 수 있습니다. 이 건물이 일제강점기 시절 일제의 한반도 수탈의 첨병 역할을 했던 '동양척식주식회사 문서고'라고 합니다. '영산나루'는 멋진 영산강 강변에 자리잡고 있는, 나름 아기자기하게 꾸며 놓은 정원이 돋보이는 브런치 카페랍니다. 영산포라는 시골 소도시에 어울리지 않게 카페 내부도 무척 세련되었습니다. 카페 건물과 「동양척식주식회사」 문서고文書庫가 어쩜 그렇게 잘 어울리는지 한동안 카페 여기저기를 거닐었습니다. 「동양척식주식회사」는 1908년 일제가 조선의 경제를 독점, 수탈하기 위해 설립한 회사이지요. 1909년 영산포 지점을 설치한 이후 나주평야 영산포 일대의 농지를 수탈하는 데 첨병 역할을 했었답니다. 일제강점기 한반도 수탈의 역사를 영산포 등대와 동양척식주식회사 문서고 건물을 통해 피부로 느껴 볼 수 있었습니다.

영산나루 카페를 나와 영산강 강변을 따라 만들어진 탐방로를 걸었습니다. 자전거를 타는 사람들은 물론, 한적한 강둑길을 말없이 걸어가는 사람들의 모습에서 평화로운 일상이 보입니다. 멀리 보이는 가야산伽倻山 아래 구절양장 흐르는 영산강 풍경이 참 멋있습니다. 깎아지르는 듯한 바위 절벽은 가야산의 명물 '앙암 바위'랍니다. '상사 바우' 또는 '아망 바위'라고도 불리고 있는 이 바위는 "한국의 로렐라이 언덕"이라고 할 정도로 절벽 위에서 보는 경관이 아름다운 곳으로 알려져 있습니다. 무엇보다도 바위 아래 소용돌이 속 강물에 살고 있다는 용龍 한 마리가 근처를 지나는 배들을 침몰시킨다는 전설로 유명한 곳이기도 하지요. 또한, 여기에는 삼국시대부터 전해오는 "아랑사와 아비사"의 이루지 못한 슬픈 사랑 이야기도 함께 전해지고 있습니다.

탐방로가 거의 끝날 무렵 읍내 중심가로 다시 돌아와, 옛날 '노다지 다방'이 있던 길로 들어섰습니다. 화려했던 과거의 모습을 뒷전으로 하고, 지금은 오가는 사람이 없는 한적한 곳이 되었네요. 아버지 친구분이 운영하시던 노다지 다방은 70년대 지역 유지들의 놀이터여서 간혹 아버지를 따라가서 쌍화탕에 동동 띄운 생달걀을 맛있게 먹었던 기억이 새롭습니다. 그리고 소설가 채만식과 더불어 한국 현대문학의 대표적인 농민 작가로 평가받고 있는 오유권(吳有權, 1928~1999) 선생이 근무했던 영산포 우체국 역시 지금은 현대식 건물로 모습이 바뀌었네요. 그 뒤편으로는 신축한 것으로 보이는 나주 시립 도서관이 자리 잡고 있습니다.

'죽전 골목'이라는 간판이 보여 그곳으로 들어갔습니다. '죽전 골목'이란 1960년대 배를 타고 이른 아침 영산포 포구에 내린 선원이나 땔나무꾼들을 상대로 이른 아침 동네 아낙네들이 죽을 팔았던 골목이라고 합니다. 골목 초입에는 옛날 영산포 읍내 가게들을 재현해 놓았습니다. 노다지 다방은 물론, 형제 전파사, 고바우 만화방과 백합세탁소도 있네요. 잠시 그곳에 대한 추억을 떠올리는 시간을 가졌습니다. 죽전 골목 뒤편 어딘가에 초등학교 친구들이 살았던 보육원을 찾아봤습니다. 그런데 그곳이 정확히 어디였는지 가물가물합니다. 그때 보육원 친구들은 군대 내무반처럼 생긴 침상에서 다닥다닥 붙어 생활하고 있었죠. 그런 열악한 환경에 적지 않게 충격을 받았던 기억이 납니다.

'영산포 교회' 쪽 골목길로 가다 보니 1960년대, 1970년대 영산포에 대한 기록 사진이 담벼락에 전시되어 있습니다. 반가운 얼굴들이 많이 보입니다. 아버지 친구분인 김기만 아저씨와 주창구 아저씨 사진도 있네요. 아버지도 기록 사진에서 나올 법도 한데, 아무리 찾아봐도 아버지의 모습을 찾을 수가 없습니다. 곧이어, 꿈속에서 간혹 보았던 그리운 영산포 교회를 만났습니다. 상상하고 있던 모습 그대로였습니다. 필자가 다녔던 교회 부속 유치원은 없어지고, 교회 본당 건물이 대신 들어서 있습니다. 그러나 고색창연한 예배당 건물은 예전 모습을 잃지 않고 있네요. 어린 시절에 교회를 다니시던 할머님을 따라서 자주 왔었지요.

교회를 나와 골목길로 내려오다 보니 넓은 마당이 있는 일본식 집이 눈에 들어옵니다. 일제강점기 나주 지역에서 가장 많은 농토를 보유했던 일본인 대지주 '구로즈미 이타로黑住猪太郞' 가옥입니다. 1935년경 건립되었다고 알려졌으며, 청기와 등 모든 건축자재를 일본에서 직접 가져와 지었답니다. 당시 이 집 주인은 영산강 일대에 수백만 평의 토지를 보유한 일본인 대지주였다고 하네요. 어떤 통계에 의하면, 1930년대 영산포에만 일본인이 약 3,000명 정도가 살았을 정도로, 영산포는 일본인의 중심 거주 지역이었다고 합니다. '구로즈미 이타로' 가옥은 김두한金斗漢의 일대기를 그린 영화 〈장군의 아들〉을 촬영한 곳으로도 알려져 있지요. 한때는 일반인을 대상으로 영업하는 찻집이었으나, 지금은 역사교육을 위한 공간으로 활용되고 있었습니다. 보수 공사 중이어서 건물 내부는 자세히 둘러볼 수 없었답니다. 이창동二倉洞 사거리로 넘어가는 언덕길에 있던 극장 큰집은 연로하신 형님 한 분만 살고 계신다는 이야기를 들었는데, 열린 대문 사이로 들여다보니 아무도 살고 있지 않는 듯 잡초가 무성합니다. '구로즈미 이타로' 가옥 인근에는 일제강점기 원정元町이라고 불렀던 일본인들이 조성한 상가 거리가 있습니다. 이곳에 있던 '영산포 극장'은 철거되었는지 보이질 않습니다. 큰집에서 운영했던 영산포 극장은 어릴 적 공짜 영화를 보기 위해 자주 드나들던 곳이었죠. 10년 전 이곳에 왔을 때는 영업만 하지 않는 상태였는데, 오늘 막상 횅하게 없어진 것을 보니 마음 한켠이 쓸쓸합니다.

일제강점기에 사업 자금 등을 빌려주던 '조선식산은행 영산포 지점' 건물에는 영산포의 지난 역사를 소개하는 '영산포 역사갤러리'가 들어서 있습니다. 여기에서는 1905년 이후 영산포 역사와 지역의 자랑거리인 홍어에 대한 설명을 들을 수 있습니다. 초등학교 친구 상용이와 석주 집이 근처에 있어 이 동네에 자주 놀러 왔었지요. 그리고 거리 중간쯤에 '형광당'이라는 중국 요릿집도 있었습니다. 이곳을 운영하는 분이 일찍이 서울로 이사를 해서 강남에서 중국집을 다시 개업했는데, 필자의 약혼식을 그곳에서 해서 기억에 남는 곳입니다. 중국 음식을 생각할 때마다 어릴 적 어머니께서 사주시던 형광당 짜장면과 탕수육 맛을 잊을 수가 없습니다.

'영산포 성당'을 오랜만에 찾았습니다. 아버지 49재 추모 미사 때 와 봤으니 벌써 20년이 지났습니다. 아버지께서는 6·25 한국전쟁 당시 좌우익이 극심하게 대립하는 과정에서 벌어졌던 할아버지의 죽음 등 개인적 비극 이후, 성당에 다니시게 되었다는 말씀을 생전에 하시곤 하셨습니다. 전체적으로 성당을 정비했는지 본당은 깔끔하게 단장되어 있었고, 성당 입구 쪽에는 도로가 새로 만들어져 왠지 처음 와본 듯 낯설었습니다. 허름했지만 고풍스러운 느낌의 옛날 성당 모습이 참 좋았는데 무척 아쉬웠습니다. 1960년대 아버지가 근무하셨던 영산포 읍사무소 건물은 지금은 이창동 행정복지센터가 되었습니다. 그러나 근처에 있던 영산포 여자중학교는 그대로 있습니다. 근처에 있었던 친구 봉행이 집을 찾으려 했는데, 정확히

어딘지 기억해 낼 수가 없습니다. 옛날 차부車部(버스터미널) 앞에 있었는데 말이죠.

남교동 사거리(현재는 이창동 사거리)에 있었던 '보건당 약국'은 여전히 성업 중입니다만, 약국 안을 자세히 들여다보니 어릴 적 보았던 약사분이 아닙니다. 나이가 연로하셔서 아마도 세상을 떠났는지도 모르겠습니다. 한때 호남지방에서 가장 규모가 컸던 '소전牛市場'은 축협 하나로마트로 변신해 영업 중이네요. 하나로마트 오른쪽 오르막길 끝쯤에 영산포 초등학교가 보입니다. 초등학교 입학식 날 한복을 단아하게 입으신 어머니 손을 잡고 한참을 걸어간 것 같았던 학교길이 오늘 와보니 무척이나 짧은 길입니다. 자란 키만큼 반비례하여 등굣길이 짧아진 듯합니다. 학교 건물들은 모두 그 자리에 있는 것 같은데, 외벽 색깔이 무척이나 요란해 학교 분위기가 너무나 생경합니다. 어릴 적 친구들과 공을 차면서 신나게 놀던 운동장을 한동안 바라보았습니다. 당시에는 엄청 크다고 생각했던 운동장을 지금 보니 아담합니다.

광주로 가는 버스를 타기 위해 터미널로 걸어가면서 지금은 살고 있지 않는 고향 집을 멀리서 바라보았습니다. 폐허 그 자체입니다, 대문은 뜯겨 나가 없고 잡초가 온 집을 덮을 정도로 어수선합니다. 그동안 영산포를 지나가더라도 일부러 멀리 돌아서 다니곤 했는데, 오늘 가까이 가서 보니까 가슴이 많이 저려 옵니다. 오늘은 여행자의 시선으로 고향 영산포를 둘러봤습니다. 여전히 60년대 모습을 가지고 있는 고향을 둘러보면서 떠나간 많은 사람을 생각해 보았습니다. 쌍둥이 봉행이와 용행이, 양복점 상용이, 제중의원 아들 석주, 지금은 세상을 떠난 신라사 규상이, 대장간집 봉혁이, 세탁소집 큰아들 용희, 선술집 아들 말썽꾸러기 깜둥이....

모두가 그립습니다.

소쇄원과 식영정

90년대 초 여수麗水에서 3년 남짓 직장생활을 한 적이 있습니다. 당시만 해도 여수는 접근성도 좋지 않을 뿐만 아니라, 숙소나 식당 같은 여행 인프라도 충분하지 않아 찾는 사람이 별로 없는 곳이었죠. 간혹 인근에 있는 여천 석유화학 단지에 입주하고 있는 회사 사람들만이 출장 목적으로 찾는 것 외에는 일반 사람들은 큰맘 먹지 않으면 오기 힘든 곳이었습니다. 그래서 그런지 출장 오는 사람들 대부분은 이때다 싶어 유명 관광지 한두 군데를 둘러보는 게 하나의 관례였습니다. 물론 필자가 근무하던 직장 사람들도 마찬가지였지요. 당시 여수에는 오동도梧桐島 외에는 특별히 내세울 만한 관광지가 없었습니다. 그래서 기껏해야 오동도를 구경한 후 중앙동 생선 구이집이나 돌산대교 횟집에서 식사하는 게 전부였고, 여유 시간이 있으면 돌산도 끝에 있는 '향일암向日庵' 정도를 가보는 것이었습니다.

그러면 광주光州에서는 찾아오는 손님을 어떻게 대접했을까요?

열에 아홉은 '소쇄원'을 포함한 가사 문화권에 있는 정자亭子들이나, 아니면 근대 문화 건축물이 남아 있는 양림동을 구경시켜 주는 게 전부일 겁

니다. 오늘은 광주 방문 코스의 중심에 있는 조선 시대 대표적 정원인 '소쇄원瀟灑園'과 인접한 '식영정息影亭'을 다녀왔습니다.

'소쇄원'은 조선 중기 선비 양산보(梁山甫, 1503~1557)가 기묘사화 때 스승 조광조趙光祖가 죽임을 당하자, 출세의 뜻을 버리고 낙향하여 자연 속에서 여생을 보내기 위해 만든 별서정원別墅庭園입니다. 일단 소쇄원에 가기 위해서는 광주호 생태공원을 지나 담양군 가사 문학면 소재지 쪽으로 가야 합니다. 소쇄원 안내 푯말이 보이자마자 건너편 주차장에 차를 주차하고 도로를 건너면 소쇄원 입구 매표소가 나옵니다. 소쇄원 입구를 지나 양편으로 이어진 울창한 대나무 숲이 끝나갈 무렵, 눈 앞에 소쇄원이 보입니다. 입구 대숲 길은 과거에는 흙길 그대로여서 나름 운치가 있었으나, 지금은 시멘트 길로 포장되어 옛날과 같은 정취는 없더군요.

대숲이 끝나는 곳부터 본격적으로 '소쇄원'이 시작됩니다. 입구를 지나 오른쪽으로 가다 보면 사방 짚으로 지붕이 이어진 대봉대待鳳臺가 나옵니다. 선비 양산보가 소쇄원을 만들기로 마음을 먹은 후 제일 먼저 조성한 정자亭子입니다. '대봉대'의 뜻을 풀이하면, "봉황鳳凰을 기다리는 정자"라는 뜻이지요. 보통 봉황은 귀한 손님을 의미하는데, 전설 속의 동물인 봉황은 벽오동 나무가 아니면 내려앉지 않는다고 합니다. 그래서인지 대봉대 뒤에 벽오동 한 그루가 있습니다. 대봉대에서 몇 걸음 더 가면 오행五行의 각 기운과 직결된 청靑·적赤·황黃·백白·흑黑의 다섯 가지 오방색 담장에 '애양단愛陽壇'이라는 글씨가 나타납니다. "애양愛陽"이란 말은 『효경』의 효孝를 의미하는 것으로, 근처에는 때마침 효孝를 상징하는 동백나무 한 그루가 세워져 있습니다. 애양단을 끼고 왼쪽으로 오방색 담장이 계속 이어집니다. 담장 한 곳에서 '오곡문五曲門'이라는 글자를 볼 수 있습니다. '오곡五曲'은 담장 밑으로 물이 다섯 번 굽이쳐 흘러 들어간다는 뜻입니다. 묘하게도 오곡문의 담장은 산에서 흐르는 개울이 막힘없이 흐르도록 아래쪽이 뚫려 있습니다. 이것이야말로 자연의 순리에 따라 만들어진 한국식 정원의 백미白眉라 할 수 있겠지요. 오곡문 담장 바로 뒤에는 작은 우물도 보입니다. 오곡문과 개울 사이 외나무 다리 바로 옆에는 살구나무 한 그루가 다소곳이 서 있습니다. 살구나무는 무병장수를 의미하니, 외나무다리를 건널 때 떨어지지 않도록 조심하라는 경고의 의미 같았습니다. 외나무다리를 건너면 왼편 아래쪽으로 '광풍각光風閣', 오른편 약간 비탈진 위쪽으로는 '제월당霽月堂'이 나옵니다.

소쇄원의 중심이라고 할 수 있는 '광풍각'은 한 평 남짓한 공간으로, 사방이 개방된 정자亭子입니다. 광풍각 앞으로는 작은 계곡물이 굽이쳐 내려옵니다. 약간 과장된 감정에서 보면, 그 물결은 봉황鳳凰 같은 물보라를 일으켜 광풍각에 머문 이로 하여금 마치 일엽편주를 타고 바다를 주유周遊하는 듯한 상상까지 할 수 있게 해준답니다. 그야말로 신선이 따로 없을 것 같습니다. 광풍각은 책을 읽는 연구 공간이면서, 집주인의 친구들이 방문하면 함께 학문을 논하며 놀던 장소였습니다. 반면, 제월당은 이곳의 주인이 거처하는 거주 공간입니다. "광풍光風과 제월霽月"은 그냥 지은 이름이 아니고 성리학자 주돈이周敦頤를 빗대어 지은 시詩에서 나온 것인데, 원문은 이렇답니다. "인품이 심히 고명하여 마음결의 깨끗함이 '맑은 날의 바람'(광풍光風)과 '비가 갠 날의 달'(제월霽月)과 같다." 그리고, 광풍각과 제월당 쪽으로 가면 문패처럼 생긴 '소쇄처사 양공지려瀟灑處士梁公之廬'라는 멋진 현판이 보일 겁니다. 광풍각 한 모퉁이에서는 공부하는 것을 방해하는 잡기雜氣를 막기 위해 심었다는 활짝 핀 복숭아 꽃나무도 볼 수 있지요. 또한, 광풍각 가는 길목에는 작은 문門이 하나 있습니다. 이 문은 지나가는 이들이 모두 고개를 조아리도록 일부러 낮게 만들어 놓았는데, 이는 공부하는 선비들에게 겸허한 마음으로 예禮를 지키라는 "묵언의 충고"라고 할 수 있지요. 작은 문을 나오면, 왼편에는 노란 산수유 꽃나무 한 그루를 배경으로 하는 작은 공간이 하나 있어 잠시 숨을 고르면서 쉬기 좋답니다.

광풍각을 둘러보고 있는데, 페이스북 친구인 〈감성무感盛舞〉의 창시자 국근섭 선생이 미국 타임스퀘어 공연 때 도움을 주셨던 미국 교포 한 분과 소쇄원 구경을 오셨네요. 소쇄원 구경을 마치고 함께 '식영정'에서 차 한 잔을 하자고 합니다. 광풍각을 지나 작은 계곡 위에 놓인 홍교虹橋 위에 올라서니 시원한 바람이 불어옵니다. 여기에서 광풍각과 제월당을 배경으로 사진을 찍으면 소쇄원 전체 풍경이 한 장의 사진 속에 들어옵니다. 소쇄원에서 보는 이 '홍교'라는 다리는 주로 사찰에서 많이 볼 수 있는 건축양식이지요. 그렇다고 꼭 사찰에서만 보는 불교 유산만이 아니라, 속세俗世와 선계仙界의 경계를 나누려는 의도에서 만들어진다고 합니다.

소쇄원 구경을 마치고 광주호光州湖가 내려다보이는 '식영정'으로 왔습니다. 전남 담양군 가사 문학면 지곡리에 있는 식영정은 소쇄원에서 창계천蒼溪川을 따라 15분 정도 천천히 걸어가면 만날 수 있습니다. 식영정은

우리말로 '별뫼(성산, 星山)'라는 산 둔덕 위 울창한 소나무 숲속에 둘러싸여 있는 정자입니다. 조선 중기 선비 김성원金成遠이 스승이자 장인이던 석천石川 임억령林億齡을 위해 만들었답니다. 식영정으로 오르기 위해서는 연꽃 연못을 품은 아름다운 정자 '부용당芙蓉堂'과 고고한 선비들의 공간인 '서하당棲霞堂', 임억령과 김성원을 배향하고 있는 '성산사星山祠', 그리고 "송강松江 정 철鄭澈 가사의 터"라고 새긴 팔각기둥의 기념탑을 마주치게 됩니다. 부용당 오른편으로 휘돌아 오르는 돌계단을 따라 조금만 오르다 보면 비로소 우람한 소나무와 느티나무 속에 있는 식영정을 만나게 되지요. 식영정은 정면 2칸, 측면 2칸의 단층 팔작지붕 정자입니다.

식영정息影亭이라는 이름은 "그림자가 쉬고 있는 정자"라는 뜻으로, 『장자莊子』의 〈제물편齊物篇〉에서의 우화寓話 "자신의 그림자가 두려워 도망치다가 죽은 바보" 이야기에서 유래되었다고 합니다. 분신과 같은 그림자는 사람의 욕망을 뜻하며, 욕심으로 가득 찬 세속을 벗어나지 않고서는 이를 떨쳐낼 수 없기에 세속을 떠나 그림자도 쉬는 그곳을 "식영세계息影世界"라고 했다고 하네요. 이렇듯 선비 임억령은 속세와의 인연을 끊고 모든 욕망을 내려놓기를 바라는 마음에서 식영정의 이름을 지었답니다. 식영정 마루에 올라앉아 따뜻한 차와 함께 국악인 국근섭 선생의 판소리 〈사랑가〉를 들으면서 내려다봤던 광주호의 아름다운 모습이 잊혀 지지 않을 듯합니다. 국근섭 선생께서는 자신의 거처인 담양읍 삼다리 대숲도 좋으니, 기회가 되면 한번 놀러 오라고 합니다. 오늘 돌아본 소쇄원과 식영정 곳곳에는 선비 양산보와 임억령 같은 조선 중기 뛰어난 문인들의 아름다운 인생이야기가 있었습니다. 오늘도 봄날은 여전히 갑니다.

시간여행에서 만난 환벽당

초지일관! 진정성! 요즘 우리에겐 이런 게 아쉽습니다. 오늘 병원 진료를 마치고 호수생태원 근처 '엄마손 맛집'에서 늦은 점심을 먹었습니다. 이 식당은 6,000원이라는 적은 돈으로도 맛있고 풍성한 애호박 찌개와 청국장 백반을 먹을 수 있는 가성비가 아주 뛰어난 식당으로 소문난 곳이지요. 늙은 노부부 두분이 요리와 서빙을 직접 하는데, 정성을 들인 음식과 친절함은 다른 식당과는 비교할 수 없을 정도로 뛰어나답니다. 그러나 이분들 나이가 많으셔서 언제까지 식당을 운영하실지는 잘 모르겠습니다.

배부른 점심을 먹고 식당 근처에 있는 취가정醉歌亭과 환벽당環碧堂 주변을 거닐었습니다. 오늘 찾은 취가정은 충장공忠壯公 김덕령金德齡 장군의 후손들이 김덕령 장군의 억울한 죽음을 위로하고 충정을 기리기 위해 세운 정자입니다. '취가정'이라는 이름은, 김덕령 장군이 정 철鄭澈의 제자 권필權韠의 꿈에 나타나 자신의 억울함을 호소하는 것에 대해 권 필이 시詩를 지어 화답한 데에서 유래되었다고 합니다. 이런 연유에서인지 취가정 앞뜰에는 '취시가醉詩歌'라는 시비詩碑도 있습니다. 취가정은 독특하게도 특정인의 넋을 기리기 위한 일종의 추모정원 성격을 띠고 있어, 별서정원인

식영정이나 소쇄원과는 성격이 다른 정자라 할 수 있지요.

그리고 취가정과 인접한 곳에는 명승 제107호 환벽당環碧堂이 있습니다. '환벽당'은 취가정보다는 규모 면에서 4~5배 정도 큰 공간에 자리 잡고 있습니다. 조선 명종 때 정 철鄭澈의 스승 김윤제金允悌가 자연을 벗 삼으면서 후학을 양성하기 위해 건립한 정면 3칸, 측면 2칸의 팔작지붕 정자랍니다. '환벽環碧'이란 "푸르름이 고리를 두른다."라는 뜻이죠. 이 정자 왼쪽 2칸에는 온돌방, 오른쪽 1칸은 대청으로 이루어져 있는 전형적인 남부 지방 가옥입니다. 환벽당 주위로는 푸른 소나무와 대나무, 배롱나무들로 둘러쳐져 있습니다. 무등산 아래 원효계곡에서 흘러 내려오는 개천과 주변에 있는 배롱나무가 대비되어 단아한 정취를 풍깁니다. 멀리 병풍이 쳐져 있는 듯 보이는 무등산의 풍광 또한 차경효과借景效果를 한껏 발휘합니다. 이렇듯 환벽당 일대는 조선 시대 호남지역의 대표적인 원림문화園林文化를 보여 주는 곳이랍니다. 주변에 있는 누정樓亭들과 함께 조선 시대 선비들의 시가문학詩歌文學을 살펴볼 수 있는 곳으로, 역사적인 학술 가치가 매우 높다고 볼 수 있습니다. 앞서 언급한 취가정과 환벽당 외에도 주변에는 소쇄원, 식영정, 충효동 왕버들 군群, 광주호 호수생태원도 가까이 있어 조선 시대로의 시간 여행과 함께 힐링의 시간을 갖기에 좋습니다. 물론 점심은 가성비 좋은 '엄마손 맛집'에서 먹으면 기쁨이 배가 되지 않을까요?

아름다운 창평면 삼지내마을

"또다시 속고 말았습니다."

시골길을 다니다 보면 길을 잘 몰라 시골 노인분들한테 물어보는 경우가 종종 있지요. 오늘 담양군 창평면 장전마을 이승기 고택을 가기 위해서 군내버스를 타야 하나, 아니면 걸어가야 하나를 고민하다가 지나가는 할머니 한 분께 "장전마을은 어느 쪽인지, 걸어갈 수 있는 거리인지"를 물었습니다. 그분 대답이 "응! 여기서 조금만 가면 사거리가 나오는 데 바로 오른편 마을이 장전마을이지. 걸어가도 금방 나와!"라고 하십니다. 그런데 가도 가도 끝이 없습니다. 또다시 시골 할머니한테 당했습니다. 그분한테는 그 길이 심정적으로 아주 가까웠나 봅니다. 초행길인 필자에게는 왕복한 시간이 넘는 거리였으니, 이 땡볕에 걷는 게 얼마나 힘들었겠습니까? 이제 다시는 시골길을 물을 때 속지 말아야겠다고 다짐합니다.

오늘은 광주에서 가까운 명소를 시내버스와 군내버스라는 대중교통 수단만으로 다녀오는 두 번째 '일일 관광'을 했습니다. 목적지는 담양군 창평면 삼지내마을이었습니다. 창평면 삼지내마을은 광주에서 담양 군내버스를 타고 1시간 정도를 달려가 창평리 2구(창평초등학교) 마을 입구에서 내리면 만날 수 있습니다. 마을 초입에는 아름다운 뜰을 가지고 있는 퓨전 한옥 스타일인 '창평면 행정복지센터'가 있습니다. 아마 우리나라에서 가장 독특하고 아름다운 행정복지센터라고 말할 수 있을 겁니다. 내부는 현대식으로 깔끔하게 꾸며 놓았고, 행정복지센터 외부와 옆 정원은 고전과 현대 이미지를 접목한 세련된 퓨전 스타일로 만들어 놓았습니다. 먼저 정원 곳곳을 돌아봤습니다. 행정복지센터 창고 또한 오래된 2층 한옥 건물인데, 창고답지 않게 고풍스럽고 멋스럽습니다. 정원 곳곳에는 계절에 어울리는 꽃들이 만발해서, 이곳이 행정복지센터인지 꽃놀이를 즐기는 유원지인지 헷갈릴 정도입니다.

마을 동쪽 월봉산에서 흘러내린 개천이 세 갈래로 마을을 가로지르고 있어 '삼지천三支川 마을', 내지는 '삼지내마을'이라고 부릅니다. 삼지내마을은 장흥 고씨長興高氏 집성촌으로 고재선高在宣 가옥, 고재환高在煥 가옥, 그리고 고정주高鼎柱 고택을 비롯하여 전통가옥 여러 채가 잘 보존되어 있습니다. 마을에는 한과나 쌀엿 등 전통 식품을 제조하는 곳도 여러 군데 있답니다. 이처럼 오래된 전통 가치를 보존하려는 노력으로 2007년 「국제 슬로시티 연맹」으로부터 아시아 지역 최초로 "슬로시티Slowcity"로 지정받아 관리되고 있습니다. 이곳은 아름답고 유서 깊은 전통 한옥은 물론, 마을 곳곳으로 이어지는 오래된 골목길 돌담이 참으로 정겹습니다. 골목길 담장 대부분은 돌과 흙을 사용하여 만든 "토석담"입니다. 비교적 모나지 않은 둥근 돌을 사용했으며, "S"자 형으로 자연스럽게 구부러지는 마을 안길이 전통 한옥과 잘 어우러져 있어 마을 분위기를 고즈넉하게 만들고 있지요. 그런데 최근에 마을 한옥 중 상당수가 카페나 민박 시설로 탈바꿈하여 영업하고 있습니다. 한 번쯤 민박을 하는 것도 운치가 있을 듯합니다만, 상업적으로 삼지내마을 전체가 변하고 있는 것 같아 뒷맛은 개운치가

않았습니다. 골목길 이곳저곳을 다니면서 고풍스러운 담장을 배경으로 사진 찍는 재미가 좋았습니다. 아무도 다니지 않는 골목길에 나만이 홀로 있다고 생각하니 왠지 비밀스러운 공간 속에 있는 듯했습니다. 때마침 오늘이 창평면 오일장(5, 10일)이더군요. 얼마 전 공소公所에서 성당聖堂으로 승격된 '창평면 천주교 성당'을 둘러보고, 창평시장에 있는 국밥집에서 점심을 먹을까 했는데, 대기하는 손님이 상상 이상입니다. 창평국밥이 유명하기도 하고, 장날이기도 해서 그런지 사람들이 많았던 것 같습니다. 그냥 간단히 짜장면으로 한 끼를 때웠습니다.

사실 오늘 창평면을 여행 목적지로 삼은 이유는 합성섬유 비날론을 세계 최초로 개발한 이승기李升基 박사 생가를 직접 한번 와 보고 싶어서였습니다. 이승기 박사는 일제강점기 담양 창평에서 부농의 아들로 태어나 일본 교토대를 졸업한 후 우리나라 초창기 고분자학高分子學 분야에서 최고의 과학자로 우뚝 서 있는 사람이랍니다. 6·25 당시 후퇴하는 북한군을 따라 월북(혹자는 납북이라고 주장)한 북한의 유명 화학자로, 북한의 핵 개발 초창기에 중추적인 역할을 하다가 1997년 사망하였다고 합니다. 이승기 고택이 있는 창평면 장전마을은 장전 이씨長田李氏 집성촌입니다. 마을은 대숲으로 둘러싸여 있어 그윽한 정취가 절로 묻어납니다. 그런데 '장전 이씨'라는 성씨姓氏가 따로 있는 게 아니라, 전주이씨 양녕대군 후손들이 그들의 성본을 그렇게 독자적으로 명명해서 불렀다고 하네요. 인기가수 이승기가 이승기 박사와 같은 집안으로 이름의 돌림자가 같다는 사실이 찬 재미있었습니다.

장전마을에서 창평면 소재지까지 돌아갈 때는 지름길인 농로를 따라 걸어갔습니다. 담양 들녘은 막바지 모내기에 여념이 없더군요. 간간이 만나는 마을들은 평화롭기가 이를 데 없습니다. 돌아오는 버스 안에 손톱만한 말벌이 같이 탑승하여 버스가 정차하는 등 한바탕 작은 소동이 벌어지는 에피소드도 있었네요. 오늘 비록 불편한 군내버스로 창평면을 돌아봤지만, 이런 불편 속에서 누리는 작은 편안함도 있었습니다. 손이 자유롭고, 눈이 자유로운 하루였습니다.

수선화의 사랑이 있는 곳, 신안군 선도

I may not have a mansion, I haven't any land.
not even a paper dollars to crinkle in my hands.
but I can show you morning on a thousand hills
and kiss you and give you seven daffodils.

미국의 유명 포크 가수 '조앤 바에즈Joan Baez'가 불렀던 〈일곱 송이 수선화Seven Daffodils〉 노랫말입니다.

오늘은 수선화 축제로 유명한 신안 선도蟬島라는 섬을 다녀왔습니다. 비록 코로나 때문에 올해 축제는 취소되었지만, 입소문이 아주 좋게 난 이곳 선도에서 4월이 가기 전 아름다운 수선화 군락을 구경해야 할 것만 같았습니다. '선도'는 행정구역상 전라남도 신안군 지도읍에 있는 섬입니다. 무안군 운남면 신월선착장에서 배를 타고 15분 정도 가면 도달할 수 있는 육지에서 아주 가까운 섬이랍니다. 섬 모양이 매미를 닮아 소위 '매미 섬'이라고도 합니다. '선도'는 갯벌이 좋아 세발낙지가 유명하다는 것 외에는 별다른 특징이 없는 평범한 섬이었답니다. 그런데 주민 할머니 한 분이 집 주변에 수선화를 심기 시작한 이후 점차 수선화밭이 커져 해마다 봄이 되면 동네 대부분이 아름다운 수선화 물결을 이루게 되었고, 점차 이것이 외부로 입소문이 나게 되었습니다. 때마침 색깔 마케팅이라는 지자체 사업과 맞물려 섬 주민 대부분이 자신들의 양파나 마늘밭을 갈아엎고, 약 43만 송이의 수선화 단지를 조성해서 '선도'를 전국에서 가장 유명한 수선화 군락지로 만들게 되었던 것이지요. 이후 신안군은 매년 3월이면 이곳 선도 일대에서 〈선도 수선화 축제〉를 개최하여 선도의 아름다운 수선화를 전국에 알리고 있다고 합니다. 꽃말이 "자존自尊"이라는 수선화는 혹독한 겨울을 이겨내고 피어난다는 의미의 '설중화雪中花'라는 별명도 가지고 있습니다. 경제적으로는 화장품 재료로도 사용되고, 외상 치료에 쓰이기도 하는 등 용도가 다양한 꽃이라고 합니다.

올해도 '선도'는 수선화가 꽃 대궐을 이루고 있었습니다. 코로나로 수선화 축제는 취소되었지만, 따뜻한 봄날 햇살을 받으며 드넓은 수선화밭 사이를 돌아다니는 기분이 무척 상쾌했습니다. 섬 우측 편을 돌아 '수선화의 집'까지 갔다 오는 데는 대략 2시간 정도 걸렸습니다. 참고로 이곳에는 식당이 없으니까 되도록 음식을 가져오는 게 좋을 듯합니다. 필자 역시 먹거리를 준비해 와서 수선화밭 벤치에 앉아 간단한 요기로 점심을 대신했답니다. 수선화밭 사이사이를 걷다가, 도중에 놓여 있는 벤치에 앉아 봄날 따스한 햇살을 맞으며 조용히 바다를 바라보는 시간이 행복했습니다. 아참! '수선화의 집'이라는 곳을 가다 만나는 선치분교 앞 저수지가 아주 인상적이니, 그곳을 배경으로 사진을 찍으면 멋지게 나올 겁니다. 2016년 폐교된 선치분교 주변과 교정도 예스럽고 이쁘니 꼭 한번 들러 보시길 바랍니다. 신안군은 퍼플Pupple 섬, 옐로우Yellow 섬 등 "색깔 마케팅"으로 성공한 곳으로, '선도'의 수선화뿐만 아니라 '임자도荏子島'의 튤립도 유명하다고 합니다. 봄날 화려한 꽃들이 보고 싶다면 이곳으로 나들이 한

번 해보시길 바랍니다. 오늘 별다른 기대는 하지 않고 왔지만, 한적하고 평화로운 섬마을 정취에 반해 내년에도 오려고 합니다.

편견,
그러나 멋있는 목포

"멋과 맛이 공존하는 도시, 시간 위를 걷는 도시"라는 별칭을 가지고 있는 우리나라 서남부의 대표적 도시 목포를 다녀왔습니다. 오늘 목포 시가지는 화창한 초봄 날씨임에도 코로나 창궐 때문인지 사람이 붐비지 않아 한산하고 쾌적해서 좋았습니다

목포木浦는 우리나라 비수도권 도시 중 면적이 가장 작은 곳입니다. 인구는 21만 명 정도로 전남에서 광주, 순천, 여수에 이어 4번째로 많은 인구를 가지고 있는 도시입니다. 강화도 조약 이후 인천, 부산, 원산에 이어 네 번째로 개항한 항구였으며, 일제강점기 일제에 의해 나주평야에서 생산된 쌀과 면화를 수탈하는 전진 기지 역할을 했습니다. 그런 이유인지 일제강점기 수탈의 역사와 흔적을 가진 근대 건축물과 역사적 장소가 상당하답니다. 목포의 기원起源에 대해서는 여러 학설과 주장들이 있지요. 영산강의 민물과 바닷물이 만나는 곳을 "목"이라고 불러서 '목포'라는 지명이 생겼다는 설과, 나주 남쪽에 있으면서 나주의 부속 포구 기능을 담당하던 "남포南浦"가 '목포'로 이름이 바뀌었다는 설이 있습니다. 목포는 1897년 개항한 이래 격자형格子型 도로망을 중심으로, 다양한 건축물이 들어선

계획도시로 성장을 시작했습니다. 당시 목포는 항구를 오가는 외국 사람들의 거류지를 조성할 목적으로 앞바다 갯벌을 매립, 조성한 부지 위에 건설되었습니다. 이후 네덜란드 건축가에게 기본적인 도시설계를 맡김으로써, 지금 우리가 보고 있는 목포의 기본적 도시 윤곽이 갖추어지게 되었다고 합니다. 해방 이후에는 김대중金大中으로 상징되는 야당의 본거지로 여겨지게 되어 사회·경제적 홀대를 받게 되었고, 그 이유로 인해 경제적으로는 전국에서 가장 낙후된 도시 중 하나가 되었던 것이죠. “호남 차별의 상징”과도 같았던 목포는, 1990년대 인근에 대불산업단지와 삼호중공업이 들어서면서부터 본격적인 발전을 시작하게 되었습니다. 2005년 11월 전라남도 도청이 무안으로 이전한 이후에 비로소 전라도의 서남권 중추도시가 될 수 있었지요. 요즘 목포는 활발한 도시재생사업을 통해 동양척식주식회사, 일본영사관, 이훈동 정원 등 구도심의 근대역사 자원을 관광상품으로 개발하여 관광 도시로서의 면모를 다져나가고 있답니다. 이러한 노력이 계속된다면 목포가 언젠가는 대한민국의 변방 도시가 아닌 대표적인 관광도시로 될 것 같습니다.

오늘은 유달산 조각공원을 거쳐, 노적봉, 이훈동 정원, 근대역사관 1관, 근대역사관 2관, 코롬방 베이커리, 가락지 분식, 연희네 슈퍼, 서산동 시화 마을을 다녀왔습니다. ‘유달산 조각공원’과 ‘노적봉’은 주변 산책길

이 잘 정비되어 있었고, 산뜻한 기분으로 걸어 다닐 수 있었고, 유달산儒達山 노적봉에서 내려다본 목포항 구도심 일대 경관은 무척이나 인상적이었습니다. 특히 유달산에는 1930년대 식민지 설움을 달래주던 가수 이난영의 노래 〈목포의 눈물〉 가사 내용이 새겨진 시비詩碑도 눈에 띄었습니다. 이 노래는 호남인들의 한恨을 표현하는 "또 다른 호남인들의 애국가"라고 할 수 있을 겁니다.

일제강점기 시절 목포 최초의 근대 건축물이었던 '일본영사관'은 '근대역사관 1관'으로 모습을 탈바꿈했습니다. 이 건물은 대한제국 말기 일본영사관 건물이었다가, 해방 이후 잠깐 목포시청 청사 건물로 사용된 적이 있었으며, 최근 가수 '아이유'가 주연한 드라마 〈호텔 델루나〉의 촬영 장소로 이용했던 건물입니다. 외양이나 분위기가 덕수궁 '중명전重明殿'과 비슷하답니다. 현재는 '근대역사관 1관'으로 재개장하여, 목포의 지나온 역사를 알 수 있는 전시물을 일목요연하게 정리해 놓았습니다. '근대역사관 1관' 뒤편에 있는 방공호防空壕는 일제가 미군 공습을 피하기 위해 한반도 전역에 만들어 놓은 전시 대비용 방공호의 전형이라고 합니다. 어둡고 긴 방공호는 암울했던 일제강점기 36년을 상징적으로 보여 주고 있습니다. '근대역사관 2관'은 르네상스 양식의 2층 석조 건물로, 과거 「동양척식주식회사」가 있던 곳입니다. 이 기관은 목포의 "일흑 삼백一黑 三白", 이른바 김, 목화, 쌀, 소금을 착취하는 일제의 식민 전진 기지 역할을 하던 곳이었습니다. 이곳 근대역사관 2관에서는 개항을 전후한 목포의 역사와 목포 출신 주요 인물을 소개하는 한편, 개항 이후 목포가 어떻게 발전해 왔으며, 일제는 어떤 방식으로 한반도 주요 자원들을 수탈해 왔는가를 자세히 알 수 있었습니다.

점심은 목포역 근처 '해남 해장국'에서 돼지 뼈다귀해장국을 먹었는데,

정말 해장국의 끝판왕이었습니다. 해장국 제조법을 특허까지 받아 돼지 냄새가 전혀 나지 않을 뿐 아니라, 국물까지 담백합니다. 목포에서 최고의 해장국 식당으로 추천합니다. 오후 늦게 배가 좀 출출하기에 〈한 번쯤 멈출 수밖에〉라는 예능프로에서 가수 이승기와 이선희, 아나운서 이금희가 다녀갔던 '가락지 분식'에서 단팥죽과 호박죽, 그리고 약식을 먹었습니다. 허름한 내부 시설과는 달리 맛은 나름 괜찮았습니다. 이곳에서는 KBS의 인기 예능프로인 〈1박 2일〉도 촬영했다고 합니다. 보통 우리나라 일제강점기 번성했던 도시에는 유명한 빵집이 하나 정도는 있곤 하지요. 목포 역시 일제강점기 시절 태어난 빵집이 있답니다. 대전 성심당, 군산 이성당 빵집 등과 함께 우리나라 5대 빵집 중 하나라는 목포 '코롬방 베이커리'가 내부 리모델링 중이라서 근처에 있는 'CLB 베이커리'에서 그곳의 대표 메뉴인 새우와 크림치즈 바게트를 구매했습니다.

그리고 영화 〈1987〉 개봉 이후 전국적으로 유명해진 서산동 '연희네 슈퍼'와 '시화 마을'을 갔습니다. '연희네 슈퍼' 앞에서 구멍 가게를 운영하는 마을 청년의 넉살 좋은 영업 기술에 현혹되어 쫀드기 같은 옛날 과자를 어쩔 수 없이 사게는 되었지만, 연희네 슈퍼를 배경으로 사진 하나는 멋지게 찍어 주더군요. 연희네 슈퍼를 지나 좁고 가파른 골목길을 올라 다리에 쥐가 날 정도로 힘이 들 무렵이면 '시화 마을' 정상에 다다르게 됩니다. 그곳에는 영화 〈도도솔솔라라솔〉 촬영지가 있습니다. 그곳에서는 목포 구도심의 전경이 한 눈에 들어오더군요. 오늘은 시간 여유가 없어서 고하도高下島나 갓바위, 항동시장 같은 곳은 가보지 못했습니다만, 다시 와 보려 합니다. 그동안 목포는 관광지로서 매력은 별로 없다고 생각했었는데, 오늘 목포 시내 구석구석을 다녀 보니 우리나라 4대 관광 도시로 발전하려는 포부가 그냥 생긴 것은 아닌 것 같습니다.

또한, 목포는 "목포는 항구다"라는 은유법적 구호뿐만이 아니라, 가수 이난영과 남진, 여성 최초의 장편 소설가 박화성朴花城, 우리나라 근현대 문학사에서 독보적 극작가로 평가받고 있는 차범석車凡錫과 잡지 『문학과 지성』을 창간한 문화평론가 김현金炫 같은 유명 문학인의 고향인 것을 아시는지요? 목포는 지역 출신 유명 문학가들을 기리기 위해 해마다 9월에는 '목포 문학관'과 북교동 일대에서 〈목포 문학 박람회〉를 개최하여 각종 시詩 낭송 및 디지털 작품 전시 등의 문학 행사를 하고 있으니 그 시기에 맞춰 찾아보시는 것도 추천합니다. 역시! 목포는 따뜻한 봄날에 가기 좋은 곳입니다.

유배의 땅,
강진

가을날 강진康津은 어떤 모습을 가지고 있을까요? 그리고 '백운동 정원'과 '백련사白蓮寺' 동백나무 군락은 이 가을 어떤 풍경을 나에게 줄까요?

여전했습니다. 이른 시간이어서 그런지 백운동 정원은 고요하고 한적했습니다. '강진다원' 쪽에서 오솔길을 걸어가다 바라본 '백운동 정원' 풍경은 여기저기 물들기 시작한 작은 단풍과 어울려 그지없이 멋지더군요. 아래쪽 계곡으로 이어지는 대나무숲의 울창함이 기이할 정도로 엄숙하기까지 합니다. 간혹 들려오는 새들의 지저귀는 소리가 마치 아름다운 음악소리 같았습니다. 묵상의 시간을 갖기에 참 좋은 곳이었습니다.

천년고찰 무위사無爲寺 경내를 돌아본 후 강진 중심가에 있는 '영랑생가'를 거닐면서 영랑永郎 김윤식金允植과 더불어 1930년대 시문학파詩文學派를 이끌던 시인 정지용(鄭芝溶, 1903~1950)을 생각했습니다. 그의 시詩『향수』가 유독 생각나는 계절이기도 했지만, 이 시를 노래로 만들어 불렀던 가수 이동원이 엊그제 죽었다는 소식을 듣고 난 후부터 올해 가을이 더욱 더 허전하고 쓸쓸합니다. 지붕을 새로 얹는 '사의재四宜齋' 주막터는 번잡했고, 새로 조성된 사의재 저잣거리는 도색 작업으로 분주했습니다. 거듭 드는 생각입니다만, 인위적인 것들은 부자연스럽고 인간적이지 않다는 것이지요.

백련사 가는 도중 오랜만에 '남녘교회'에 들렀습니다. 고딕 양식의 고풍스러운 예배당 내부는 그동안 좌식에서 입식으로 바뀌었으며, 예배당 외벽은 새롭게 칠을 했네요. 나오는 길에 우연히 남녘교회 염승철 목사님을 만나 인사를 나눴습니다. 오랫동안 남녘교회에 대해 이런저런 이야기를 하시더군요. 목사님 말씀에 이하면, 남녘교회는 1970년대 교회가 처음 설립되었고 현재는 50대, 60대 동네 주민 10여 명이 교회에 나오고 있다고 합니다.

남녘교회 현판 글씨는 신영복申榮福 선생이 감옥에서 출소한 직후 쓴 글씨라고 합니다. 선생의 작품 중 가장 힘 있는 작품이라고 하네요. 그리고 놀랄만한 사실은 1998년 독일 유력 시사 주간지 '슈피겔Der Spiegel'이 '남녘교회'를 "세상에서 가장 아름다운 교회"로 선정한 바도 있다고 합니다. 아마도 단순하고 평범한 교회지만, 교회 자체의 평화스러움과 건물의 멋스러움이 인정받은 게 아닌가 합니다. 종교적 관심이 없는 사람들은 그냥 지나치기 쉽겠지만, 한 번쯤 볼 만한 가치가 있는 건축물이니 다산초당茶山草堂이나 가우도駕牛島에 갈 기회가 있다면 꼭 들러 보시길 바랍니다. 소박하고 평화스러움, 그 자체입니다.

남녘교회를 떠나 얼마 가지 않아 '백련사白蓮寺'와 '다산초당茶山草堂'을 만났습니다. 백련사 초입에서 만나는 동백나무 군락은 울창함이 자못 장엄하기까지 합니다. 대웅보전大雄寶殿 앞에서 바라다보이는 강진만康津灣의 풍광이 뿌연 연무 속이었지만 볼만 하네요. 오랜만에 찾은 다산초당은 시간에 쫓기어 허겁지겁 올라가 주마간산 격으로 대충 보고 내려왔습니다. 이곳에 얽힌 사연을 곱씹으면서 초당 툇마루에서의 시간을 더 보냈어야 했는데 그러질 못해 아쉬웠습니다.

그리고, 가을 소풍에 먹거리를 빼놓을 수는 없겠죠? 오늘은 강진읍에 있는 오래된 한정식집 '명동식당'에서 거창한 한정식으로 점심을 먹었습니다. 반찬은 먹을 만한 것으로만 20여 가지가 나왔습니다. 개인적으로는 종가집 한정식, 예향, 돌담 한정식, 해태식당 등 강진에서 유명한 식당 중 명동식당이 최고라고 봅니다. 정말로 강진은 멋있는 볼거리와 맛있는 먹거리를 많이 가지고 있는 남도 여행의 출발지로서 손색이 없는 곳이랍니다.

볼 것 많은 남도의 끝, 해남

지금까지 '해남海南'은 거리도 멀고, 여행지로서 그다지 매력이 없다는 생각에 자주 찾아보지는 않았습니다. 그래서 그런지 중학교 수학여행 때 대흥사大興寺 초입에 있던 여관에서 단체로 숙박하면서 친구들과 놀던 기억 외에는 해남이 주는 기억이나 추억은 별로 없습니다.

그런데 이번에 진도·해남 여행 계획을 짜면서 보니, 깊어 가는 이 가을에 가장 잘 어울리는 곳이 바로 '해남'이라는 생각이 들었습니다. 땅끝 해남에는 소백산맥의 끝부분인 아름다운 두륜산頭輪山은 물론, 천년고찰 대흥사, 템플스테이와 달마고도 도보여행으로 입소문이 난 '미황사', 남해의 아름다운 절경을 조망할 수 있는 '도솔암', "지국총至匊悤" 윤선도 유배지, 조선의 레오나르도 다빈치라는 공재恭齋 윤두서尹斗緖가 살았던 해남 윤씨 고택인 '녹우당', 철새 도래지 '고천암 자연생태공원', 고가의 막걸리로 유명한 '해창주조장' 등 가볼 만한 곳이 상당하더군요.

이번 여행에서 가장 먼저 찾은 곳은 해남 윤씨 고택 '녹우당綠雨堂'이었습니다. 녹우당은 해남읍 연동마을에 있는 전형적인 배산임수背山臨水 지형의 600년 전통을 가지고 있는 고택이랍니다. 남도를 대표하는 종가宗家의 품격이 가장 잘 묻어나는 곳이죠. 고산孤山 윤선도尹善道의 4대조 할아버지인 윤효정尹孝貞이 녹우당을 처음 지은 이후, 1669년 후손 윤선도가 수원의 집을 이곳으로 옮겨와 본래 있던 종가宗家 가옥에 덧대어 지었다고 합니다. 녹우당은 원래 사랑채만을 지칭했습니다. 그런데 지금은 녹우당 전체를 통칭하는 말로 사용되고 있지요. '녹우당'이라는 이름은 "푸른 비가 내리는 집"이라는 뜻에서 나왔다고 합니다만, 다른 의미로는 선비의 절개와 기개가 충만한 집이라는 뜻으로도 의역한다고 합니다. 윤선도 이후 녹우당은 남도 문예 부흥의 상징적 장소로, 많은 관광객이 찾고 있는 해남의 대표적 명소가 되었습니다.

보통 남부지방 전통가옥은 안채와 사랑채가 적절한 간격을 두고 떨어져 있는 데 반해, 이곳 녹우당은 구례 '운조루'와 마찬가지로 안채와 사랑채가 같이 있는 미음 자(ㅁ) 가옥 구조 형식을 가지고 있습니다. 녹우당을 대표하는 가장 상징적인 것은 녹우당 앞에서 500년 이상을 살아온 나이 지긋한 은행나무라고 합니다. 윤선도의 조부 윤효정이 강진에서 해남으로 터를 옮긴 후, 아들의 진사 시험 합격을 기념하여 심었다고 합니다. 이 은행나무야말로 고산 윤선도의 집안 역사를 조용히 지켜본 산 증인이라고 해도 무방할 듯합니다. 60여 칸에 달하는 한옥의 멋스러움과 녹우당 담장을 따라 걷는 느낌이 고즈넉하고 조용해서 좋았습니다. 고택 뒤편으로는 천연기념물로 지정된 비자나무 숲이 있어 잠시나마 힐링의 시간을 가질 수 있었습니다. 녹우당은 건축물로도 아름답고 훌륭하지만, 윤선도와 함께 "한국의 레오나르도 다빈치"라는 윤두서尹斗緖 선생 같은 한국 문화예술사의 대표적 인물이 태어났다는 점에서 남도의 보물뿐만 아니라 한국의 보물이라고 할 수 있을 것입니다.

녹우당 구경을 마치시면, 녹우당과 인접한 '땅끝 순례 문학관'도 꼭 둘러 보길 바랍니다. 이곳 프로그램의 하나인 책갈피도 만들어 보고, 그리운 이들에게 즉석 편지를 보내는 즐거움도 느껴 보시길 바랍니다. 사실 해남이 남도 문학의 중심인 것을 오늘에서야 알았습니다. 시인 김남주金南柱, 고정희高靜熙 작가, 이동주李東柱, 박성룡朴成龍 시인 등 국내 문단의 대가들 상당수가 해남 출신이라고 합니다. 이렇게 아름다운 자연과 전통 있고 유서 깊은 곳에서 좋은 작가들이 나오는 것이 당연한 게 아닐까요?

좋은 시간이었습니다.

녹우당을 나와 허기진 배를 채우기 위해 친구 정렬이가 추천해 준 해남 읍내 '천일식당'에서 떡갈비 정식을 먹었습니다. 십여 년 만에 찾은 천일식당의 반찬 하나하나에 깃든 정성과 맛은 여전했습니다. 100년이 넘은 이런 노포老鋪의 정갈하고 깔끔한 맛을 따라갈 곳이 어디 있을까요?

점심을 먹고 나오니 비바람이 몰아칩니다. 궂은 날씨임에도 일정대로 추색秋色으로 물들어 가고 있는 '대흥사大興寺'를 찾았습니다. 비바람이 세차게 불었지만, 가을을 온전히 느끼기 위해 대흥사 매표소에서부터 사찰까지 걸었습니다. 오래된 사찰일수록 입구에서 절간에 이르는 진입로가 일품이라는 걸 아시는지요? 아름답기로 소문난 대흥사의 진입로를 흔히들 '장춘숲길'이라고 부른답니다. '구곡장춘九曲長春'이라는 별칭으로도 불리는 이 길은 대흥사 매표소에서부터 대흥사 일주문까지 약 4km에 이릅니다. "굽이굽이 아홉 굽이 숲길"이라 '구곡九曲', 그리고 "봄에 걷는 길이 길다."라는 뜻인 '장춘長春'이라는 이름이 붙여졌다고 합니다. 포장된 도로길도 예쁘지만, 포장도로 옆 산길에 있는 산책로를 걸어야지만 대흥사를 품고 있는 두륜산의 정취를 제대로 느낄 수 있다고 해서 대흥사로 들어갈 때는 포장도로, 나올 때는 산길 산책로로 나오는 옵션을 택했습니다. 대흥사 진입로에는 측백나무와 편백나무로 빽빽합니다. 쭉쭉 뻗은 침엽수와 활엽수가 온통 하늘을 가리고, 도로와 나란히 이어지는 계곡에는 물소리가 끊이질 않습니다. 아직 단풍이 완전하게 물들지는 않았지만, 부분부분 물들어 있는 단풍이 정말 멋집니다.

대흥사는 여느 사찰과는 조금 다른 면이 있는 것 같습니다. 사찰 대웅전의 위치가 경내 한쪽으로 치우쳐 있습니다. 그럼에도 두륜산 봉우리와 절묘한 조화를 이루고 있네요. 이러한 조화 때문에 두륜산이 품은 사찰 대흥사가 무척이나 평온하다는 느낌이 들었나 봅니다. 처음 계획은 경내를 돌아보고 대흥사의 부속 암자인 '일지암日枝庵'을 갔다 오는 것이었습니다만, 비바람이 심하게 불어 다음 기회로 미뤘습니다. 일지암은 다도로 유명한 초의선사가 세운 암자입니다. 한국 다도 문화茶道文化의 상징 같은 곳이지요. 오래전 일지암에 계신 '여연' 스님께 인사를 드리러 간 적이 있었습니다. '여연' 스님은 필자 친구와 같은 대학 연합 동아리 출신으로 다도茶道에 전문가일 뿐 아니라, 비틀스The Beatles 음악에도 일가견을 가지고 계신 분이랍니다. 뵙지 못해 마음이 서운했습니다.

대흥사는 서산대사西山大師가 창건한 절로, 서예로 유명한 이광사李匡師, 추사 김정희金正喜 등과 관련된 이야기가 많은 곳이기도 합니다. 2018년에는 "산사山寺, 한국의 산지 승원僧院"이라는 이름으로 부석사, 봉정사, 선암사, 마곡사, 법주사, 통도사 등 7개 산사와 함께 유네스코 세계유산으로 등재된 세계적인 문화유산이기도 하지요.

비바람 속에서 대흥사 구경을 마치고, 11만 원짜리 고가의 막걸리로 유명한 '해창주조장'을 방문했습니다. 해창막걸리는 해남 땅에서 나는

100% 유기농 찹쌀과 멥쌀을 자연 발효해 장기간 저온 숙성해서 빚는다고 합니다. 찹쌀 자체에 단맛이 있어 일체의 감미료도 넣지 않았고, 마시고 나면 숙취가 없는 것이 특징이랍니다. 예쁘게 꾸며진 정원과 막걸리의 생산과정을 한눈에 알아볼 수 있도록 견학 프로그램도 잘 만들어 놓았습니다.

이곳 주조장은 일제강점기인 1927년 일본인 군마현軍馬縣 출신 미곡상 '시바다 히코헤이'가 지은 살림집과 그 정원이 모태라고 합니다. 1961년 한국인 주인이 살림집을 주조장으로 개조하여 약 30년간 막걸리를 만들어 오다, 2008년 경영난으로 폐업하려던 것을 지금의 주인이 인수하였답니다. 그는 6년간의 연구와 시행착오를 거친 끝에 과거와는 전혀 다른 프리미엄 막걸리를 개발하여 지금의 해창주조장을 만들었다고 하네요. 주조장을 돌아보면서 흥미롭게 보았던 광경은 주조장 내에 고양이 수십 마리가 활보하고 있다는 것이었습니다. 고양이를 좋아하지 않는 필자는 여기저기에서 나타나는 고양이가 조금 겁이 나더군요. 이곳에서 생산되는 막걸리는 6도·9도·12도·18도 등 4가지 정도가 있습니다. 그중에서 18도 막걸리는 가격이 11만 원이나 하는 고가로, 소위 '롤스로이스 막걸리'라는 별칭도 가지고 있다고 합니다. 저녁 식사 때 먹을 반주용으로 9도짜리 가성비 좋은 막걸리 1병만을 구매했습니다.

마지막 여정으로, 진도 섬 초입에 있는 '고천암庫千巖 자연생태공원'을 들렀습니다. 이곳은 철새 도래지로서 순천만 습지 못지않게 유명한 곳으로 공원 곳곳을 거닐기 좋도록 잘 꾸며 놓았지만, 너무 외진 곳에 있어서인지 찾는 사람이 별로 없더군요. 오늘은 해남을 간단히 둘러보았고 내일부터는 진도珍島에 며칠간 머물면서 섬 일대 이곳저곳을 둘러보려고 합니다. 진도는 정말 "보물섬"일 것 같습니다. 기대가 많이 됩니다.

관광지로서 진도는?

'진도珍島'가 제주도와 거제도에 이어 우리나라에서 3번째로 큰 섬이라는 걸 이번에 알았습니다. 왜 완도莞島보다 진도가 작은 섬이라 생각했을까요?

진도는 예로부터 "한 해 농사지어 3년을 먹는다"라는 말이 있을 정도로 물산과 인심이 넉넉한 곳이었습니다. 이러한 진도는 예향禮鄕의 고장이라는 평가도 받고 있지만, 역모를 꾀했다가 외진 곳으로 보내지는 유배지나, 고려 말 몽고蒙古 침략에 저항하는 삼별초의 군사적 요충지로도 알려져 있습니다. 육지와 지리적으로 멀었던 진도는 1984년 사장교斜張橋인 진도대교가 완공됨으로써 세상과 가까워졌습니다.

그때 이후 진도는 우리나라 최고의 낙조 명소인 '세방낙조'를 비롯해서 세계적으로 보기 드문 '신비의 바닷길', 고려 삼별초三別抄의 항몽 근거지였던 '남도 진성'과 '용장 산성', 가슴 아픈 세월호의 흔적이 여전히 남아 있는 '팽목항', 그리고 가수 '송가인 생가' 등이 세상에 점점 알려지기 시작했답니다. 진도는 문화와 예술의 고장으로도 명성이 높습니다. 우리나라 대표 민요 '진도아리랑'이 이곳에서 탄생했고, 조선 후기 남종 문인화의 대가인 소치小痴 허 련許鍊, 미산米山 허 형許瀅, 의재義齋 허백련許百鍊, 남농南農 허 건許楗 등도 이곳 운림산雲林山 아래에서 태어나 진도를 한국화의 산실産室로 만들었지요.

어제의 힘든 여정으로 피로가 풀리지 않아 늦잠을 잤습니다. '쏠비치 진도' 근처 용천식당에서 아침 겸 점심을 먹는 것으로 오늘의 일정을 시작했습니다. 제일 먼저 운림산방 가는 도중에 있는 '신비의 바닷길' 현장과 체험관을 들렀습니다. 해마다 음력 2월 그믐 영등사리 때와 6월 중순 두 차례에 걸쳐 진도군 고군면 회동마을과 그 앞바다에 있는 의신면 모도茅島 사이에는 바다가 갈라지는 일명 "한국판 모세의 기적"이 일어난답니다. 이 시기가 되면 폭 30~40m, 길이 2.8km가량의 바다가 양쪽으로 열리게 되는데, 이때를 전후해서 〈신비의 바닷길 축제〉가 대대적으로 열립니다. 관광객들은 갈라진 바다 사이를 걸으면서 각종 조개류나 해초류를 채취하는 즐거움과 함께 바다가 갈라지는 경이로운 현장을 볼 수 있다고 합니다. 단순하게 체험관에서 영상으로 바닷길이 열리는 것을 보는 것보다는, 바다가 갈라지는 시기에 맞춰서 직접 현장에서 보는 것이 좋을 듯합니다.

신비의 바닷길 현장을 구경하고 진도의 대표적 관광지 '운림산방雲林山房'으로 향했습니다. 운림산방은 "진도 여행의 일번지"라고 알려져 있습니다. 이곳은 진도 그림의 뿌리이자 조선 후기 남종화의 대가인 소치小癡 허련許鍊이 그림을 그리면서 평생을 살았던 곳이었지요. 오늘 운림산방은 소치 허련의 화실과 기념관의 대대적인 공사로 어수선해서 기대했던 만큼 분위기가 좋지는 않았습니다. 다만, '가계해수욕장'에서 첨찰산尖察山을 넘어 운림산방 가는 길이 아주 멋있었습니다. 혹시 진도를 여행하는 분은 꼭 이런 노정路程을 따라가시길 바랍니다.

오늘 최고의 방문지는 의외로 가수 '송가인 생가'였답니다. 진도 읍내에서 지산면 앵무리 송가인 생가生家로 가는 길에는 '송가인 길', '송가인 공원' 등 온통 "송가인"이라는 가수 이름으로 도배하다시피 되어 있더군요. 보통 돌아가신 위인이나 영웅의 집을 생가라고 하는데, 지금 살아 있는 나이 어린 가수의 집을 생가라고까지 하는 게 적절한지는 모르겠지만, 재미있다는 생각은 들었습니다. 세방낙조를 보려 했는데, 오후부터 비바람이 세차게 몰아쳐서 일정을 중단하고 읍내 농협 하나로마트에서 저녁거리로 초밥만 사서 숙소로 돌아왔습니다. 내일은 날씨가 좋아져서 세방낙조의 멋진 광경을 볼 수 있었으면 좋겠습니다.

우리나라 최고의 낙조, 세방낙조

세방낙조細方落照를 봐야 할 텐데....

어제부터 날씨를 걱정했습니다만, 오늘은 오전에만 잠깐 날씨가 맑다가 이내 흐려집니다. 오후부터는 세찬 소나기까지 내리고 있습니다. 할 수 없이 일정을 접고 숙소로 돌아와 쉬기로 했습니다. 지지리 복도 없는지 진도가 자랑하는 '세방낙조'는 볼 수 없나 봅니다. 세방낙조는 우리나라에서 손꼽히는 일몰日沒입니다. 세방낙조 전망대에서 바라다보는 낙조落照는 다도해 국립공원의 경관과 어우러져 그야말로 천국 속에 있는 듯한 느낌까지 준다고 하니까요. 해 질 무렵 섬과 섬 사이로 빨려 들어가는 듯한 이곳의 일몰은 주위의 파란 하늘을 단풍보다 더 붉은빛으로 물들인다고 해서 유명하답니다. 그런 이유로 우리나라 「기상청」으로부터 "한반도 최남단 제일의 낙조 전망대"로 선정된 적도 있습니다.

아침에는 어제 읍내 농협 하나로마트에서 우연히 만났던 곱창김 판매업자의 공장을 찾아가 곱창김 몇 톳을 샀습니다. 맛이 아주 구수하고 바다향이 물씬 묻어 나오는 것 같았고, 값도 시중 판매 가격보다 저렴했습니다. 무엇보다도 현지 생산 제품이라는 심적 안도감이 좋았습니다. 어차피 일몰을 볼 날씨는 안 되고 숙소에서 그냥 있기도 아쉬워 진도 해안도로를 한 바퀴 돌기로 했습니다. 가장 먼저 찾은 '금갑해변'은 고요한 바다 전경과 한적함을 주더군요. 한동안 말없이 모래사장을 거닐었습니다. 조용함은 편안함과 다름이 없는 것 같습니다.

금갑해변을 나와 진도 휴양림으로 가다가, 여귀산女貴山에 있는 돌탑을 찾았습니다. 전북 진안의 마이산馬耳山 풍경과 비슷하다는 생각이 들었습니다. 여기에서 멀지 않은 곳에 있는 '진도 휴양림'은 남해의 절경이 한눈에 들어오는 경치를 가지고 있더군요. 이곳에서 바라본 바다는 지금까지 보아온 바다 가운데에서 손에 꼽힐 정도로 아름다운 바다였습니다. 고요함과 잔잔함, 산들거리는 나뭇잎, 그리고 물고기 은빛 비늘처럼 빛나는 바다 물결 사이로 강렬한 태양이 빛을 발하고 있었습니다. 진정 멋있는 바다라는 게 이런 모습이 아닐까요? 진도 휴양림은 천혜의 바다 풍경을 배경으로 낮은 언덕 위에 아늑하게 자리하고 있으며, 솟대 만들기 등 목공 체험과 활쏘기 체험, 그리고 숲 해설 등 다양한 자체 프로그램도 운영 중이었습니다. 아이들을 데리고 오는 분들은 이곳에서 숙박하시는 것을 추천합니다.

팽목항 가는 도중에 항몽 유적지 '남도진성南桃鎭城'을 들렀습니다. 진도

남도진성은 고려 장군 배중손裵仲孫이 이끄는 삼별초三別抄가 진도를 떠나 제주도로 향하기 직전까지 몽고蒙古와 마지막 항전을 벌였던 유적지로, 현재 복원 공사가 한창 진행 중이더군요. 조만간 복원을 마치고 관광객을 맞이할 계획이라는데, 복원이 끝나면 아마도 유명 관광지가 될 것 같습니다. '팽목항彭木港'은 우리 모두에게 가슴 아픈 기억입니다. 무슨 말이 필요할까요? 그냥 슬픕니다. 빨간색 등대에서 멀리 동거차도東巨次島의 차디찬 바다를 바라보며 안타까운 죽음을 애도하는 것 외에는 달리 표현할 방법이 없었습니다.

점심을 먹기 위해 블로그에서 추천한 팽목마을에 있는 '중국성'이라는 식당을 찾았습니다. 얼마 전 주방 일을 하시던 주인아저씨가 세상을 떠난 후 여자 주인분이 한식 위주로 음식 메뉴를 바꿨답니다. 그런데 거기서 "인생 최고의 소 내장탕"을 만났네요. 팽목항 가실 때 한번 들러 소 내장탕이나 소머리 국밥을 맛보시길 바랍니다. 담백할 뿐 아니라 맛도 뛰어납니다.

세방낙조 전망대 가는 길에 금강산처럼 생긴 멋진 바위산 하나를 만났습니다. 그 바위산이 품고 있는 사찰 '천종사千鐘寺'가 한눈에 들어옵니다. 마치 한 폭의 동양화 같은 풍경 속의 사찰입니다. 절 입구 쪽에서 바위산을 배경으로 사찰 전경을 카메라에 담아 보시길 바랍니다. 정말 멋있습니다. 잊지 마세요.

이 산 이름, '동석산銅錫山!'

그리고 진도에서 제대로 된 세방낙조를 보려면 '세방낙조 전망대'보다는 '급치산 전망대'로 가실 것을 권합니다. 그곳은 사람도 별로 없고 조망 범위도 훨씬 넓어, 아름다운 낙조를 즐기기에 최적의 장소라 할 수 있습니다. 이번 여행에서 날씨로 인해 낙조는 보지 못했지만, 아름다운 동석산을 보았다는 것만으로 어느 정도 위안이 되었습니다.

곽재구 시인과 아름다운 남평역

언제부터인지는 모르겠지만, 전라도 지방에서는 "3성城, 3평平 사람들과는 상종도 하지 말라"는 이야기가 전해지고 있습니다. "3성"은 산이 높고 험악한 보성寶城, 장성長城, 곡성谷城을 지칭하였고, "3평"은 평야가 넓고 풍요로운 창평昌平, 함평咸平, 남평南平을 일컫고 있지요. 이런 말이 나오게 된 배경을 보면, 이 지역 사람들의 성품이 나빠서가 아니라 일제강점기 의병과 독립운동가를 많이 배출한 3성, 3평 지역을 껄끄럽게 생각한 일제日帝가 의도적으로 이와 같은 부정적인 말을 만들어 퍼트렸다고 합니다.

오늘은 따사로운 가을 햇살 아래에서 아름답게 피어 있을 것 같은 코스모스가 보고 싶어서 "3성, 3평"의 한 곳인 나주시 남평읍을 찾았습니다. '남평읍'은 광주에서 20여 분 밖에 걸리지 않는 곳으로, 전라남도 아래쪽 지역을 갈 때면 언제나 지나치는 곳입니다. 사람들은 나주 남평읍에는 볼거리가 별로 없다고들 생각합니다. 그런데 기실 이곳을 찬찬히 들여다보면 가볼 만한 곳이 상당하다는 것을 알 수 있답니다. 남평읍에는 우리나라에서 가장 아름다운 간이역 중 하나라는 경전선 '남평역'이 있고, 필자 세대들의 초등학교 단골 소풍지였던 지석강(일명 드들강) 유원지가 있지요. '경전선 남평역'은 오늘 처음 가봤습니다만, 분위기가 무척이나 예스럽고 고즈넉해서 좋았습니다. 50년대 간이역의 고풍스러움과 아련함을 동시에 가지고 있는 남평역은 사실 역驛기능을 못하는 무정차 역으로, 시인 곽재구의 『사평 역에서』라는 시詩의 모티브가 되었던 곳으로 유명하답니다.

남평역 앞 광장을 지나 역사 건물 왼편으로 돌아가면 작은 정원이 하나 나옵니다. 나름 운치 있으면서도 앙증맞게 꾸며 놓았습니다. 아기자기한 꽃들이 정원 화단 곳곳에 피어 있더군요. 여전히 남아 있는 폐선과 건널목은 과거 그곳을 지나 다니던 기차의 요란한 기적소리를 연상시키기에 충분했습니다. 국가 등록문화재 299호로 지정된 남평역 역사驛舍 건물을 배경으로 인증 사진을 찍으니 제법 분위기 있는 사진이 나옵니다. 보성 명봉역鳴鳳驛과 마찬 가지로 남평역 광장에도 커다란 벚나무가 있어, 따뜻한 봄날에 찾는다면 화사한 벚꽃도 볼 수 있을 겁니다.

남평역을 둘러본 후 이곳에서 가까운 '은행나무 수목원'에 갔습니다. 수목원으로 들어가는 도로는 포장 공사가 한창이어서 어수선했지만, 수목원 내부는 기대 이상이었습니다. 은행나무와 매실나무, 배롱나무 군락지를 산책하기에 적합하게 나름 잘 꾸며 놓았고, 그곳에 있는 커피숍도 주변 풍광과 잘 어울려 차를 마시면서 조용히 시간을 보내기에 더없이 좋았습니다. 수목원에서 지석강 강변도로를 조금만 따라가다 보면 '드들강 유원지'를 만나게 됩니다. 70년대 초반 시골인 영산포에서 큰 도시인 광주로 전학을 와서 처음으로 소풍을 갔던 곳이랍니다. 당시 광주에 있던 초등학교 대부분은 거리가 가까운 이곳으로 소풍을 오곤 했습니다. 이곳은 김소월金素月이 글을 쓰고, 작곡가 안성현安聖鉉 선생이 작곡한 〈엄마야 누나야 강변 살자〉라는 유명한 동요가 탄생한 장소이기도 합니다. 그런 이유로 여기에는 작곡가 안성현을 기리는 시비詩碑가 있습니다. 드들강 유원지 구경을 마치고 집으로 돌아오던 길에 지석강 강변에 조성된 코스모스 군락지를 둘러보았습니다. 강변에 코스모스 단지를 조성해서 많은 사람이 찾는다고는 하는데, 우리 토종 코스모스가 아니어서 그런지 예전 코스모스가 주는 아련한 이미지는 느낄 수 없었답니다.

오늘 잠깐 둘러본 남평읍은 비교적 좋은 풍광과 이야기를 담고 있는 곳이었습니다. 광주에서 가까운 곳이고 짧은 시간에 다녀올 수 있으니, 가벼운 마음으로 돌아보시기 바랍니다. 그리고 남평역은 벚꽃이 화사하게 피어 있는 따뜻한 봄날에, 은행나무 수목원은 은행잎이 노랗게 물들어 있는 늦가을, 지석강 강변 코스모스는 뜨거운 여름이 지나고 가을이 초입에 접어드는 9월 말 이후에 찾아가면 좋을 것 같습니다. 따가운 가을 햇살이 좋은 하루였습니다.

너무나 멋진 장흥 보림사

오늘은 장흥長興 쪽을 다녀왔습니다. 장흥 가지산迦智山에 있는 '보림사'를 좋아해서 이따금 화순군 이양면 쪽 임도林道를 통해 험한 산길을 넘어 다녀오곤 했지요. 보림사를 좋아하는 이유는 일단 사람이 많지 않아 번잡하지 않기 때문입니다. 산중 깊숙이 있음에도 접근성도 괜찮고, 명지에 있는 사찰을 주변 산들이 감싸 안고 있는 포근함이 좋답니다.

보림사寶林寺는 전남 장흥군 유치면에 있는 천년고찰입니다. 통일 신라 시대 중국에서 들어온 선종禪宗은 전국의 9개 산山에 사찰들을 세우면서 '선문구산禪門九山'이라는 종파를 만들었습니다. 그 가운데 가장 먼저 문을 연 '가지산파迦智山派'의 중심 사찰이 바로 보림사였지요. 보림사는 그 뒤로 끊임없는 중창重創과 중수重修를 거쳐 선종을 대표하는 대찰大刹로 자리를 잡았으나, 한국전쟁 당시 화재로 소실되어 초라한 사찰이 되어버렸답니다. 그러나 몇 차례 보수와 복원 공사를 거쳐 지금은 상당 부분 옛 모습을 되찾았다고 합니다. 이런 우여곡절에도 불구하고 보림사는 국보 44호인 남북 3층 석탑, 국보 117호인 철조 비로자나불, 보물 155호인 승탑 등 가치 있는 국보나 보물급 문화재를 상당수 보존하고 있습니다.

특히, 보림사는 사찰 마당 한가운데 있는 '보림약수寶林藥水'의 물맛이 별미로 알려져 있습니다. 방문한 날이 뜨거운 여름날이었지만, 보림사의 명물인 샘물가에서 시원한 약수를 마시면서 망중한의 시간을 보낼 수 있었습니다. 그리고 바로 옆 배롱나무를 배경으로 찍는 사진도 잘 나오니, 한 여름철에 방문하시게 되면 화사하게 만개한 배롱나무 꽃을 눈으로 즐기면서 시원한 한나절을 보내시길 바랍니다.

보통 장흥의 특산물로 한우나 표고버섯을 말합니다. 그러나 차 애호가들 사이에서는 '차와 돌'이야말로 진정한 장흥의 자랑거리라고 말합니다. 다시 말하면, 청태전青苔錢과 고인돌이 장흥의 숨은 특산물이라는 뜻이지요. 삼국시대부터 장흥 일대에서 만들어 온 '청태전'은, "푸른 이끼가 낀 동전 모양의 차"를 뜻합니다. 찻잎을 쪄서 동그랗게 빚은 다음, 가운데 구멍을 뚫어 엽전처럼 꿰어 말리는 청태전은 '장흥 돈차'라고도 불리고 있습니다. 이러한 청태전은 우리나라에서는 흔치 않은 발효차로, 항아리에 1년간 넣고 숙성시킨 향기가 그윽한 일품 차라고 합니다. 청태전의 고향인 보림사는 예로부터 사찰에서 차나무를 심어 엽전 모양의 굳은 차를 만들었다는 기록이 전해지고 있으며, 지금도 사찰 주변에 차밭을 조성하여 청태전을 만들고 있습니다. 보림사 뒤편으로는 '청태전 티 로드'라는 산책길도 조성해 놓았으니, 그 길을 걸으면서 조용한 산책 시간도 가져 보시길 바랍니다.

보림사를 둘러본 후 탐진강 강변도로를 달려 장흥읍 '상선 약수마을'에 있는 무계霧溪 고영완高永完 고택을 찾았습니다. "한국판 쉰들러 리스트"라고 불리는 고영완 선생은 일제강점기 농촌 계몽운동을 펼친 선각자로, 독립운동을 했다는 이유로 옥고까지 치른 독립투사입니다. 살아생전 그 흔한 공덕비 하나 남기지 않았던 공사公私가 분명한 선비였으며 이 시대의 존경받는 선구자로 평가를 받는 분이죠. 고택古宅은 고영완 선생의 선대로부터 계속해서 기거했던 집으로, 한반도 남부지방의 전형적인 일 자(一)형 한옥입니다. 하지만 후손들이 거주하고 있음에도 고택 관리 상태는 무척 실망스러웠습니다.

그러나 이러한 실망에 대한 반전反轉은 고택 입구 올라가는 길에 늘어선 울창한 대나무 숲과 송백정松柏亭 연못 주변의 배롱나무 군락지에 있었습니다. 송백정 연못 주변에 늘어선 100여 년 된 화사한 배롱나무 꽃들의 아름다움과 연못과의 기묘한 조화, 고요한 주변 풍광, 그리고 고개를 들면 마주치는 억불산億佛山 정상위에 걸려 있는 흰 구름이 장관이었습니다. 몽환적이라는 게 적절한 표현일 것 같습니다. 고택 주변이 행정구역상 장흥군 장흥읍 평화리인데, 마을 분위기 역시 지명처럼 "평화로움" 그 자체입니다. 동네 한쪽에 있는 '평화 저수지'도 주변 분위기에 걸맞게 평온하면서도 운치 있습니다.

저수지 주변으로는 맛집도 몇 군데 있답니다. 특히 배롱나무 군락지 직전에 있는 손두부 집 '시루와 콩'이라는 식당이 주차할 곳이 없을 정도로 북적거리더군요. 그래도 장흥은 한우韓牛가 유명하니, 토요 상설 시장 근처 한우 식육식당에서 저렴한 가격에 한우 구이를 즐겨 보는 것도 좋을 듯합니다. 낮 시간대면 간단한 비빔밥 한 그릇도 괜찮습니다. 지금은 코로나로 문을 열지 않았지만, 어린이와 함께 여행하는 분들이나 별자리에 관심 있는 분은 억불산 정상에 있는 '정남진 천문대'에 들러 별을 보는 체험 활동도 해보시길 바랍니다. 천문대가 있는 억불산億佛山 정상으로 올라가는 임도 주변의 울창한 나무들이 주는 청량감도 무척 좋답니다.

장흥은 알려지지 않은 관광지라는 생각이 듭니다. 호남의 5대 명산으로, 억새로 유명한 천관산도 좋습니다. 그리고 해마다 7월에는 〈정남진 물축제〉도 있으니 그 시기에 방문하면 비록 태국 〈송끄란 축제〉에 비교할 수는 없겠지만, 동심으로 돌아간 물놀이로 즐거운 한때를 보낼 수 있을 겁니다. 또한, 전남 장흥은 유명한 소설가 이청준李淸俊이나 한승원韓勝源을 배출한 문학의 고장이니, 이분들과 관련된 작품 속 문학기행이나 〈서편제〉, 〈천년학〉 등 영화 촬영지와 주변 답사도 추천할 만하답니다.

광주로 오는 도중 장흥군 유치면에 있는 '유치 휴양림' 계곡에서 잠시 발을 담그고 놀다 왔습니다. 장흥군 유치면 일대는 6·25 당시 북한군 정규 사단이 인천상륙작전 이후 북한으로 후퇴하지 못하고 이곳에서 전멸했다는 전쟁의 역사도 있는 곳이죠. 6·25 당시 빨치산에 대한 역사를 공부하다 보면 유치면에 얽힌 이야기가 많이 나옵니다. 장흥은 광주에서 거리가 멀어 한나절 만에 다 돌아보기엔 시간이 부족할 수 있으니, 남쪽 '소등섬'이나 보성 회천면에서 숙박하고 장흥 곳곳을 구경한다면 장흥에 산재한 볼거리는 대충 둘러볼 수 있을 겁니다.

다시 태어나는 천년고도 나주

천년고도 '나주羅州'가 달라지고 있습니다. 그동안 나주는 여행 목적지로서 크게 주목받는 도시는 아니었습니다. 그러나 최근 구도심을 중심으로 영산포 근대 문화유산 개발 사업이 시작되면서부터 점차 관광 도시로써 세간의 관심을 받고 있답니다.

오늘은 나주시 공산면 영산포 성당 묘지에 있는 아버지 산소를 갔다가 돌아오는 길에 나주 '노안 집'에서 곰탕 한 그릇을 먹고, 근처 '금성관' 일대를 둘러보았습니다. 보통 나주를 돌아다니다 보면 '금성錦城'이라는 이름을 접할 수 있을 겁니다. 나주시를 감싸 안고 있는 산도 '금성산錦城山'이고, 보물로 지정된 객사 이름도 '금성관錦城館'이라고 부릅니다. 이는 나주 이름이 원래 '금성'이었기 때문이랍니다.

오늘 나주 방문은 「광주국제교류센터GIC」에서 주관하는 〈워런Warren과 함께하는 나주 골목 투어〉에 참가한 이후 10여 년 만인 것 같습니다. 나주의 모습이 예전에 비해 많은 것이 달라졌다는 느낌이었습니다. 서성문 근처 나주읍성 성벽은 2014년 성벽 중 250m 정도가 복원된 이후 최근

에 다시 새롭게 단장한 것 같았고, 주변에도 깨끗하고 세련된 카페들이 많이 보이더군요. 드라마 〈성균관 스캔들〉의 촬영 장소였던 '나주 향교' 골목길 역시 새로 정비되었는지 정갈하고 깨끗했습니다. 전국 3대 향교로 꼽힐 정도로 역사적 중요성이 대단한 곳으로 평가받고 있는 나주 향교는 조선 시대 관학 교육기관 중 대표적인 곳이랍니다. 임진왜란 이후 한양의 성균관이 소실되어 복원되는 과정에서, 당시 조정에서는 나주 향교의 건물 배치나 구조를 참고해서 재건축했을 정도로 나주 향교의 중요성은 대단했다고 합니다.

조선 시대에 만들어진 '목사 내아內衙'도 볼 만했습니다. 목사 내아는 조선 시대 정3품 나주 목사牧使가 기거하던 곳으로, 남부지방 일반적 가옥 구조와는 다르게 디귿 자(ㄷ) 형태를 띠고 있습니다. 조선 시대 가옥들이 부엌을 뒤쪽에 배치한 것과는 달리, 이곳 목사 내아는 건물 양옆에 둔 것이 특징이라고 합니다. 나주 목사 내아는 문화재 중 전국에서 유일하게 한옥 민박을 직접 체험할 수 있다고 하니, 기회가 되면 유서 깊은 문화재에서 하룻밤을 보내는 것도 의미 있을 듯합니다. 무엇보다도 목사 내아 앞에

있는 500년 넘은 팽나무의 위용은 실로 대단했습니다. 1980년 벼락을 맞아 거대한 몸통이 두 동강 났음에도 여전히 살아 있는 질긴 생명력을 실감했습니다.

나주 목사 내아를 거쳐, 관아官衙의 정문 격인 '정수루正綏樓'에 이르니, 2층 누각에는 16세기 나주 목사 김성일金誠一이 설치했다던 큰 북이 하나 있더군요. 이 북은 힘없는 백성들이 자신들의 고충을 조정에 호소하는 신문고 역할을 했다고 합니다. 곧이어 정수루 동북쪽에 있는 나주목 관아의 중심 건물인 '금성관錦城館'으로 갔습니다. 2층 누각 '망화루望華樓'를 지나면 곧바로 '금성관'에 다다를 수 있습니다. 이곳 '망화루'는 임진왜란 당시에는 의병장 김천일 장군이 출병식出兵式을 했던 장소이고, 명성황후 시해 사건 직후에는 명성황후의 빈소가 있었던 곳이랍니다. 이곳은 나주 사람들의 정신적 모태가 되는 곳이라 할 수 있지요.

나주의 옛 이름을 딴 '금성관'은 모양새부터가 한양漢陽의 궁궐을 닮았습니다. 조선 시대 이중환(李重煥, 1690~1752)은 그의 저서 『택리지』에서

"나주는 한양을 꼭 빼닮은 소경小京이다."라고 했습니다. 이런저런 이유로 나주 객사는 임금님이 계시던 지방 궁궐 역할까지 했다고 합니다. 원래 '객사客舍'라고 하면 "묵을 곳"이라는 뜻으로, 고려 및 조선 시대에는 각 고을에 둔 관사官舍를 통칭하는 의미였지요. 그런데 조선 시대 중기 이후에는 객사의 역할이 조금 달라졌다고 합니다. 중앙집권적인 조선 시대 사회에서는 지방을 모두 다스릴 수 없는 한계 때문에 왕王을 상징하는 기능을 지방에 두어야 했는데, 그 기능을 나주 객사 같은 곳에서 담당했다고 합니다. 이렇듯 보물 제2037호인 나주 객사 '금성관'은 숙소 기능뿐만 아니라, 임금을 상징하는 전패殿牌와 궁궐을 상징하는 궐패闕牌를 모시고 예禮를 올리던 의례 공간 역할도 하던 곳이었지요. 따라서, 나주 객사는 전주全州 객사와 더불어 조선 시대 고을 관사 중 가장 중요한 곳이었다고 말할 수 있답니다.

때마침 금성관 정청 오른편 '벽오헌碧梧軒' 마루에서는 '나주 시립예술단'의 퓨전국악 공연이 열리고 있었습니다. 나주라는 작은 도시에 시립예술단까지 있다는 것을 알고 상당히 놀랐습니다. 그야말로 나주의 문화적 잠재력을 실감할 수 있었지요. 나주라는 도시가 너무 가까이 있어서, 그 도시가 가지고 있는 빛나는 가치를 보지 못했던 것은 아닐까요? 해마다 6월 초순부터 9월 말까지 매주 토요일 1시 30분에 금성관 벽오헌 대청마루에서 나주 시립예술단 공연이 열리니, 인근 곰탕집에서 한 그릇 하시고 1,000년 전 나주목羅州牧의 향기에 한껏 취해 보시길 바랍니다. 공연 내용도 좋고, 나주 관아 일대를 구경하는 재미도 쏠쏠합니다. 오늘은 대충 나주를 둘러보았습니다만, 보물 49호인 나주 동문 밖 '석당간石幢竿'과 '남고문' 등 아직 가보지 못한 곳이 너무 많습니다. 다음에 꼭 와봐야겠습니다.

나주 구경을 마치고 광주로 돌아오는 길에 국가 등록문화재인 '노안성당老安聖堂'에 들렀습니다. 우리 주변에서 좀처럼 보기 힘든 고풍스러운 성당 곳곳을 둘러보았습니다. 그리고 성당 앞 벤치에 앉아 한동안 묵상의 시간을 가졌습니다. 노안성당은 나주 지역 최초의 천주교 성당으로, 건축한 지 100년이 넘었다고 합니다. 전주 '전동성당殿洞聖堂'과는 규모 면에서 비할 바는 아니지만 나름 고풍스럽고 엄숙한 분위기를 가지고 있는 전통 있는 성당이지요.

노안성당은 신자 숫자가 한때 4,000명이 넘을 정도로 규모가 상당했답니다. 그러나 도시화의 물결로 지역 주민이 현저하게 감소하여 지금은 신자가 수십 명에 지나지 않는다고 하네요. 노안성당에 대한 가장 인상적인 점은, 성당이 있는 이슬촌 마을주민이 죽으면 신자 여부를 떠나 성당에서 종을 33번 타종해 주고 장례미사를 열어 준다는 사실이었습니다. 종교가 지역 주민과 밀접하게 소통하고 있다는 사실이 바람직하게 보였습니다. 코로나 창궐로 힘든 시기에 사회적 거리를 유지하면서 고즈넉한 분위기 속 고풍스러운 성당에서 묵상으로 지친 심신을 달래보시는 것도 좋을 듯합니다.

의외로 볼거리가 많은 영광

'영광靈光'은 개인적으로 애정이 남다른 곳입니다. 직장생활 때는 영광군과 협업하면서 일도 같이 해봤고, 퇴직 후에는 머리를 식히려고 자주 찾는 곳이지요. 그리고 역사나 문화재에 관심을 가진 이후에는 일제 총독부 시절 훼철毁撤되어 있다가 2007년 이곳 영광으로 옮겨진 조선 말기 문·무과 시험 장소였던 경복궁 전각 '융문당隆文堂'과 '융무당隆武堂', 그리고 백수읍 '원불교 창립관'과 '옥당 박물관'을 보기 위해서 이따금 찾곤 했습니다. 이렇듯 영광은 우리가 모르는 귀중한 역사 유적은 물론, 뛰어난 자연풍광도 가지고 있는 필자의 '최애 소풍 지역' 중 하나랍니다.

영광은 농산물이나 수산물 등 물산이 풍부한 것은 물론, 조선 시대 선비 김 전金詮 등 세 명의 효부를 배출한 연안 김씨 '매간당 고택梅磵堂古宅', 일본에 선비정신과 유학을 가르친 내산서원內山書院의 주인공 진주 강씨 수은공睡隱公 강 항姜沆 선생의 종가, 그리고 태조 이성계의 형 완풍대군 이원계李元桂 후손들의 흔적이 곳곳에 많이 남아 있습니다. 또한, 초가을 상사화相思花로 유명한 불갑사, 법성면의 불교 최초 도래지, 원불교 신도들에게는 가장 유명한 성지聖地인 원불교 영산성지, 그리고 우리나라 최고의

서해안 노을을 볼 수 있는 백수 해안도로 등 볼거리도 다양합니다.

오늘은 오래전부터 보고 싶었던 전라남도 영광군 군남면 '매간당 고택'에 다녀왔습니다. 매간당 고택은 연안 김씨延安金氏 직강공파直講公派 종택입니다. 19세기 말 양반 가옥이 갖춰야 할 구성요소를 모두 갖추고 있는 전남 지역의 대표적인 종가宗家로, 독특하면서도 위엄 있는 문간채가 유명한 양반 가옥입니다. 이 고택은 풍수지리상 평야가 내려다보이는 야트막한 산자락, 매화꽃 떨어지는 형국에 자리 잡고 있어 '매간당梅磵堂'이라 불리고 있지요. 이같이 택호를 지었던 이유는 "주변 사람들이 알아주건 말건 소박하게 지조를 지키면서 살아라."라는 권면의 뜻에서라고 합니다.

총 125칸 규모인 매간당 고택은 사랑채 앞마당을 중심으로 사랑채, 서당, 마부 집, 연못 등이 배치되었고, 중문을 통하여 안으로 들어서면 안마당을 중심으로 안채와 아래채가 자리 잡고 있습니다. "효성이 지극하다"라는 의미로 '정려문旌閭門', 또는 '삼효문三孝門'으로 부르고 있는 2층 누각형 대문은 나라에서 지어주었다고 합니다. 고택 앞에서 바라본 솟을대문

이 압도적으로 위풍당당합니다. 옆으로 난 대문 한 칸은 평상시 출입할 때 사용하였고, 가운데 있는 삼효문은 집안의 중요한 의례가 있을 때만 사용했다고 합니다. 대문 현판 글씨는 조선 왕조 고종高宗의 형 이재면李載冕이 썼으며, 대문의 기둥은 아름드리 소나무를 그대로 사용했습니다. 그런데 비바람으로부터 보호하기 위해 유리창을 덧대어 설치한 2층 누각이 고택 분위기와는 어울리지 않아 옥에 티 같았습니다.

매간당 고택의 건물 중 '익수재益壽齋'는 "나이가 들어갈수록 오래 산다."라는 뜻이고, '구간재龜澗齋'는 "산골짝에 흐르는 작은 도랑물에서도 조심해 하는 거북이처럼 매사 작은 일에도 조심한다."라는 의미가 있다고 합니다. 고택古宅 내 건물 하나하나를 둘러보면서 그 의미를 되새기는 것도 재미있었습니다. 고택은 건물, 연못, 담장 등이 원형 그대로 잘 유지, 보존되어 있을 뿐 아니라 대대로 물려온 교지, 관복, 호패 등 100여 점에 달하는 유품도 소장되어 있습니다. 매간당 고택은 조선 후기 양반집의 규모와 건물 배치를 알 수 있게 해주는 조선 시대 지방 상류층의 대표적인 주택으로 건축학적이나, 역사적으로 매우 중요하다고 합니다. 얼마 전 우연히 매간당 고택에서 국악 연주를 하는 유튜브 방송을 본 적이 있는데, 붉게 물드는 노을 속 고풍스러운 고택에서 전통음악을 연주하는 모습이 무척 인상적이었습니다. 기회가 되면 노을이 질 무렵 이곳을 방문하여 빛나는 석양에 물든 매간당 고택을 보고 싶습니다. 그리고 매간당 고택 내부를 둘러본 후 고택 뒤편에 있는 외거노비外居奴婢가 살던 '호지 집'을 꼭 보시길 바랍니다. 남부지방 전통적인 초가집과 그 초가집에 딸린 잔디밭 정원, 주변에 심어진 꽃들이 정말 아름답습니다.

영광을 돌아보는 구체적 하루 일정을 추천한다면, 맨 먼저 매간당 고택을 돌아보고, 이어서 원불교 영산성지와 옥당 박물관을 구경한 다음, 백수해안도로를 통해 백수읍으로 와서 읍사무소 앞 식당에서 맛있는 백합죽으로 저녁을 먹는다면, 하루 여행을 알차게 보낼 수 있을 겁니다. 지금까지는 영광靈光을 전통이나 역사적 유적과는 다소 거리가 있는 여행지로 생각했습니다. 그런데 이번 여행을 통해 영광에는 멋있는 자연경관은 물론, 스토리텔링이 가능한 고택이나 역사적 장소가 많다는 사실을 새롭게 알게 되었습니다.

좋은 여행지,
보성 강골마을

"좋은 여행지"란 어떤 곳일까요? 개인적으로는 소박하지만 조용하고 인공의 손길이 가지 않으면서 예스러움이 그대로 남아 있는 곳이 좋은 여행지라고 생각합니다.

오늘은 보성읍 오일장(2일, 7일)을 오가면서도 무심코 지나쳤던 전라남도 보성군 득량면 오봉리 강골마을을 찾았습니다. 보성 '강골마을'은 전통의 아름다움과 자연스러움이 고스란히 남아 있는 득량만得糧灣에 인접한 한옥 마을입니다. 지금은 간척되어 동네 앞바다의 상당 부분이 뭍이 되어 있지만, 1937년 방조제를 쌓기 전까지는 마을 바로 앞까지 바닷물이 들어왔다고 합니다. 현재는 약 30가구, 40여 명의 주민이 살고 있는 광주 이씨廣州李氏 집성촌이지요. 이곳은 이진래李進來, 이식래李湜來 가옥을 비롯하여 규모가 상당한 이용욱李容郁 고택 등이 들어서 있는 전형적인 시골 마을입니다.

마을 초입에 들어서는 순간, 고풍스러운 고택들의 모습에 아! 하는 탄성이 절로 나오게 된답니다. 이 마을은 인공미를 배제한 개발 보존 노력이

눈에 역력합니다. 마을 자체는 그다지 세련된 곳은 아니지만, 소박하고 담담한 아름다움을 가지고 있는 조선 시대 지방 사대부 양반 가옥이 즐비한 고풍스러움이 넘쳐나는 마을입니다. 고택들도 멋지고 아름답지만, 마을 뒤편에 있는 울창한 대나무 숲과 드넓은 마을 앞 간척지의 풍광은 초여름 더위를 일거에 식혀 주기에 충분할 만큼 시원합니다.

먼저 강골마을에 들어서면, 가장 먼저 이진래 이진래 고택이 사람들을 놀라게 합니다. 웅장한 솟을대문이 마치 임금이 사는 궁궐로 들어가는 듯한 느낌을 줍니다. 대문 앞 연못에 만개한 연꽃 또한 고택의 정취를 한껏 드높여 주기까지 합니다. 이진래 가옥 담장 옆에는 특이한 '소리샘'이라는 우물 하나가 있습니다. 과거 식수食水가 귀하던 시절에 집주인이 동네 주민들을 위해 집 담장 밖으로 우물을 만들어 이용토록 했답니다. 이것이야말로 조선 시대 양반들의 타인에 대한 "베품"의 사례였다고 볼 수 있겠죠? 이 우물 옆 담장에는 생뚱맞게 A4 종이 한 장 크기의 사각 구멍이 뚫려 있습니다. 그런데 이 구멍의 용도가 아주 흥미롭습니다. 평소 동네 주민들을 접하기 힘들었던 집주인 이진래가 은밀히 동네 여론을 듣기 위해 이 작은 구멍을 활용했다고 하네요. 참 재미있는 발상입니다.

강골마을은 흙과 평평한 돌로 만들어진 담장이 골목을 따라 길게 이어져 있습니다. 그 사이로 보이는 전통 한옥의 모습이 고즈넉하고 평화롭습니다. 마을 골목길(고샅)을 거닐면서 예스러운 담장 너머에 있는 고택들을 넘어다보는 즐거움과 대나무 숲 사이로 불어오는 바람, 한창 이성 구애에 열중인 휘파람새의 지저귀는 소리가 마음을 설레이게 합니다. 무엇보다도 강골마을의 압권은 마을의 보물인 국가 민속문화재 162호 '열화정悅話亭' 이었습니다. 열화정은 가지런한 박석薄石길을 따라 대나무 숲을 지나야 만날 수 있습니다. 간간이 불어오는 시원한 대숲 바람과 함께 들려 오는 새소리의 청량감은 열화정으로 향하는 이의 마음을 즐겁게 해줍니다.

계단을 올라가 '일섭문日涉門'에 들어서면 비로소 아름다운 열화정을 한 눈에 볼 수 있지요. 자연석으로 쌓은 축대 위에 누정樓亭이 지어졌고, 그 앞으로는 우리나라 전통 정원을 가장 빛나게 만드는 아름다운 연못도 있습니다. 누각과 정자에 앉아 있으면 멀리 드넓은 득량만과 오봉산이 보입니다. 이곳은 차경借景이 뛰어나게 아름다운 곳이랍니다. 열화정은 1845년 조선 헌종 때 선비 이진만李鎭晩이 동네 청년들의 공부방 용도로 만든 곳으로, 도연명의 시詩 『귀거래사』에 나오는 "열화悅話", 즉 "기쁘게 이야기한다."라는 뜻에서 정자 이름을 지었다고 합니다. 이곳은 대한제국 말기 이관희, 이양래, 이웅래 등 보성 지역 의병들이 외세를 몰아내겠다는 뜻을 가지고 모임을 하던 곳이기도 합니다. 또한, 영화 〈서편제〉를 비롯하여 드라마 〈옷소매 붉은 끝동〉, 〈신입 사관 구해령〉, 〈태백산맥〉, 〈혈의 누〉 등 다수의 작품이 촬영된 장소이기도 하지요. 아마도 촬영 감독들이 역사극의 로케이션으로서 이곳이 적합하다고 생각했던 모양입니다.

얼마 전 찾아보았던 강진 '백운동 정원'의 아름다움에 비견될 만큼 '열화정'은 기대 이상이었습니다. 언뜻 보면 '소쇄원'과 비슷하지만, 고즈넉하고 조용한 분위기는 소쇄원과는 차원이 다른 평화로움이었습니다. 그리고 열화정을 보는 감상법에 대해 말씀드리면, 정자 오른편 연못 쪽에서 정자 누마루를 바라보십시오. 정자를 배경으로 비스듬히 조성된 연못과 주변 고목들의 고색창연한 조화는 아름답기 그지없답니다. 그야말로 옆에서 보는 모습이 가장 아름다운 정자라고 할 수 있습니다. 강골마을에 도착하시면 마을회관 앞에 주차하고, 이진래 가옥을 중심으로 골목길을 돌아다닌 후 마지막으로 마을 뒤편 열화정 정자 누마루에 앉아, 주변 풍광을 감상하시길 바랍니다.

옛 시절을 생각나게 하는 득량역

남도의 들판에 봄이 한창입니다. 며칠 전 부산과 광주를 연결하고 있는 경전선慶全線에 해양 관광열차가 운행된다는 소식을 듣고 오늘은 경전선 무인역 중 하나인 득량역得糧驛을 다녀왔습니다. 1930년에 개통된 '경전선'은 광주송정역을 출발하여 전라남도와 경상남도 여러 지역을 거쳐 부산 부전역까지 300.6km를 달리는 기차 노선입니다. 경전선의 노선 중 영남지역은 복선 전철화 사업이 이미 완료되었지만, 광주에서 순천까지의 117㎞ 호남선 구간은 현재까지 단선 비非전철 구간으로 남아 있어 호남 소외의 대표적인 상징이 되고 있습니다. 지금 유일하게 경전선을 달리고 있는 무궁화호의 모습도 2027년 경전선 전철화 사업이 완료되면 더는 보지 못할 듯합니다.

경전선 무궁화호는 시속 300km로 달리는 KTX와는 달리, 시속 30~60km로 달리는 "느림보 기차"랍니다. 정차하는 역도 많고 달리는 속도도 답답합니다. 반면에 느림이 주는 여유와 정차하는 역驛마다 간직한 세월의 이야기들을 직접 느낄 수 있다는 장점은 있지요. 현재 경전선에는 60개 역 중 폐역이 16곳, 기차가 서는 역이 34곳, 무정차 역이 10곳이 있습니다. 곽재구 시인의 『사평역에서』라는 시의 모티브가 되었다는 남평역, 영화 〈여름 향기〉의 촬영지인 보성 명봉역, 이순신 장군의 이야기가 있는 득량역과 소설 『태백산맥』의 무대인 벌교역, 경상도로 접어들면 만나는 가을날 코스모스가 만발하고 있는 북천역, 오일장 순두부가 유명한 반성역, 그리고 노무현 대통령의 생가가 있는 진영역 등이 경전선에 있는 주요 역들이지요. 이렇듯 경전선이 지나는 기차역 곳곳에는 아름다운 풍광과 함께 각 역驛이 가지고 있는 가슴 아픈 사연과 이야기들이 많이 있답니다

오늘 득량역을 여행 목적지로 삼았던 이유는 간이역의 아련한 정취는 물론, 7080세대의 옛날 감성을 맛볼 수 있기 때문이었습니다. 득량역이 있는 전라남도 보성군 득량면의 '득량'이라는 지명 유래는 이순신 장군과 관련이 있습니다. 정유재란 당시 군량미 부족으로 고충을 겪던 이순신 장군이 이곳 득량 지역에서 군량미를 조달받아, 왜군과의 전투에서 승리하였다 하여 '득량得糧'이라는 이름이 지어졌습니다. 득량역은 경전선 열차들이 활발하게 오갈 때에는 기차역 앞에서 오일장이 열릴 만큼 번성한 역이었지요. 그러나 농촌인구의 감소로 이용 승객이 현저히 줄어 폐역 위기에 빠지자, 해당 지자체인 보성군은 문화체육관광부로부터 간이역 활성화 지원 예산을 받아 '득량역'을 새롭게 다시 만들었답니다. 이후 득량역은 대표적인 옛날 감성의 기차역이 되어 세간의 관심을 끌게 되었던 것이죠.

현재 득량역 주변은 "추억의 거리"라는 주제로 1960년대나 1970년대 거리 모습으로 탈바꿈했습니다. 마치 타임머신을 타고 과거로 돌아간 듯 만들어 놓았답니다. 일단 득량역 입구를 나오면 "내가 득량역에 온 것을 적에게 알리지 말라"라는 이순신 장군 말씀을 패러디한 '동명상회'의 담벼락이 제일 먼저 눈에 띕니다. 그리고 득량마을 안내소와 뻥튀기집 건너편에는 1967년 개업하여 영업을 해오다 몇 년 전 주인이던 공병학 씨가 작고하여 현재는 영업하고 있지 않는 '역전이발관'이 있습니다. 근처에 있는 '추억 문방구' 담벼락에는 학교 수업을 마치고 길가에서 전자오락에 열중하고 있는 우리 어릴 적 모습이 그려져 있어 무척 재미있었습니다. 역전이발관 안주인이 운영하고 있는 '행운다방' 역시 옛날 시골 다방 모습을 가지고 있어 마치 시간여행을 떠나온 듯한 착각을 일으키게 합니다. 행운다방을 나와 옛 득량 초등학교로 들어가 작은 걸상에 앉아 순수했던 시절을 추억해 보았습니다. 생각보다 훨씬 작은 책걸상에 앉아 보니 마치 소인국에 와 있는 듯한 착각까지 들더군요. 그리고 '은빛 전파사', '순금당 금은방', '백조의상실' 등등.... 낯이 익은 이름과 풍경이 왠지 따스한 4월의 봄날과는 다르게 처연하게 느껴지기까지 했습니다만, 어릴 적 우리 동네 풍경을 보면서 모처럼 그리웠던 동심의 세계로 돌아갈 수 있어 좋았습니다.

득량역 추억의 거리 구경을 마치고 인근에 있는 '초암정원草庵庭園'을 찾았습니다. 전라남도 민간 정원 제3호 초암정원은 주인인 김재기 씨가 조부모와 어머니를 위해 6만 9,000m² 대지에 여러 종류의 나무를 심어 가꾼 공간입니다. 60여 년 동안 구실잣밤나무, 참가시나무, 목서나무, 애기동백, 편백, 대나무 등 200여 종의 나무들로 정원을 꾸며 놓았습니다. 이곳 정원은 사계절 내내 꽃이 지지 않는다고 합니다. 길도 완만한 경사의 흙길이고 중간에 쉼터와 포토존이 잘 설치되어 있어 걷기에도 편했습니다. 우리네 전통 생활 도구들을 전시한 가옥과 잔디길, 편백림과 대나무숲을 지나 '초암정草庵亭'에 올라서면 드넓은 득량만 간척지 논밭과 아름다운 풍경에 감탄사가 절로 나옵니다. 입장료가 다소 부담스럽지만, 고즈넉하고 조용한 분위기 값이라고 생각하면 좋을 듯합니다. 점심을 먹은 후 전망이 좋은 '봇재'를 넘어 드라마 〈이상한 변호사 우영우〉 방송 이후 유명해지고 있는 '전일리 팽나무숲'과 회천면 바닷가에서 시원한 바람을 쐬고 광주로 왔습니다. 나이가 들어가니 옛날이 그리워집니다. 요즘 들어 부쩍 고향 영산포 선창 거리, 옛날 동네 모습, 그리고 그곳에서 같이 뛰어놀던 친구들이 생각납니다. 그래서 찾아본 오늘의 득량역 여행이었습니다.

봄, 그리고 유채꽃 향연 속 영암

볼거리가 많아서 "봄"이라고들 합니다. 봄날 스페인 '산티아고 순례길'을 걸으면서 가장 많이 볼 수 있는 꽃은 화사한 노란색의 유채꽃입니다. 순례길에서 만났던 스페인의 유채꽃밭 규모는 우리나라에서 보는 유채꽃밭과는 비교할 수 없을 정도로 크답니다.

오늘은 스페인의 유채꽃밭에 견줄만한 영암 월출산 유채꽃밭을 다녀왔습니다. 해마다 4월이 되면 영암 월출산月出山 아래 너른 들판에는 유채꽃의 노란 물결이 장관을 이룹니다. 이곳 유채꽃 단지는 재배 총면적이 약 40만 평 정도 되는 대단위 유채꽃 단지랍니다. 아마도 이렇게 넓은 유채꽃 단지를 국내에서 보기는 쉽지 않을 겁니다. 이곳 월출산 유채꽃 단지는 봄에는 노란색 유채꽃이 지천이고, 가을이면 새하얀 메밀꽃으로 장관을 이룹니다. 정말이지 유채꽃밭을 배경으로 보이는 뒤편 월출산 풍경이 마치 노란색 바다 위에 산 하나가 떠 있는 듯 장관입니다. 한참 동안 유채꽃밭 사이를 거닐면서 월출산을 배경으로 사진도 찍고, 봄 쑥을 캐면서 한나절을 즐겁게 보냈습니다. 유채꽃밭을 노닐다 지칠 무렵, 어디를 갈 것인가를 고민했습니다. 월출산 등산을 하기에는 너무 늦은 시간이어서 잠깐이나마 천황사까지만 다녀올 요량으로 가볍게 산행을 시작했습니다. 월출산은 사방 100리에 산이 없을 정도로 벌판 위에 우뚝 솟아 있는 아주 멋진 바위산이죠. 물론 우리나라 국립공원 중 하나이기도 합니다.

월출산 입구에서 천황사天皇寺까지는 한걸음에 내 닫을 만큼 지척입니다. 오늘 천황사로 올라가는 길은 고즈넉하고 평온했습니다. 보폭을 천천히 하면서 천황탐방지원센터와 야영장을 지나 올라가니 천황사까지 30분도 채 걸리지 않네요. 가쁜 숨을 몰아쉬고 천황사 대웅전 앞에 도착하여 발아래를 내려다 보니 영암 들녘이 시원하고 광활합니다. 월출산은 설악산, 주왕산과 함께 우리나라 대표적인 암산으로, "달 뜨는 산"이라는 이름에 걸맞게 뛰어난 자연경관을 가지고 있는 호남의 명산입니다. 그리고 남도의 짙은 향토적 정서와 문화자원이 월출산 주변 곳곳에 많이 남아 있지요. 뭐니 뭐니 해도 월출산 주변의 유명한 역사 자원으로는 천년고찰 도갑사道岬寺와 무위사無爲寺를 꼽고들 있답니다. 또한, 월출산 일대에는 뛰어난 역사 유적과 유물은 물론, 옛사람들의 풍물과 전통이 그대로 남아 있어 가히 자연과 역사, 그리고 문화를 아우르는 "남도 답사 출발지"로서 전혀 손색이 없다고 할 수 있습니다. 국립공원 월출산은 기기묘묘한 암석과 너른 들판을 내려다볼 수 있는 멋있는 산입니다. 광주에서 이곳 월출산까지는 1시간 남짓밖에 걸리지 않는 곳이니 따뜻한 봄날 화사한 유채꽃 구경도 하고 월출산의 수려함도 함께 느껴 보시길 바랍니다.

봄날
지리산 도보여행

4월, 남녘 지리산의 봄이 궁금했습니다.

'지리산'은 필자가 좋아하는 여행지입니다. 청정 자연의 푸르름과 함께 광활한 평야를 가지고 있는 구례求禮, 곡성谷城은 이곳을 찾는 사람들의 몸과 마음을 언제나 시원스럽게 만들어 주는 곳이지요.

오늘은 고등학교 동문회 행사 때문에 지리산을 찾았습니다. 코로나 창궐로 동문 전체가 모일 기회가 없다가 오랜만에 그리운 선후배들이 함께 모여 웃고 즐기는 시간을 갖는 자리였습니다. 동문회가 주최하는 이번 지리산 도보여행은 폭넓은 참가자의 연령대를 고려해서, 사성암四聖庵을 거쳐 오산鰲山 정상을 오르는 코스와, 멀리 섬진강이 내려다보이는 연기암緣起庵코스, 그리고 비교적 평이하다는 지리산 둘레길 18코스(방광-오미 구간) 등 세 가지 코스로 나눠서 진행되었습니다. '지리산 둘레길'은 지리산을 중심으로 3개 도(전북·전남·경남), 5개 시군(남원·구례·하동·산청·함양), 그리고 16개 읍면과 80여 개 마을을 잇는 300km의 장거리 도보 길입니다. 둘레길은 지리산 주변에 있는 옛길, 고갯길, 숲길, 강변길, 논두길, 농로 길, 마을

길을 등을 환環형으로 연결하고 있습니다.

오늘 우리 일행은 '지리산 둘레길' 코스 중 '용두 갈림길'을 거쳐 운조루까지의 약 7.3km 편도 길을 걸었습니다. 따뜻한 봄날 쏟아지는 햇살을 받으며 드넓은 구례 벌판에 펼쳐진 논과 밭, 그리고 마을과 마을을 이어주는 둘레길을 걷는 기분은 날아갈 듯 상쾌했습니다. 특히 운조루가 있는 오미마을 일대를 걸을 때는 마을 앞 드넓은 벌판과 고풍스러운 한옥들 때문인지 마치 타임머신을 타고 과거 어디쯤에 와 있는 듯했었지요. 마을 앞 들녘 너머로 섬진강이 흐르고, 강 건너편에는 다섯 봉우리가 나란하게 어깨동무를 한 듯 보이는 오봉산이, 마을 뒤쪽은 지리산 노고단에서 흘러내린 형제봉 자락과 왕시루봉 자락이 부드러운 곡선을 그리고 있었습니다. 무척이나 평화롭게 보였습니다.

오미마을은 지리산 둘레길 17코스의 종점이면서, 18코스의 시작점입니다. 이 마을에는 우리나라 3대 길지吉地라는 조선 시대 남부지방의 대표적 가옥인 '운조루雲鳥樓'가 있습니다. 운조루는 1776년 영조 52년 벼슬을 그만두고 귀촌한 선비 류이주柳爾胄가 구례에 터를 잡으면서 지은 한옥으로, "구름 위를 나는 새가 사는 빼어난 집"이라는 뜻을 지니고 있습니다. 운조루의 건물은 전라도 지방 특유의 일 자(一)형 배치가 아닌 미음 자(ㅁ) 형식의 가옥 배치로, 전형적인 경상도 가옥 형태를 가지고 있답니다. 가옥 규모가 99칸에 이를 정도로 조선 시대 대표적인 양반 가옥이랍니다.

특히, 이곳이 유명하게 된 것은 240년 된 "누구나 열 수 있다."라는 뜻을 지닌 '타인능해他人能解'라는 뒤주 때문이랍니다. 역대 운조루 주인들은 마을의 배고프고 가난한 사람들이 언제든지 와서 운조루의 뒤주를 열어 필요한 만큼 쌀을 가져갈 수 있도록 배려했다고 합니다. 운조루는 경주 최부자 집과 더불어 우리나라 "노블레스 오블리주Nobles oblige"의 대표적 사례로 꼽히고 있지요. 다만 아쉬웠던 건 운조루 보수 공사로 인해 주변이 어수선하고, 사랑채 부엌에 있어야 할 '타인능해' 뒤주가 인근 유물전시관에 전시되고 있어서 직접 보지 못했다는 점이었습니다.

지리산 도보여행을 마친 후에는 구례군 토지면 문수골에 있는 '산들애 펜션'에 참가자 모두가 모여 바비큐와 뷔페 음식과 음주 그리고 재미있는 여흥시간을 가졌답니다. 의미 있고 즐거운 시간이었습니다. 나이가 들어가니 소박한 시간도 소중하게 느껴지더군요. 귀가하는 발걸음이 무척이나 가볍습니다.

노란 꽃 물결, 장성 황룡강 강변

요양원에 계시는 어머니 병원 진료를 마치고 돌아오던 길에 꽃이 가득 피어 있는 장성 황룡강 강변을 거닐었습니다.

최근 전라남도 장성군長城郡은 노란색이라는 "색깔 마케팅"으로 지역 정체성을 만들어 가고 있습니다. 그래서 해마다 5월이면 〈洪 길동무 축제〉라는 이름으로 황룡강 장안교와 제2 황룡교 앞 가동보 사이 4.8km 구간에서 대규모의 꽃 축제를 개최하고 있지요. 축제 기간에는 금영화, 꽃양귀비, 수레국화 등 약 수만 송이의 화려한 꽃들을 강변에 심어 놓아 수많은 관광객을 불러 모으고 있답니다. 오늘 황룡강 강변을 따라 5월 봄날 햇살과 더불어 심어 놓은 꽃밭 사이를 걷는 기분은 이루 말할 수 없이 좋았습니다. 그중에서 특히 창포꽃 단지는 방문객들에게 가장 인기가 좋더군요. 처음 보는 창포꽃은 아름답기도 했지만, 황룡강 수질 개선에도 큰 도움을 주는 환경친화적인 꽃이라고 합니다. 그리고 이국적인 빨간 색깔 양귀비도 멋있었습니다. 빨간 양귀비는 산티아고 순례길을 걸을 때 질리도록 보았는데 여기에서 보는 양귀비꽃 역시 이에 못지 않게 화려하고 아름다웠습니다.

장성군의 〈洪 길동무 축제〉는 30년 역사의 "홍길동 축제와 황룡강의 꽃"을 접목한 장성군의 대표적인 봄축제랍니다. 코로나로 인해 한때 중단했다가 2022년부터 축제를 재개했다고 합니다. 별다른 사정이 없는 한, 해마다 5월이면 어김없이 장성읍 황룡강 강변에서는 지천으로 피어난 꽃들의 향연이 펼쳐질 것입니다. 광주에서 가까운 곳에 있는 장성은 천년 고찰 '백양사白羊寺'를 비롯하여 편백숲으로 유명한 장성 '축령산', 세계 유네스코 문화유산인 '필암서원筆巖書院', 그리고 어린아이들이 좋아하는 '홍길동 테마파크' 등 많은 관광지가 있으니, 1박 2일 일정으로 오시면 알차게 돌아보실 수 있을 겁니다.

함평 비빔밥과 나주박물관

아침을 먹고 집안에서 빈둥거리자니 무료해서 콧바람이나 좀 쐬려 했습니다만, 선뜻 갈만한 곳이 떠오르지 않습니다. 가보지 못한 곳이 어디 있나 생각해 보니, 한동안 함평咸平 쪽을 가보지 않았네요. 그래서 오늘은 함평에서 비빔밥이나 한 그릇 먹고 근처 나주박물관을 돌아보기로 하고 집을 나섰습니다.

제일 먼저 함평의 자긍심이라는 대동면을 찾았습니다. 함평군 대동면은 조선 시대에 설립된 '함평 향교咸平鄕校'가 유명한 곳으로, 지역에 대한 자부심이 남다른 곳이랍니다. 이곳에 있는 '대동저수지'는 주암댐으로부터 식수 공급을 받을 때까지 목포시의 식수원뿐만 아니라, 함평 지역의 농업용수 공급원으로서 역할을 했답니다. 안타깝게도 함평향교는 코로나 창궐 때문인지 문을 굳게 닫아 일반인 출입을 통제하고 있어 담 너머로만 대충 둘러보았습니다. 향교 곳곳이 역사와 전통이 묻어있는 듯 고풍스러웠습니다. 일반적으로 향교의 건물 배치는 평지일 경우에는 제사를 지내는 시설인 사당이 전면에 있고, 학교 시설은 뒤편에 있는 "전묘후학前墓後學"의 배치 형식을 취하는 반면, 경사지일 경우에는 그 반대의 "전학후묘前學

後廟"의 배치 형식을 따르고 있습니다. 함평향교는 선현에 대한 제사를 지내는 문묘文廟인 대성전大成殿을 앞쪽에 두었으며 강학 시설은 뒤쪽에 두고 있더군요. 향교 내부를 자세히 구경하지 못한 섭섭함을 조금이나마 풀기 위해 향교 뒤쪽 저수지 주변을 산책했습니다. 나무 데크를 따라 저수지 둘레길을 걸으니 시골 저수지가 주는 분위기가 고즈넉하고 평화스럽습니다.

점심은 함평 읍내 비빔밥 골목에 있는 '정경복궁'이라는 식당에서 먹었습니다. 정갈한 음식과 무한 리필 선짓국 인심이 넉넉해 무척 만족했습니다. 깔끔하고 맛이 좋았습니다. 역시 함평한우의 명성에 걸맞게 비빔밥에 들어가는 생고기가 연하고 부드럽더군요. 먹자골목 내에는 '정경복궁' 식당을 포함해서 대흥식당, 화랑식당 등 비빔밥을 파는 식당이 4~5곳 정도 있었습니다. 그런데 각 식당 음식 맛에서는 별 차이가 없다고 합니다.

점심을 먹고 영산강을 가로지르는 동강대교를 거쳐, 반남면 '국립나주박물관' 직전에 있는 '자미산성紫微山城' 둘레길과 전망대를 가볍게 걸었습니다. 동네 뒷산 같은 자미산성에 대해 별 기대를 하지 않았지만, 산성을 오르는 주변 둘레길이 완만하면서도 아늑함이 물씬 풍겨 나오더군요. 신우대 숲 사이 둘레길을 걷는 정취가 마음을 포근하게 해줍니다. 자미산 정상 전망대에서 내려다보이는 나주평야의 광활한 풍경 역시 압권이었습니다. 학교에서만 배웠던 나주평야의 넓은 들판을 직접 볼 수 있어 좋았습니다. 그리고 이곳 자미산 전망대에서 바라보는 일출 또한 장관이라고 하니, 기회가 되면 나주평야 일출의 웅장한 모습도 보시길 바랍니다. 역사적으로는 이곳이 고려 삼별초三別抄의 주둔지 중 하나로 알려져 있었습니다만, 그 이전에는 태봉泰封의 왕건과 후백제 견훤이 격렬히 싸움을 벌였던 곳이랍니다. 또한, 자미산성을 중심으로 마한馬韓 시대에 조성된 신촌리 고분, 덕산리 고분, 대안리 고분 등 총 35기 정도가 있는데, 자미산성은 이들

고분군과도 어느 정도 관련이 있다네요. 이러한 고분들을 통해 그때 당시 상당한 세력을 가진 집단이 이곳에서 살았다는 사실을 알 수 있다고 합니다.

「국립나주박물관」은 우리 문화재에 관한 관심이나 공부 열정이 떨어질 때마다 찾게 되는 곳입니다. 이곳에서는 삼한 시대 우리 지역의 역사와 생활풍습이나 매장문화埋葬文化 등을 엿볼 수가 있어 묘제墓制에 관심이 있는 필자에게는 의미 있는 곳 중 하나이지요. 또한, 다른 박물관에서는 볼 수 없는 삼한 시대 '독널무덤(옹관묘)'의 원형을 관람할 수 있을 뿐 아니라, 각종 고분에서 출토된 토기와 부장품을 통해 삼국시대 이전 우리 민족의 생활상을 간접 경험할 수도 있답니다. 박물관에 인접한 '신촌리 고분'도 말끔하게 정비되어 있어 고분 주변 잔디밭에 앉아 따뜻한 봄날을 즐길 수 있었습니다. 박물관 뒤쪽에는 캠핑할 수 있는 시설이 잘되어 있더군요. 가족과 함께 멀리 삼한 시대 고분을 바라보면서 오붓한 하룻밤을 보낼 수도 있습니다. 그리고 고분 근처에는 미국인 친구 워런Warren이 소개해 준 '선한 된장'이라는 된장 체험장도 있으니 꼭 한번 들러서 된장이나 고추장이 만들어지는 과정도 직접 보고 구매하는 것도 좋을 듯합니다. 정말이지 박물관이나 미술관, 도서관은 자주 찾을 필요가 있는 것 같습니다.

봄날에 찾아본 강진 백운동 정원

보통 강진 '백운동 정원白雲洞 庭園', 담양 '소쇄원', 그리고 보길도 '부용동 정원'을 "호남의 3대 정원"이라고 부릅니다.

후덥지근한 여름날 처음으로 강진 백운동 정원을 찾았습니다. 조선 시대 대표적 정원 중 하나인 '백운동 정원'은 "월출산에서 흘러내린 물이 다시 안개가 되어 구름으로 올라가는 마을"이라는 뜻에서 이름이 유래되었다고 합니다. 원래 백운동 정원은 조선 전기까지만 해도 '백운암白雲庵'이라는 사찰 터였으나, 조선 중기 선비 이담로李聃老가 별서정원別墅庭園으로 백운동 정원을 만들었다고 합니다. 그동안 백운동 정원은 적절한 관리와 관심 덕분인지, 오늘날 자연과 건축물이 절묘한 조화를 이루고 있는 조선시대 원림의 전형이라는 평가까지 받고 있지요.

백운동 정원 정자에 앉아 있노라면 '옥판봉玉版峰'을 중심으로 펼쳐진 월출산 능선이 한눈에 들어옵니다. 백운동 정원은 자연과 인공이 적절히 배합된 짜임새 있는 구성이 멋스럽습니다. 꽃과 나무가 어우러지는 계곡에 눈이 머물다가도, 언뜻 시선을 월출산 봉우리 쪽으로 옮기면 그지없이 아름다운 월출산 능선의 경치를 감상할 수 있지요. 담장 안쪽 경사면을 따라 본채, 사랑채, 그리고 마당이 위에서 아래로 높이를 달리해 자리하고 있는 것도 특이합니다. 적막감 속에서 흐르는 시냇물 소리, 대나무 숲 사이를 맴도는 바람 소리, 그리고 울창한 숲속 나무들의 속삭임이 무척이나 청량합니다. 담양 소쇄원瀟灑園이 주는 번잡함이나 휑한 정원 배치와는 비교하지 못할 정도로 백운동 정원은 은밀함과 내밀함이 뛰어나 마치 "비밀정원" 같은 느낌이었습니다.

백운동 정원은 조선 시대 정원 원형이 잘 보존되어 있어, 당시의 조경 문화와 건축 기술을 연구하는 데 중요한 공간이라는 평가를 받고 있답니다. 또한, 백운동 원림의 아름다운 풍경은 그 자체로 심미적 가치는 물론, 조선 후기의 다양한 문학 작품과 그림의 배경이 되는 등 인문학적인 가치도 크다고 합니다. 이러한 이유로 2019년에는 「문화재청」으로부터 국가 명승으로 지정되어 관리되고 있습니다.

백운동 정원과 인접한 곳에는 월출산이 자랑하는 '강진다원康津茶園'과 국보 13호 극락보전으로 유명한 '무위사無爲寺'가 있습니다. '강진다원'의 탁 트인 넓은 차밭은 백운동 정원과는 사뭇 다른 풍경으로 색다른 볼거리를 제공합니다. 월출산에서 흐르는 물줄기처럼 보여 마치 무명베를 융단처럼 길게 늘어뜨려 놓은 것 같습니다. 차밭은 '설록차'라는 녹차 제품을 생산하는 아모레퍼시픽이라는 화장품 회사가 소유하고 있답니다. 아모레 화장품은 개성 상인 출신인 창업주 서성환 회장이 소싯적에 만난 첫사랑을 잊지 못한 나머지, 세상의 여인들을 아름답게 만들고 싶다는 필생의 소원에서 화장품 회사를 창업하였다는 이야기도 있습니다. 창업주의 이상형이었다던 괴테의 소설 『젊은 베르테르의 슬픔』 속 주인공 '샤롯데'를 회사 상호로 삼았다는 롯데제과와 비슷한 창업 에피소드라고 할 수 있겠죠?

강진다원 가기 직전에 천년고찰 무위사無爲寺가 있습니다. 前 문화재청장 유홍준兪弘濬은 그의 저서 『나의 문화유산 답사기』에서 "남도 답사 일번지의 첫 기착지로 나는 항상 무위사를 택했다. 바삐 움직이는 도회적 삶에 익숙한 사람들은 이 무위사에 당도하는 순간, 이 거친 세상에도 이처럼 소담하고 한적하고 검소하고 질박한 아름다움도 있다는 사실에 놀라곤 한다."라고 무위사의 의미를 이야기한 적이 있답니다. 비록 지금은 아담하고 작은 사찰이지만, 몇 차례 전쟁으로 사찰 일부가 소실되기 전까지는 극락보전을 비롯한 건축물이 23동, 부속 암자가 35군데, 그리고 다수의 국보급 문화재를 보유한 규모가 대단히 큰 천년고찰이었다고 합니다. "천년고찰千年古刹"이란 1,000년 이상 없어지지 않고 존재하는 절이라는 뜻이랍니다. 천년이라는 뜻이 숫자를 의미하는 것이 아니라 "가득 찬 수數" 다시 말해, 아주 오래된 절이라는 뜻이죠. 보통, 신라나 고려 시대에 만들어진 절을 천년고찰이라고 부른답니다.

월출산 주변을 좀 더 둘러보고 싶다면 '강진 달빛 한옥마을'을 추천합니다. 담양 창평 한옥마을과 함께 우리 지역에서는 괜찮게 조성된 한옥단지라 말할 수 있을 겁니다. 강진군은 이러한 한옥들을 중심으로 한옥 민박 프로그램인 〈푸소FUSO, Feeling-Up, Stress-Off〉를 운영하고 있으니, 꼭 한번 한옥 민박 체험을 해보시길 바랍니다. 이렇듯 "머무르는 관광"에 주안점을 두는 강진군의 한옥 민박 프로그램은 관광 정책의 실효성이나 성과 측면에서 전국 최고라고 평가해 주고 싶습니다.

강진 여행은 하루에 끝날 일정이 아닙니다. 최소 1박 2일 정도가 필요하답니다. 첫날 일정은 앞서 말한 일정에 월출산 천황사나 구름다리까지 가볍게 산행하고 한옥 마을에서 숙박한 후, 다음날은 강진읍 일대 '영랑생가'와 '사이재四宜齋' 등 정약용과 관련된 유적을 보고 '다산초당茶山草堂'을 거쳐 '가우도駕牛島'까지 가보면 좋을 듯합니다. 그리고 강진에서 다산초당으로 가기 직전 '남녘교회'라는 아름다운 교회가 있으니 꼭 일정에 포함하시길 바랍니다. 정말 아담하고 운치 있는 교회랍니다. 기독교 신자가 아니더라도 교회 예배당에서 조용히 묵상의 시간을 갖는다면, "여행의 질"은 한껏 높아 질 것입니다.

영광 물무산 행복숲

점심을 먹은 후 도서관에 가서 책이나 읽으려 했는데, 급증하는 코로나 확진자 때문에 오늘부터 휴관이라는 문자가 옵니다. 할 수 없이 가볍게 산책이나 하려고 집을 나섰습니다. 오늘의 여행 목적지인 '물무산 행복 숲'은 광주에서 50분 정도 떨어진 영광읍 읍내에 있습니다. 높이는 259m로 그다지 높은 산은 아닙니다. 인근 영광읍 주민들이 운동 삼아서 맨발로 황톳길과 둘레 숲길을 걷는 아주 평범한 동네 산이랍니다.

영광읍 읍내에 못 미쳐서 물무산으로 들어가는 진입로가 다소 허접하고 협소해서 처음에는 이곳이 맞나 반신반의했습니다. 그러나 주차장에 차를 주차하고 임도 쪽 숲길로 접어들자마자 "야! 괜찮은 곳인데"라는 탄성이 절로 나오더군요. 소박하면서도 부담이 없고 정감 있는 숲길이 그곳에 있었습니다. '물무산 행복 숲'은 둘레길 10km, 질퍽질퍽하게 걸을 수 있는 맨발 황톳길, 유아숲체험원, 물놀이장, 편백 명상원, 소나무 숲, 예술원, 가족명상원, 하늘공원이 있는 종합 산림 숲 단지라 할 수 있습니다. 특히 질퍽한 황톳길 0.6㎞와 마른 황톳길 1.4km인 물무산 맨발 황톳길은 황토의 건강함을 체험하며 걸을 수 있답니다. 사람들 취향에 따라 맨발로

질퍽한 길과 마른 황톳길을 선택해서 걸을 수 있지요. 일단 임도林道를 걸어 들어가 '물무산 둘레길'을 걸었습니다. 산 중턱에서부터 질퍽한 황톳길을 맨발로 걸어 내려오니 땅의 기운이 발끝을 통해 올라오는 듯했습니다. 정말 힐링이 되는 느낌이었습니다. 물무산 숲길에는 산책로 곳곳을 보행하기 좋게 다듬어 놓았고 맥문동밭도 잘 가꿔져 있어 보라색 꽃밭을 걷는 발길이 가벼웠습니다. 길가에 조성된 아기단풍 나무들이 가을날 멋진 단풍을 선물할 것 같아 단풍철에 오면 더더욱 좋을 듯합니다.

광주에서 물무산으로 갈 때는, 영광 방향 자동차 전용 도로로 진입해서 가다가 불갑사 쪽으로 나오는 게 좋습니다. 그런 다음 묘량면 삼학리 '삼학 생태습지'를 잠깐 보고 불갑저수지를 따라 늘어선 메타세쿼이아 길을 걸어 보시길 바랍니다. 만수위에 다다른 불갑저수지와 그곳에서 수상스키를 즐기는 사람들의 여유 있는 모습은 마치 동남아 어디에 와 있는 듯한 착각을 하게 합니다. 오는 날이 영광 장날과 겹치면 오일장 구경도 하고, 날짜가 맞지 않아 오일장에 가지 못하면 영광 읍내 축협이나 농협 하나로마트에 들러서 질 좋은 농산물을 구입할 수도 있답니다. 특히 고추가 영광의 지역 특산품이니 마른 고추 출하 시기에는 질 좋은 고춧가루 구매도 가능할 겁니다. 그리고 법성포나 인근 항·포구에서 나오는 젓갈류 등 수산물 또한 신선하니 관심을 가지고 들러 보시길 바랍니다.

고흥 쑥섬 이야기

"소수의 사람이 세상을 바꿀 수도 있다"라고 우리는 말합니다. 특히, 주목받고 있는 유명 관광지 몇 군데는 한두 사람의 힘만으로 사람들에게 사랑받는 관광지가 되기도 했답니다. 그러한 사례는 많습니다. 거제 외도와 장성 축령산 편백숲이 그렇고, 평범한 부부가 조성한 고흥 쑥섬도 이 가운데 하나입니다.

오늘은 전라남도 고흥 '쑥섬艾島'을 찾았습니다. 고흥은 전라남도 최남단에 있어 그리 손쉽게 갈 수 있는 곳은 아니랍니다. 아무리 빠른 교통 수단으로 간다고 해도 광주에서 2시간 이상 소요됩니다. 남도의 끝자락에 있는 고흥은 얼마 전까지만 해도 삼면이 바다로 둘러싸인 그저 평범한 해안 지역에 지나지 않았습니다. 그러나 최근 나로도 우주센터가 생겨난 후 지금은 외지인들이 자주 찾는 곳 중 하나가 되었지요. 전통적으로 고흥은 "3대 성씨", 다시 말해 고흥 류씨高興柳氏, 고령 신씨高靈申氏, 여산 송씨礪山宋氏의 집성촌으로 유명합니다. 아마도 우리나라에서 특출한 인물을 가장 많이 배출한 지역 중 하나일 겁니다. 고흥을 처음 알게 된 계기는 어릴 때 고흥 소록도에 가기 위해 길거리에서 구걸하던 한센병 환자들을 통해서

였습니다. 당시 한센병 환자들은 대중교통을 이용할 수 없어 걸어서 소록도까지 가야 했지요. 그래서 가는 도중에 먹을 음식과 여비 마련을 위해 여기저기 다니며 구걸해야 했습니다. 당시 흉측한 모습을 한 한센병자가 집으로 들어와서 돈과 음식을 달라고 해서 기겁했던 기억이 납니다. 그리고 시인 한하운(韓何雲, 1919~1975)의 『보리피리』라는 시를 통해서도 막연하게나마 나병 환자와 소록도의 아픈 이야기를 접했습니다. 이 작품은 한센병 환자들이 가지고 있는 절절한 아픔을 시인 한하운의 섬세한 감수성으로 표현했다고 합니다. 최근 고흥은 관광 목적지로서 새롭게 탈바꿈하고 있습니다. 우주 로켓을 발사하는 '나로우주센터'를 멀리서 조망할 수 있는 '고흥 우주발사 전망대'를 비롯하여 쑥섬, 소록도 한센인 마을, 팔영산, 팔영대교, 나로도 편백숲, 분청사기 문화박물관, 오천 몽돌해변, 연홍도, 천만 그루 들국화 공원 등은 고흥에서 가봐야 할 곳들이라고 합니다.

오늘 찾은 '쑥섬'이라는 지명은 이곳에서 생산되는 쑥의 질이 좋아 이렇게 부르게 되었다고 합니다. 고흥 나로도항에서 배로 3분 거리에 있는 쑥섬은 18가구, 30명의 주민이 거주하고 있는 작은 섬이지만, 70년대만 해도 400여 명의 주민이 살 정도로 상당히 큰 섬이었다고 합니다. 재미있는 점은 마을 주민 숫자보다 더 많은 고양이가 살고 있다는 것과 섬 안에 "닭, 개, 무덤"이 하나도 없다는 사실이었습니다. 참 흥미로웠습니다. 해설사 이야기로는 최근 귀어한 사람이 개 한 마리를 섬으로 들여와서 이 같은 이야기도 수정되어야 할 것 같다고 합니다. 쑥섬 마을 뒤편에는 원시 난대림이 울창한 숲을 이루고 있습니다. 마을주민들이 약 400년 동안이나 이곳을 신성시하여 외부인의 출입을 금하다가 5년 전에야 비로소 세상에 개방했답니다. 쑥섬은 "우리나라 아름다운 숲길"로 선정될 만큼 마을 숲 곳곳엔 수령이 400년 이상이 넘은 나무들이 울울창창 자라고 있습니다. 마을 뒤편 탐방 길을 따라가다 보면 기기묘묘한 나무들을 만나게 됩니다. 코알라를 닮은 나무를 비롯하여 엄마 젖가슴처럼 생긴 나무, 몇 년 전 태풍에 쓰러졌으나 여전히 죽지 않고 있는 고목 등 진기한 난대림 수목이 즐비합니다.

울창한 숲길을 한참 걸어 올라가 급경사의 껄떡길을 넘어서면, 다도해의 절경을 볼 수 있는 '환희의 언덕'이라는 전망대를 만나게 됩니다. 여기에서 바다 쪽을 바라다보면 거문도와 초도, 손죽도, 청산도, 거금도 같은 섬들이 그림처럼 펼쳐져 있습니다. 점점이 박혀 있는 섬들의 모습이 마치 옥쟁반에 은구슬이 빛나고 있는 듯합니다. 사진 몇 장을 찍고 쉬었다가 조금만 수고를 더해 올라가면 쑥섬 정상이 나타납니다. 이곳은 400여 종의 꽃들이 만발하고 있는 언덕 위 "비밀의 정원"이라고도 부른답니다. 계절이 가을로 접어들어서인지 코스모스와 칸나, 팜파스그라스, 국화 등이 다도해의 아름다운 풍광과 어울려 우리들의 눈을 즐겁게 해주었습니다. 따뜻한 봄날에 온다면, 여러 종류의 화사한 꽃들을 볼 수 있을 겁니다. "비밀의 정원" 벤치에 앉아 간간이 불어오는 가을바람을 맞고 있자니 이곳이 마치 천국 같다는 생각이 들었습니다. '쑥섬'이 전남 1호 민간 정원으로 선정된 이유를 알 것 같았습니다.

쑥섬이 관광지로서 세상에 유명해진 계기는 "비밀의 정원" 때문이라고

들 하는 데에는 이견의 여지가 없는 것 같습니다. 사실 이 정원은 행정 당국이 조성했거나, 자연 발생적으로 저절로 생긴 것이 아닙니다. 나로도에 거주하던 국어 교사와 약국 약사인 부부가 자신들의 고향에서 작지만 의미 있는 일을 해보고 싶다는 뜻에서 꽃을 심기 시작하여 오늘날 이렇게 멋진 정원이 만들어지게 되었다고 합니다. 겨울철을 제외하고 연중 400여

종의 아름다운 꽃들이 피어나 매일 수백 명의 관광객이 찾는답니다. 이렇듯 한 부부의 노력이 평범한 쑥섬을 고흥에서 가장 떠오르는 관광지로 만들었다는 사실에 경의를 표하고 싶습니다. '별 정원'을 지나면 마을 여자들이 명절날 각종 음식을 가지고 와서 춤도 즐기고 가정의 안녕을 빌었던 '여자 산포 바위'와 남자들만이 놀던 '남자 산포 바위'가 나타납니다. 그 바위들 사잇길 바로 위쪽이 쑥섬의 정상입니다. 정상에서 바라보는 남해안 바다가 시원스럽게 펼쳐져 있습니다. 쑥섬 정상에서 등대 쪽으로 내려가는 길에 울창한 동백 숲길이 나옵니다. 이 길은 탤런트 최불암이 2018년 〈한국인의 밥상〉이라는 다큐멘터리를 촬영하던 곳이지요. 당시 최불암은 이곳 동백 숲길이야말로 남해안에서 가장 빼어난 길이라고 극찬했다고 합니다. 쑥섬 구경을 마치고 시간이 남는다면 부둣가 가까운 '갈매기카페'에서 여행의 피로를 풀거나, 아니면 이곳 특산품인 쑥 제품을 구매하면서 시간을 보내시길 바랍니다. 그리고 포구에는 우리나라에서는 좀처럼 보기 힘든 긴 대나무가 세워진 삼치잡이 배도 있으니, 구경 한번 해 보는

것도 좋을 듯합니다.

광주로 돌아오는 도중 '분청 사기 문화 박물관'이라는 곳에 들렀습니다. 별 기대는 하지 않았는데 깨끗한 외양의 박물관 건물과 해설사의 열의 있는 설명은 물론, 어린이들을 위한 각종 체험시설이 지금까지 보아온 다른 박물관과는 차원이 다르더군요. 그리고 박물관 바로 옆에는 소설 『태백산맥』의 작가 조정래趙廷來 선생을 기념하는 '가족 문학관'도 있으니, 시간 여유에 따라 한 번쯤 들르시길 바랍니다. 고흥은 남도 끝자락에 있어 지리적으로 먼 지역이니 우주 발사체 발사 시기나 고흥 지역 축제에 맞춰 1박 2일 일정으로 온다면, 고흥 반도의 수려한 풍광을 대략 볼 수 있을 듯합니다. 특히 어린 애들을 동반하고 오는 분은 고흥에서 1박을 하고, 체험시설이 있는 나로 우주센터와 쑥섬을 구경한 후 분청 사기 문화 박물관에서 도자기 만들기 체험도 해보시길 바랍니다.

프로레슬러 김일의 고향, 거금도

가장 좋았던 바다는 어디였던가요? 대개는 동해안이나 제주도 푸른 바다라고 말할 것 같습니다. 오늘 눈부시도록 아름답게 빛나는 또 하나의 인생 바다를 만났습니다. 오늘 찾은 고흥 거금도居金島는 편견을 깨뜨리는 섬이었습니다. 며칠 전에는 고흥반도 나로도羅老島에서 가까운 쑥섬艾島을 갔는데, 오늘은 그 반대편 녹동항 아래쪽을 따라 거금도를 한 바퀴 돌아봤습니다. 사실 고흥에 오면 소록도를 꼭 가야 합니다만, 코로나 창궐로 일반인 출입이 안 되어 무척 섭섭했습니다.

어쨌든 제일 먼저 고흥반도 초입에 있는 '천만 송이 들국화 농장'을 둘러봤습니다. 이곳은 들국화를 대단위로 재배하는 곳으로 다음 주부터 들국화 축제를 시작한다고 해서 갔습니다만, 입장료 1,000원이 아까울 정도로 농장 관리가 허술하기 짝이 없는 곳이었습니다. 관광 해설사의 변명 아닌 변명으로는 고흥 지역 가뭄이 심해 꽃들의 모양새가 형편없다는데, 꼭 그런 것만은 아닌 듯 보였습니다. 다른 지자체들이 꽃 마케팅으로 한몫 건지는 것을 보고 부랴부랴 급조한 관광지라는 느낌을 받았습니다. 적잖이 실망했습니다. 들국화 농원 구경을 마치고 점심 한 끼는 녹동항이 자랑하는 장어탕을 먹었습니다. 역시 장어탕은 녹동항鹿洞港이 주력 관광 상품으로 내놓을 만했습니다. 영산강 유역을 포함한 전라도 서남부 지방은 민물 장어탕이 유명합니다만, 이곳 고흥이 속한 동부지방에서는 바다에서 잡히는 붕장어로 조리한 장어탕이 유명하다고 합니다. 점심을 먹은 후 녹동항과 건너편 소록도가 한눈에 보이는 '쌍충사雙忠祠'에 올라갔습니다. 이곳은 충열공 이대원李大源과 충장공 정 운鄭運 장군을 모신 사당으로, 고흥 녹동항의 전경이 시원스럽게 보이는 언덕에 자리하고 있습니다. 이곳에서 바라다보이는 건너편 소록도가 손에 잡힐 듯 가까이 있습니다. '녹동항'이라는 곳은 고등학생 시절 하숙집 룸메이트 선배가 자신의 고향인 녹동 이야기를 많이 해서 처음 알게 되었던 곳입니다. 한번 오고는 싶었지만, 거리가 멀어 와보지 못하다가 오늘 마침내 오게 되었습니다.

녹동항 바로 건너편에는 '소록도小鹿島'라는 섬이 있습니다. 우리에게는 한센병 환자들의 집단 거주지로 알려진 곳이죠. 이곳 소록도는 불치의 병에 걸린 한센병 환자들의 구구절절한 아픈 이야기들이 많이 있는 곳이기에, 그곳을 쳐다보는 것만으로도 가슴 아팠습니다. 인류 역사상 가장 오래된 전염병인 한센병은 과거에는 불치의 병으로 인식되어 있었으나 지금은 완치 가능하다고 합니다. 관광 해설사 선생님으로부터 소록도에 얽힌 한센병 환자들의 사연을 듣고 있자니 괜스레 눈시울이 붉어졌습니다. 소록도는 1935년 일제의 조선나예방령朝鮮癩豫防令에 따라 한센병 환자를 강제로 격리, 입원시켰던 섬이었습니다. 소록도에는 자혜의원, 검시실, 감금실, 등대 등 12개의 등록문화재가 일반인에게 개방되어 관광객들도 섬 내부의 주요 장소와 시설을 볼 수 있었으나, 코로나 발병 이후 전염을 우려한 당국에서 일반인 출입을 금지하고 있다고 합니다.

녹동항에서 고흥반도 아래쪽으로 더 내려가면 녹동항과 거금도를 연결하는 '거금대교巨金大橋'가 웅장하게 자리 잡고 있습니다. 거금대교는 거금도와 소록도를 이어주는 2,028m 길이로, 우리나라 최초로 만들어진 복층 구조의 사장교斜張橋라고 합니다. 거금대교를 건너 거금도 초입에 있는 휴게소에는 거대한 사람 모양의 조형물이 우뚝 솟아 있습니다. 이 조형물은 515개의 금속 조각이 붙어 있답니다. 이는 고흥 군내 515개 마을을 상징한다고 합니다. '거금도' 같은 시골에 거대한 현대적 조형물이 왠지 어색하게만 보였습니다. 거금도는 전설적인 프로레슬러 김 일金一 선수의 고향으로도 유명합니다. 한창 명성을 날리고 있던 김 일 선수는 박정희 대통령에게 고향 거금도에 전기가 들어오게 해달라고 부탁했다고 합니다. 이와 같은 사연으로 거금도가 제주도에 이어 우리나라 섬 중에서 두 번째로 전기가 들어오게 되었던 것이죠. 그리고 이곳은 제주도 기후와 유사하여 따뜻한 지방에서만 자라는 유자와 매생이, 그리고 양파, 전복, 미역, 다시마가 많이 생산되고 있습니다. 거금도 출신 김일 선수와 더불어 고흥이 낳은 유명 스포츠 선수로는 축구선수 박지성이 있답니다. 박지성 선수가 어린 시절을 보냈던 '연홍도連洪島'는 2017년 섬 미술관 프로젝트에 선정, 개발된 이후 "지붕 없는 미술관"이라는 별칭으로 전국적으로 유명해져서 지금은 많은 관광객이 찾고 있다고 합니다.

정말 거금도의 34km 해안 일주도로는 대단했습니다. 전라도에서는

백수 해안도로가 제일 유명하다고 합니다만, 필자가 보기에는 청정바다를 옆에 두고 달리는 거금도 해안도로를 따라갈 곳은 없을 것 같습니다. 약간의 과장이 있을 수 있겠지만, 정말 사실이랍니다. 맑고 아름다운 바닷가를 거침없이 달리는 기분을 뭐라고 표현해야 할지 모르겠습니다. 거금도 해안도로는 남해안의 바다 절경을 가장 가까이에서 볼 수 있습니다. 특히 남쪽 해안가 쪽 '하얀 펜

션' 아래 길로 내려가면 만나는 '공룡알 해변'은 좀처럼 보기 드문 신기한 돌 들이 많더군요. 물론 그곳에서 바라보는 남해안 저 너머 점점이 박혀 있는 빛나는 섬들의 풍경 또한 초롱초롱 빛나는 보석처럼 보였습니다. 동해안이나 제주도 풍경과 견줄만하다고 생각합니다. 그리고 2020년 국가 명승名勝으로 지정된 지죽도支竹島의 '금강 죽봉'을 포함해서, 국도 27호선 시점始點인 '오천항', '청석 소원동산' 등 거금도 남쪽 해안의 명소들 역시 멋졌습니다. 가장 놀라웠던 것은 고래 등 같은 분위기를 풍기는 적대봉(해발 592m)의 남쪽 자락에 있는 '거금 생태숲'이었습니다. 이 숲은 지금까지 보아온 다른 남해안의 생태 숲과는 달리, 다양한 난대 수종과 활엽수로 울창했습니다. 보통 남해안 섬 지방의 숲은 후박나무, 이팝나무 등 난대림만 자생하고 있는 데 반해, 이곳은 다양한 기후대의 수종이 밀집되어 있는 식물 생태학적 가치가 무척 높은 곳이라고 하더군요.

구름다리까지 올라가는 가파른 길이 다소 부담은 되었지만, 울창한 숲

길을 따라 적대봉積臺峰으로 올라가는 발길은 경쾌했습니다. 적대봉 정상 쪽으로 만들어진 데크 산책로인 '캐노피 하이웨이Canopy Highway'를 걷는 것 역시 색다른 경험이었지요. 아직 단풍은 완전히 물들지는 않았지만, 거금 생태숲은 울창한 난대림으로 꼭 한 번쯤 올 만한 곳이었습니다. 만약 오시게 된다면 거금도 해안도로가 원형으로 되어 있으니, 오고 갈 때 길을 달리해서 아름다운 절경들을 모두 보시길 바랍니다. 그리고 거금도가 고향인 지인에 의하면, 최근에 둘레길도 생겼으니 한번 걸어보라고 권유하더군요. 거금도는 광주에서 하루 코스로 다녀올 수도 있지만, 남부 쪽에 좋은 한옥 펜션이나 숙박 시설도 있으니, 사정이 허락되면 하룻밤을 경치 좋은 곳에서 보내고 다음 날 거금도 이곳저곳을 차분히 돌아보면 좋을 듯합니다.

평범하지 않았던 무안, 영암 여행

오늘은 전라남도에서 운영하는 〈남도 한 바퀴〉라는 여행 프로그램을 통해 무안과 영암을 다녀왔습니다. 여행하기 좋은 초가을임에도 전라남도에서 운영하는 여행 프로그램인 〈남도 한 바퀴〉 무안, 영암 문화 여행 참가자는 그리 많지 않았습니다. 아마 많은 사람이 이곳을 와봤거나, 아니면 무안·영암에 무슨 볼거리가 있겠어? 라는 생각에서 참가자가 그리 많지 않았던 것 같습니다.

'무안務安'은 "큰 아기가 오줌만 싸도 강이 범람한다."라는 전형적인 사행천蛇行川인 영산강 서쪽에 자리 잡고 있습니다. 지리적으로는 오른편에 영산강, 그리고 남쪽과 서쪽은 바다가 있는 곳으로 흔히들 "물의 안쪽, 즉 물 안"이라고 부르던 것이, 오늘날 '무안'이라는 지명으로 발전했다는 설이 가장 유력하답니다. 사실 무안은 관광지로서 우리에게 그리 알려진 곳은 아닙니다. 기껏해야 해제면을 중심으로 '황토 갯벌 랜드'나 '회산 백련지', 그리고 '초의선사 탄생지' 정도가 사람들에게 알려져 있을 뿐이죠. 그래서 그런지 〈남도 한 바퀴〉 프로그램 무안 여행 코스에서도 황토 갯벌 랜드만이 달랑 들어있습니다. 무안의 대표적 관광지 황토 갯벌 랜드는 그냥 광활한 갯벌이 바라보이는 곳에 갯벌의 생성 과정 등 몇 가지 단편적인 지식을 전달하는 전시관과 어린이들을 위한 체험 시설이 전부였습니다. 인근에 500여 명이 이용할 수 있는 야영장 때문인지 이용자 역시 체험 학습을 오는 어린이나 가족 단위 캠핑족들이 대부분인 것 같았습니다. 솔직히 말씀드리면, 갯벌에 대한 생태 환경적 측면이 중요하다는 것은 알겠지만, 1시간 이상을 달려와 입장료 4,000원을 내고 멀리 해제만 일대 갯벌만을 달랑 보고 가는 게 그리 좋은 선택 같지는 않았습니다. 특히 어른들에게는 그리 매력적인 곳은 아니라고 봅니다.

이어서 전라남도가 자랑하는 한옥 호텔인 '영산재榮山齋'를 들렀습니다. 여기 와서 보니 영산재가 얼마 전 사모펀드로 소유권을 넘겨야 했던 이유를 대강 짐작해 볼 수 있었습니다. 영산재는 주변 풍광이 뛰어나다는 장점은 있지만, 허술하게 지은 한옥 건물 대부분이 영화 세트장 정도의 수준이었습니다. 물론 영업저 측면에서 볼 때도 접근성미지 상당히 애매하고 호텔 부대시설도 잘 갖춰져 있지 않아 긍정적으로 기대할 만한 점은 별로 없는 듯했습니다. 조금은 실망했습니다. 그러나 가수 하춘화의 히트곡 〈영암 아리랑〉의 배경 무대가 되었다는 영암군 서호면 엄길리 마을에 있는 수령 800여 년이 넘은 당산나무 위용은 대단했습니다. 성인 6명 정도가 팔로 둘러싸야 나무를 감쌀 수 있는 굵기의 이 느티나무는 지금까지 보아온 보호수 중 크기 면에서 최고였던 것 같습니다. 이곳은 과거 호남지방 최고의 갑부였던 현준호(玄俊鎬, 1889~1950)가 바다를 메워 조성한 '학파농장鶴坡農場'이 있는 곳으로, 인근에는 천안 전씨天安全氏 집성촌도 있습니다. 80년대 전남지사를 지낸 전석홍이나, 5공화국 당시 MBC 문화방송 사장이던 이환의의 고향 마을이기도 하지요. 영암 출신의 가수 하춘화가 성공하기까지 MBC 이환의 사장 도움이 절대적이었다는 연예가의 뒷이야기도 있다고 합니다.

오늘 여행의 백미는 뭐라 해도 조계종 대흥사 말사인 도갑사道岬寺를 찾아본 것입니다. 도갑사는 30여 년 전 친구들과 함께 놀러 온 적이 있습니다. '도갑사'는 신라말 우리나라 풍수지리와 도참사상의 대가인 도선국사道詵國師가 창건한 절입니다. 한때는 966칸의 전각에서 1,000여 명의 승려가 수도 생활을 하고 있었고, 부속 암자 숫자만도 열두 곳에 이르는 대사찰이었다고 합니다. 한때 영광군 불갑면 '불갑사', 무안군 해제면 '원갑사'와 더불어 전라도 '3갑사' 중 하나로 평가받아 왔으나, 조선 시대 숭유억불 정책과 한국전쟁, 그리고 1999년 대웅전 화재 등으로 많은 전각이 소실되어 지금의 위상은 중간 규모의 사찰로까지 전락하였다고 합니다. 그러나 사찰이 보유하고 있는 문화재의 가치는 우리 지역 최고의 사찰로 인정받고 있는 송광사나 대흥사에 못지않다고 합니다. 일주문을 지나면 만나게 되는 국보 제50호인 '해탈문解脫門'은 도갑사의 상징적인 건축물입니다. 정면 3칸, 측면 2칸 맞배지붕의 단층 건축물로 국보 제 50호로 지정된 문화재입니다. 고려 말기 유행했던 배흘림기둥의 주심포柱心包 건축기법과 조선 초기 다포多包 양식이 섞여 있는 희소가치가 아주 높은 산문山門이라고 할 수 있지요. 오늘 이렇게 독특한 건축양식의 해탈문을 실제로 볼 수 있어 정말 뜻깊었습니다. 해탈문 현판은 대흥사 해탈문의 편액을 썼던 조선 시대 최고의 서예가인 원교圓嶠 이광사李匡師가 썼다는데, 정말 하늘을 날아가는 듯한 명필의 필치가 놀라웠습니다. 마치 승무僧舞를 추는 듯

한 한 여인의 비상飛翔을 보는 듯해서 글씨도 그림처럼 감동을 줄 수가 있다는 것을 처음으로 알았습니다.

또한, 도갑사는 1층과 2층을 겹쳐 만드는 다포식 처마에 얽힌 도편수都遍首 노인과 며느리에 관한 설화로도 유명합니다. 이렇게 겹쳐서 만든 다포식 처마는 사찰 건축물을 웅장하게 보이는 효과를 연출할 때 많이 사용하는 건축기법이라고 한답니다. 통상 이러한 건축기법을 '부연婦椽'이라고 칭하는데, 우리가 지금도 대화 중 사용하는 "부연하여 설명하면...."이라는 표현에서의 '부연'이라는 어휘가 여기에서 유래되었다고 합니다. 그리고 사찰마다 어디는 "대웅전大雄殿"이라고 칭하고, 어디는 "대웅보전大雄寶殿"이라고 하는데, 그것들 사이에 어떤 차이가 있는지 궁금했습니다. 그런데 이 차이는 대웅전 내에 안치된 석가모니 본존本尊 좌우에 누가 앉아 있느냐에 따라 달라진다고 합니다. 좌우에 보살들이 앉아 있으면 "대웅전"이라고 하고, 부처들이 있으면 "대웅보전"이라고 한다네요. 이외에도 도갑사에는 마애여래 좌상(국보 제144호), 석조여래 좌상(보물 제89호), 문수 보현보살 사자 코끼리상(보물 제1134호) 등 다수의 문화재가 소장되어 있습니다. 그리고 도갑사로 가는 버스가 오전 오후 각 한 번씩 밖에 없어서, 승용차를 이용해야만 하는 점도 알아 두면 좋겠습니다. 이번에는 일본 아스카 문화 탄생의 숨은 주역이었던 왕인박사王仁博士가 일본을 왕래할 때 이용했던 '상대포구上臺浦口'나 호남의 3대 명촌名村으로 알려진 '구림鳩林 한옥마을'을 찾아보지 못했지만, 기회가 되면 다시 와보려 합니다.

알려지지 않은 화순 고택

길고 긴 장마가 끝난 뒤 후텁지근한 무더위에 짜증이 폭발할 지경인데, 무책임한 사이비 목사 한 분의 망동에 인내심이 바닥을 드러내려 합니다. 그래서 머리도 식힐 겸 무작정 도시락을 챙겨 나왔습니다. 화순 이양면을 지나 장흥 보림사 쪽 길을 가다가 화순군 도곡면 '학재고택鶴齋古宅'과 '양참사댁梁參事宅' 안내 표지를 보고 발길을 이곳으로 돌렸습니다.

일반적으로 '고택古宅'이라고 하면, 조상의 뛰어난 건축 기술과 아름다움을 간직하고 있어서 시대별 건축양식과 사상, 그리고 생활방식 및 문화의식을 엿볼 수 있답니다. 특히 고택의 건축은 생활을 위한 사람의 내부 공간으로, 자연과의 원만한 조화를 이루면서 지어졌습니다. 대부분의 고택은 솟을대문으로 들어서면 사랑채 마당이 펼쳐지고, 이어서 그 중심인 안채 마당으로 통하게 되어 있는 게 일반적입니다. 대문은 되도록 압도적으로 만들어 주인의 신분을 나타내었으며, 기氣를 안으로 끌어들이기 위해 안쪽으로만 여닫게 하였답니다. 고택에 있는 정자 또한 사람과 자연의 적절한 조화미를 통해, 고택이 단순한 생활공간을 넘어 하나의 문화 공간으로써의 역할을 하게 해줍니다.

'학재고택'은 도곡면 달아실 마을에 있는 '양동호 가옥'과 함께 제주 양梁씨 문중의 양반 가옥입니다. 건립 시기는 정확히는 알 수 없으나 대략 18세기 후반 무렵으로 추정된다고 합니다. 가옥이 처음 조성될 때에는 '학재고택'이 안채였고, 좌측에 있는 '양재국 가옥'은 사랑채였답니다. 지금은 담장으로 나누어져 별개의 가옥이 되어 버린 두 가옥은, 다른 남부지방 양반 가옥과는 다른 형태의 외형과 구조를 가진 조선 말기 한옥 특유의 건축사적 특징을 가지고 있습니다. 그리고 양동호 가옥은 현재 국가 민속문화재로 지정받아 관리되고 있는데, 최근에 '양동호 가옥'이라는 택호를 '양 참사댁'으로 바꿨다고 합니다.

지난번 화순 능주읍 영벽정映碧亭을 세우신 학포 양팽손梁彭孫 선생을 소개할 때 친구 동호가 본인이 양팽손 선생의 후손이라고 했던 것으로 보아, 오늘 찾아본 '양 참사댁' 주인인 선비 양동호 선생이 아마 친구 동호와 항렬行列이 같나 봅니다. 코로나 때문에 양팽손 사당祠堂을 직접 둘러보진 못했고, 작은 담 넘어로 "전학후묘前學後廟"의 전형적인 사당 풍경을 먼발치에서 바라봐야만 했습니다. 양梁 참사댁은 단순하고 소박하지만, 정겨운 우리 한옥의 모습을 가지고 있으니 한 번쯤 방문하시길 권유합니다.

물안개가 아름다운 화순 세량제

전남 화순和順에는 '화순 8경景'이라는 아름다운 곳들이 있습니다. 1경 화순 적벽, 2경 운주사, 3경 백아산 하늘다리, 4경 고인돌 유적지, 5경 만연산 철쭉공원, 6경 무등산 규봉암, 7경 연둔리 숲정이, 8경 세량제 같은 환상적인 숲과 나무, 그리고 수려한 산들과 석조 문화가 담겨 있는 곳들을 말합니다.

오늘은 그중에서 화순 8경 중 하나로 꼽히며, 피어나는 물안개로 유명한 화순 '세량제(또는 세량지)'를 다녀왔습니다. 원래 계획은 전라남도 화순군 도곡면 고인돌 공원 쪽을 가려 했으나, 비가 많이 오는 바람에 화순 '세량제'로 목적지를 변경했습니다. 전남 화순군 화순읍 세량리에 있는 세량제細良堤는 2012년 미국 뉴스 채널 CNN이 한국에서 가 봐야 할 50곳에 선정할 정도로, 벚꽃이 피는 봄날은 물론이고 물안개 자욱한 가을날 아침이면 수많은 사진작가가 몰려드는 곳이랍니다. 산벚꽃이 만발한 봄철 이른 아침 저수지 수면 위로 햇빛이 비치기 시작하면, 호수에 비친 벚꽃이 마치 솟아오르는 것처럼 신비롭기까지 합니다. 여름날에는 평화로운 저수지 주변 나무 그늘에서 짙은 녹음을 바라보면서 더위를 식힐 수도 있으며, 청명한 가을이 되면 저수지 수변에 늘어선 버드나무 그림자와 물안개의 하모니가 주는 몽환적인 분위기 속에서 깊어가는 가을을 느낄 수도 있답니다. 그래서 전국의 사진작가들이 이 모습을 카메라에 담기 위해 계절을 불문하고 광주에서 가까운 이곳을 찾고 있습니다. 그들은 이렇게 말합니다. "판타지 영화 속 같은 풍경을 볼 수 있는 곳이 세량제입니다"라고 말이죠.

오랜만에 보는 세량제는 예전 모습이 아니었습니다. 아래쪽 입구에는 주차장이 새로 생겼고, 올라오는 길은 말끔하게 단장되어 있어 편하게 저수지까지 올 수 있었습니다. 그렇지만 왠지 자연스러운 분위기는 아니었습니다. "자연스러움"이 특징인 세량제를 그대로 놔두는 것이 좋을 것 같은데, 그렇지 못해 좀 안타까웠습니다. 보기 좋은 장소나 관광지를 어떻게 관리해야만 지속·가능한 볼거리로 보존할 수 있을까요? 때로는 적극적으로 만들고 다듬고 하는 것도 필요하겠지만, 어떤 경우는 인위적인 행위를 하지 않고 원형 그대로 보존해 그 자체의 아름다움이나 정체성이 유지되도록 해주는 것도 좋을 듯합니다. 물론 관광 약자를 위한 무장애Barrier-free라는 측면에서는 어느 정도 물리적인 시설물 설치는 불가피하겠지만, 이것 역시 최소화했으면 좋겠습니다. 세량제의 매력이 자연 그대로의 신비한 풍경에 있다는 점을 고려하면 더욱더 그런 생각이 들었습니다. 세량제는 일단 광주에서 거리가 가까우니 가벼운 마음으로 잠깐 들러 저수지 데크 전망대에서 인생사진 찍기에도 도전해 보고, 저수지 왼쪽을 휘감고 도는 약 3km 정도의 둘레길을 걸어 보는 것도 좋을 듯합니다. 둘레길 걷기를 마치고 도곡 온천에서 온천도 하고 근처 맛집에서 맛있는 식사도 한다면, 한나절 우리들의 눈과 입을 호강시킬 수 있을 것입니다.

가장 아름다운 색깔,
초록색

어릴 때는 초록이라는 색깔이 촌스럽다고 생각했습니다. 그런데 나이가 들어가면서 그렇게 촌스럽게만 생각했던 이 색色이 세상에서 가장 아름다운 색깔이라는 인식의 변화가 왔습니다. 정말이지 하늘과 땅이 만나 생기는 색깔, '초록'이야말로 눈뿐만 아니라 마음과 영혼까지도 정화해 주는 것 같습니다. 그중에서도 나무가 하늘을 가릴 정도로 빽빽하게 들어선 초록 숲은 어쩌면 인간 세상과 신선 세계를 이어주는 고리 같은 것이 아닐까? 라는 생각을 해봅니다.

우리가 사는 곳 인근에는 개발의 거센 바람을 견디어 낸 아름다운 숲들이 여전히 남아 있습니다. 그중 가장 으뜸은 바로 전남 화순 '연둔리 숲정이'라고 생각합니다. "숲정이"란 마을 근처 숲을 가리키는 순수한 우리말입니다. '연둔리 숲정이'는 화순군 동복면 쪽에 자리한 둔동마을 동복천을 따라 남북 방향으로 수양버들나무, 느티나무, 검팽나무, 서어나무, 상수리나무, 뽕나무 등 230여 그루가 700여m에 걸쳐 심어진 숲을 말합니다. 조선 시대 중엽 비보림裨補林으로 마을 주변에 나무를 심어 조성한 것이 그 시작이라고 하니 어느덧 500년이 훌쩍 넘었습니다. 처음에는 보補가 무너지지 않도록 할 목적으로 나무를 심었으나, 오랜 시간이 흐르고 흘러 오늘날 이렇게 아름다운 숲이 되었답니다.

거센 비바람 속에서 오랜만에 이곳을 찾았습니다. 비가 줄기차게 내림에도 산책로를 따라 우산을 쓴 채 강둑을 걷는 기분이 나쁘지 않더군요. 다만 건너편 강변 호안 공사가 다소 눈에 거슬렸지만, 연둔리 숲정이 분위기 자체가 워낙 좋아 그것은 문제가 되지 않았습니다. 연둔리 숲정이를 감상하는 법이 있다면 다음과 같은 방법이 있습니다. 그냥 강둑 벤치에 앉아 주변 풍광을 조용히 보는 것이 하나이고, 또 하나의 감상법은 숲이 조성된 강둑을 천천히 산책하는 방법이라 할 수 있지요. 선택은 여행자 각자의 몫이겠죠? 연둔리 숲정이에 가게 되면 마을 초입에 주차하고, 강변 둑을 따라 늘어선 팽나무, 왕버들 나무 숲길을 호젓이 걷다 보면 초록이라는 색깔이 세상에서 가장 아름다운 색이라는 사실을 피부로 느끼실 겁니다. 그리고 연둔리 숲정이 건너편 화순군 동복면 구암리에는 전국을 구름처럼 떠돌아다니면서 세상을 조롱하고 풍자했던 방랑시인 김병연金炳淵, 즉 김삿갓이 고향인 경기도 양주로 돌아가지 않고 여생을 화순에서 마친 것을 기념한 '김삿갓 종명지終命地'와 '문학동산'도 있습니다. 이곳도 방문해서 김삿갓의 인생을 반추해 볼 기회를 가져 보시길 바랍니다.

나주에도 "한반도지형"이?

나주 영산포초등학교를 다니던 시절 자주 가던 소풍 장소는 영강동 부영아파트 뒤편 자그마한 야산이었습니다. 그곳에서 내려다보는 영산강榮山江의 풍경이야말로 굽이굽이 구절양장九折羊腸 모습, 그대로였습니다. 멀리 영산포 선창 부둣가를 향해 힘겹게 올라오는 작은 어선들의 모습이 기억 속에 선명하게 각인돼 있어, 고향을 생각할 때마다 언제나 영산강의 이 풍경이 떠오르곤 합니다. 특히, 해 질 녘 노을에 물든 영산강의 모습이야말로 세상에서 가장 아름다운 풍경이었지요. 그러나 1970년대 후반 영산강 하구언의 준공과 광주댐, 나주댐이 상류에 건설된 이후부터는 이런 아름다운 풍경을 보지 못하게 되어 버렸답니다.

얼마 전 뉴스를 통해 영산강둑을 따라 강변도로가 개통됐다는 소식을 듣고 달라진 영산강의 모습을 보아야겠다는 마음에 거센 비바람에도 불구하고 집을 나섰습니다. 나주시 다시면과 함평읍을 거쳐 나주시 동강면까지 이어지는 영산강 강변도로는 시원하게 포장되어 있었습니다. 굽이굽이 휘돌아 가는 아름다운 영산강을 옆에 두고 달리는 기분이 무척이나 상쾌했습니다.

뭐니 뭐니해도 영산강 드라이브의 백미白眉는 나주시 동강면 '느러지 전망대'이더군요. '느러지'라는 뜻은 "물이 느려져서 느러지, 또는 물길이 늘어져서 느러지"라고 합니다. 영산강 하구언 둑이 만들어지기 전까지만 해도 이곳까지 바닷물이 들어왔다고도 합니다. 영산강 하구언 쪽으로 거의 360도를 휘돌아 흘러가고 있는 영산강 물줄기에 의해 형성된 '느러지' 지형은 우리 한반도 모습과 너무나 닮았습니다. 그래서 '한반도지형'이라고 부른답니다. 강원도 영월에 있는 '한반도지형'과도 아주 흡사하지요. 아마도 사행천들이 보여 주는 전형적인 풍경 중 하나라고 할 수 있을 겁니다. 오늘 비가 와서 그런지 도도히 흐르는 물길과 영산강 '느러지'의 아름다운 모습이 운치 있어 보입니다. 초여름에는 '느러지' 전망대 근처에 수국水菊이 만발하여 장관을 이룬다고 합니다.

한반도지형을 보고 무안군 몽탄면 영산강 강변 전망 좋은 곳에서 점심을 먹었습니다. 비는 세차게 내렸지만, 바깥 풍경을 보면서 자동차 안에서 먹는 점심이 꿀맛이었습니다. 점심 식사를 마치고 영산강 2경 중 하나인 '몽탄노적夢灘蘆笛' 입구에 있는 '식영정息營亭'을 찾았습니다. 여기 '식영정'은 담양 식영정息影亭과는 다른 곳이랍니다. 몽탄면 '식영정'은 조선 시대 문신 한호閑好 임 연林㦓 선생이 학문을 연구하고 토론하기 위해 지은 정자로, 나주 임씨羅州林氏가 대대로 살아온 '배뫼'라는 마을 입구 높은 언덕 위에 있는 정면 3칸, 측면 3칸의 단층 팔작지붕 건물입니다. 그 아래로는 영산강이 도도히 흐르고 있어 영산강의 아름다운 풍경을 보기에 가장 좋은 곳이랍니다. 오늘 식영정은 비가 와서 그런지 사람도 거의 없고 한적해서 좋더군요. 식영정이 있는 '몽탄夢灘'이란 "꿈 여울"이라는 뜻이라고 합니다. 고려 태조 왕건王建이 후백제의 견훤甄萱에게 쫓기던 중 물이 범람한 영산강에 가로막혀 죽을 위기에 처했습니다. 이런 절체절명의 상황에서 잠

깐 잠이 들었는데, 꿈속에서 한 백발 노인이 나타나 “지금 영산강 물이 빠지고 있으니 급히 물을 건너라”는 말을 듣고 바로 강을 건너 위기를 모면했다는 이야기가 있는 곳이지요. 이곳 몽탄과 식영정 주변은 가을날 피는 코스모스로도 유명합니다. 강변을 따라 조성된 코스모스의 아름다운 물결이 천천히 흐르는 강물과 대비되어, 한 폭의 그림 같은 풍경을 선사한다고 합니다. 오늘 영산강을 돌아본 아내가 이렇게 말합니다. “영산강이 이렇게 아름답다는 것을 전라도 생활 30년 만에 처음 알게 되었다.”고....

어쨌든 강원도 영월에 있는 ‘한반도지형’에 필적할 만한 나주 ‘느러지지형’을 비롯해서, 전라도 사람들의 한恨과 설움이 묻어있는 영산강 주변을 한번 둘러 보시길 바랍니다.

매력 충만한 서해안 섬 여행

가장 좋은 여행지는 어디일까요? 이곳저곳을 여행 다니면서 느꼈던 좋은 여행지는 무엇보다도 자연 그대로의 모습을 온전히 간직한 곳이 아닐까? 라는 생각을 해본답니다.

지금 신안新安 섬 여행을 떠납니다.

아침 온라인 예배를 마치고 전라남도 신안군 증도曾島에 왔습니다. 연륙교가 생기기 전에 왔으니 15년 만에 증도 여행을 하는 것 같습니다. '증도'라는 섬이 그리 멀지 않음에도, 자주 오지 못했던 것은 아마도 심정적 거리가 멀었기 때문이 아니었나 싶습니다. 증도로 오는 도중 지나쳐 왔던 무안 해제면은 3년 전 스스로 생을 마감한 친구 '호'의 고향입니다. 퇴직하면 같이 남미 여행을 가자고 했는데, 그 약속을 지키지 못해 언제나 마음에 걸리는 친구랍니다. 가까이 있으면서도 친구의 아픈 마음을 몰랐다는 사실에 한동안 자책을 거듭했습니다.

증도에 연륙교連陸橋가 건설되기 전에는 철부선에 자동차를 싣고 넘어

가는 재미가 나름 있었는데, 연륙교 때문인지 눈 깜빡할 사이 허망하게 증도에 도착하더군요. 도착한 날이 일요일 오후여서 그런지, 증도 섬이 너무 한적하고 조용합니다. 도로에 다니는 차량도 거의 보이지 않고 오가는 사람들도 거의 없습니다. 리조트를 체크인하기 전에 '우전해수욕장'과 '짱뚱어 다리'로 나가 철 지난 바닷가의 썰렁한 백사장을 한동안 거닐었습니다, 한적하고 조용한 것을 넘어 을씨년스럽기까지 합니다. 그러나 짱뚱어 다리에서 바라본 낙조는 정말 아름다웠습니다. 짱뚱어 해변 역시 노을 아래 비친 바다와 어울려 한동안 잊혀 지지 않을 것 같습니다. 숙소 체크인을 마치고 리조트 주변을 돌아보는데 리조트가 오래되어 휑한 분위기입니다. 지은 지 오래되었는데도 리모델링을 전혀 하지 않아 쾌적한 느낌이 전혀 들지 않았답니다. 사실 이만한 풍광을 가지고 있는 리조트나 콘도를 좀처럼 만나기 어려운데, 이왕이면 시설을 깔끔하게 보수했으면 좋겠습니다.

서해안의 슬로시티, 증도

증도曾島는 "시루섬"이라는 한자식 이름입니다. 바닥에 구멍이 난 시루처럼 물이 빠지는 섬이라는 의미입니다. "시루 증甑"이라는 글자가 따로 있지만, 실제로는 "일찍 증曾" 자를 씁니다. 글자 자체가 바닥에서 올라오는 증기로 떡이나 쌀을 찌는 시루 모양이니 별문제는 없을 듯합니다. 신안 증도는 자연생태계가 잘 보전된 섬으로, 2007년 12월 아시아 최초로 슬로시티Slowcity로 지정되었습니다. 또한, 2008년 6월에는 국내 최초로 갯벌도립공원이 되었으며, 2009년 5월에는 유네스코 생물권보전지역, 그리고 2010년 1월에는 람사르 습지로 지정되어 생태 환경적인 면에서 중요성을 인정받은 곳이랍니다. 증도는 여름 휴가철만 피하면 한적한 해변에서 느긋하게 먼바다를 보면서 하루를 보낼 수 있는 곳으로, 잘 가꿔져 있는 자전거 하이킹 코스는 물론, 솔 향기 그윽한 솔밭길을 상큼하게 걸을 수 있는 웰니스Wellness 관광의 최적지이기도 합니다.

어제 먹다 남겨둔 제육볶음을 반찬 삼아 가볍게 아침을 먹은 후 오늘 일정의 시작을 노두 길로 유명한 화도 섬 탐방으로 시작했습니다. 섬 자체 풍광은 뛰어나진 않으나 썰물을 전후해서 건너갈 수 있는 노두 길이 유

명한 곳이죠. 오래전에 〈반갑습니다〉라는 드라마가 촬영된 장소로 알려져 사람들이 많이 찾는다고 합니다. 바닷물이 빠진 갯벌 사이를 차량으로 간다는 사실에 약간의 스릴감마저 느껴지더군요. 화도花島를 둘러 보고 '태평 염전' 못 미쳐 있는 '도초리 성결교회'를 찾았습니다. 교회가 참 인상적이었습니다. 나지막한 언덕에 자리 잡은 북유럽 건물 풍의 작은 교회인데, 6·25 당시 순교한 문준경文俊卿 전도사가 3번째로 개척한 교회라고 합니다. 교회 내부 좌우 양면 유리창은 앞면 십자가와 어우러져 긴장감과 함께 엄숙함을 줍니다. 이어서 찾은 '태평 염전'은 15년 전과는 달리 '염생식물원'과 '체험교육장'이 조금 달라진 모습이었습니다. 식물원 함초와 삘기(전라도에서는 '삐비'로 호칭) 군락지는 주변 염전들과 어울려 멋진 사진 배경이 되더군요. 이 같은 풍경은 서해안이 아니면 볼 수 없답니다. 조금 늦은 시간에 지도읍 오일장을 찾았더니 거의 파장 분위기입니다. 시장 좌판 상당수가 철수한 상태여서, 시장 구경은 제대로 하지 못하고 저녁 반찬에 쓸 요량으로 간단히 오징어젓갈만 사서 숙소로 돌아왔습니다. 돌아오는 길에 '문준경 선교사 기념관'을 관람했습니다. 이곳에서 알게 된 사실은 우리나라 성결교회 교파 소속 목회자 상당수가 이곳 신안 출신이라는 것입니다.

그리고 증도 주민 90% 이상이 기독교 신자이고, 동대문 성결교회 당회장이었던 이만신李萬信 목사 역시 증도 출신이라는 사실도 새롭게 알게 되었습니다.

저녁을 먹고 숙소 베란다에서 잠시 쉰 후, 어제 인상적으로 보았던 서해안 낙조落照를 다시 보려고 '짱뚱어 다리'로 나갔습니다. 넓은 갯벌에서 뛰놀고 있는 짱뚱어가 귀엽습니다. 인기척이 느껴지면 재빨리 구멍 속으로 숨는 모습이 전광석화 같습니다. 요즘은 짱뚱어로 탕을 만들어 먹지만, 우리 어릴 저엔 짱뚱어는 생긴 것도 무서울 뿐만 아니라 지천으로 많아서 먹지 않고 버리던 물고기였지요. 보통 짱뚱어는 긴 낚싯대로 미끼를 사용하지 않는 훌치기 낚시 방법으로 잡습니다. 역시 드넓은 갯벌 너머로 사라져가는 서해안의 노을은 어떤 표현으로도 묘사하기 어려울 정도로 멋집니다.

아름다운 섬!
자은도

90년대 부동산 투기가 사회문제로 대두된 시기에 신안군 일대 섬들에 대한 외지인들의 부동산 보유 실태 결과를 접한 적이 있었습니다. 당시 그 결과를 보고 깜짝 놀랐던 것은, 신안군에 있는 무인도 상당수와 경치 좋은 섬 대부분을 수도권에 거주하고 있는 외지인들이 보유하고 있다는 것이었습니다. 심지어 어떤 무인도는 3세밖에 되지 않는 어린이가 소유하고 있는 사례까지 있었습니다. 이를 두고 선견지명이 있다고 해야 할지, 아니면 투기의 귀재라 해야 할지 모르겠더군요. 그나저나 신안新安은 오래전부터 사람들의 관심을 끌 만큼 가치가 상당했다는 점은 분명한 것 같습니다.

숙소를 체크아웃하고 왕바위선착장에서 차량을 싣고 자은도慈恩島로 건너왔습니다. 섬으로 가는 자동차 도선 뱃삯이 2,000원, 개인당 요금이 1,000원 정도로 가격이 저렴합니다. 신안군에서 직접 운영해서 그렇게 가격이 싸다고 합니다. 이제 우리나라도 관광인프라가 잘 갖추어지고 있는 것 같아 마음이 뿌듯합니다. 자은도 선착장에 도착해서 자은도가 자랑하는 '무한의 다리'를 구경했습니다. 길이 1,004m, 폭 2m인 이 다리는 '둔장 갯벌' 쪽 무인도를 연결하는 다리입니다. 다리 이름은 신안군의 〈1도島

1뮤지엄 아트 프로젝트〉에 참여했던 조각가 박은선과 세계적인 스위스 건축가 마리오 보타 Mario Botta가 작명했다고 합니다. 작명 배경으로는 섬과 섬을 다리로 연결한다는 연속성과 끝없는 발전을 희망하는 마음을 담았다고 합니다. 신안군은 "때 묻지 않은 섬, 바다와 어우러지는 건축물"이라는 주제로 무한의 다리 근처에 공립미술관 '인피니또 뮤지움'을 세울 계획도 있다고 합니다. 아마도 서해안 작은 섬에 세련된 미술관이 생기게 된다면 많은 관광객이 올 듯합니다.

이곳 자은도는 '독살'이라는 우리의 전통 어업방식으로 고기를 잡는데 이같은 어업방식은 다른 지역에서는 볼 수 없는 함정 어업방식이랍니다. '독살'이라는 형식의 어업방식이란 바닷가 한쪽을 돌로 막아 밀물 때 들어온 물고기가 썰물 때 독살에 갇혀 나가지 못하게 해서 물고기를 잡는 신기한 전통어로 방식이지요.

점심을 잡곡 정식으로 유명한 '맛나제'에서 먹기 위해 '무한의 다리'를 나오다, 자동차가 그만 날카로운 금속을 밟아 펑크가 났습니다. 긴급출동 서비스를 불렀으나 타이어 교체가 필요하다는 말에 할 수 없이 여행을 접고 집으로 돌아왔습니다. 압해도, 암태도, 안좌도, 팔금도까지의 여행을 마치지 못하고 집으로 가야만 해서 조금 아쉬운 마음도 있었지만, 서해안의 아름다운 섬들을 보게 되어 좋았습니다.

담양은 역시나 좋은 곳

얼마 전 담양 토박이 친구가 담양에서 가볼 만한 곳 몇 군데를 추천해 주었습니다. 아침 영상예배를 마치자마자 급하게 도시락을 챙겨 친구가 소개해 준 곳을 찾아갔습니다. 폭우 속에서도 농촌의 들녘은 막바지 모내기 작업에 여념이 없습니다. 가는 길에는 '샤스타데이지Shasta daisy'가 만개해서 세찬 비바람에도 불구하고 마음이 가벼워지면서 산뜻해집니다. 샤스타데이지라는 꽃의 꽃말이 "순수와 평화"라는 뜻이라네요. 요즘 담양의 도로변 곳곳에는 금계국과 샤스타데이지가 넘실거리고 있습니다.

계속되는 비바람도 피하고 점심도 먹을 겸 친구가 추천해 준 담양군 가사문학면 가암리 청촌마을에 있는 '청계정淸溪亭'을 찾았습니다. 점심을 먹고 한참을 쉬다보니 비가 그칩니다. 맑디맑은 하늘 아래 펼쳐진 시골 논둑길을 한동안 걸었습니다. '청계정'이 있는 청촌마을은 담양 창평에서 월봉산을 넘어 들나물 돌솥 정식으로 유명한 무릉도원 식당 쪽으로 가는 길에 있는 작은 농촌 마을입니다. 정자 옆 작은 흔들의자에 앉아 지천으로 피어난 샤스타데이지를 바라보는 여유가 자못 즐겁습니다. '청계정' 밑으로는 아름다운 개천이 흐르고 있습니다. 흐르는 개천에 수중보水中堡를 설치하

여 그 안에 작은 대나무 배 한 척을 띄워놓아 여름철엔 아이들이 놀 수 있게 해놓았네요. 마을 바로 앞에는 인공적으로 만들어진 얕은 도랑이 있습니다. 그곳에 있는 작은 빨래터가 인상적이었습니다. 소박하고 아름다우면서도 한적한 우리 농촌의 풍경을 편안하게 볼 수 있는 기회였습니다.

광주로 돌아오던 길에 '창평 한옥마을'을 둘러봤습니다. 안개 자욱한 저수지 너머 한옥들이 정말 멋지더군요. 이곳에 사는 사람들 상당수는 광주에서 이주했거나, 매일 광주로 출근하는 전문직 종사자들이라고 합니다. 이들의 하루하루가 행복할 것 같아서 무척 부러웠습니다. 담양에서는 5월, 6월 내내 샤스타데이지가 만개한다고 하니, 슬로시티인 창평면으로 와서 고풍스러운 골목길 구경과 함께 아름다운 꽃길 사이에서 여유로운 하루를 보내시길 바랍니다.

새로운 패러다임, "광주형 일자리"

"광주형光州型 일자리"를 가지고 논란이 많습니다. 광주형 일자리의 기본 개념이 처음 생겨날 때인 2014년부터 가까이서 지켜본 한 사람으로서, 최근 상황이 무척 안타깝고 씁쓸합니다. 70, 80년대 개발 시대의 시각으로는 광주형 일자리의 진정한 뜻을 이해하고 실천하기는 어려울 듯합니다. 광주형 일자리는 대기업의 투자 유치라는 개념이라기 보다는 자본과 노동, 그리고 지역사회의 상호 이해라는 일종의 인문학적 사업이라고 생각합니다. 그래서 기본적으로 노동 존중에 대한 인식이 저변에 깔려 있지 않다면 성공하기 힘든 사업이지요. 뜬금없이 광주형 일자리에 대한 개인적 생각을 이렇게 이야기하는 이유는 오늘 전라남도 보성군 노동면을 다녀왔기 때문이랍니다. 그 노동면에서의 "노동蘆洞"은 광주형 일자리에서의 "노동勞動"이 아닌데 말입니다.

혹시 '명봉역鳴鳳驛'을 아시나요? 명봉역은 보성군 노동면에 있는 경전선의 무인 기차역입니다. 2003년 배우 손예진과 송승헌이 출연하여 많은 이의 심금을 울렸던 드라마〈여름 향기〉가 촬영된 곳이지요. "새 중의 왕은 봉황새요, 꽃 중의 왕은 모란이요, 백수의 왕은 호랑이라."고 하듯이 봉황은 새의 우두머리이자 신비의 새라고 합니다. '명봉역'이란 새들의 왕인 "봉황鳳凰이 우는 역"이라는 뜻이랍니다. 이곳 노동면은 슬랩스틱 코미디의 아마추어 대가인 고등학교 친구가 면장面長을 했던 곳으로, 한때 이곳에 전원주택을 지을까도 생각하고 이곳저곳을 돌아다닌 적이 있답니다. 오늘 명봉역에 정차하는 경전선 기차를 배경으로 사진도 찍고, 유채꽃밭 사이를 걸었습니다. 역 광장에 있는 벚꽃 나무 한 그루가 무척 인상적이었습니다. 광주로 돌아오는 길에는 화순군 이양면에 있는 '쌍봉사雙峯寺'에도 들렀습니다.

'쌍봉사'는 천불천탑과 와불臥佛의 전설을 간직한 '운주사雲住寺'에 비해 잘 알려지지 않은 사찰이지만, 현존하는 우리나라 승탑僧塔 중 가장 아름답다는 국보 57호 철감선사 부도와 목조탑의 전형을 보여 주는 보물 163호 대웅전, 그리고 보물 170호 철감선사 탑비塔碑를 보유하고 있는 고찰古刹이지요. 대부분의 사찰이 산중에 있는 데 반해, 쌍봉사는 보성과 화순을 잇는 국도상에 인접한 평지에 있습니다. 쌍봉사의 건물 형태나 가람 배치는 풍수지리의 영향을 많이 받았다고 합니다. 사찰이 들어선 곳의 지형을 움직이는 배의 형상이라고 생각해 돛대 역할을 할 수 있는 목탑을 세웠으며, 또한 사찰 경내에는 우물도 파지 않았다고 합니다. 쌍봉사 대웅전은 삼국시대 목탑 형식을 알 수 있는 건축물입니다. 법주사法住寺 팔상전과 함께 우리나라에 남아 있는 단 두 개의 목탑 건물 중 하나로, 높이가 12m인 3층 목탑 형태를 갖추고 있습니다. 원래 쌍봉사 대웅전은 보물로 지정되어 관리돼 오다가 화재로 소실되었답니다. 이후 복원 작업을 하긴 했으나 완벽한 상태가 되지 않아, 현재는 보물 지정이 해제된 상태라고 합니다. 쌍봉사의 또 다른 보물인 철감선사 탑비는 승탑의 섬세한 측면에서 볼 때 우리나라 석조 미술품 가운데 가장 아름답다는 평가를 받고 있습니다. 그리고 쌍봉사는 봄철 벚꽃이 아름답기로 유명합니다. 물론 단풍철에도 아

름다운 단풍으로 뛰어난 풍광을 보여 주고 있어, 미국 CNN 방송도 한국의 아름다운 사찰중 하나로 선정하여 보도한 적도 있지요. 기회를 만들어 쌍봉사가 자랑하는 대웅전의 독특한 모습을 꼭 한번 보시길 바랍니다.

그리고, 문화재 중 어떤 것은 "국보"이고, 어떤 것은 "보물"인지를 어떻게 구별하는지 아시나요? 우리나라 '문화재보호법'에서는 가치가 높은 유형문화재를 심사해 "보물寶物"로, 보물 중에서도 특히 오래되고 가치 있는 것을 "국보國寶"로 지정한다고 합니다. 여기서 말하는 "가치"란 만든 솜씨나 특유의 역사적인 의미를 지니는 것을 말한다고 하네요. 언제나 드는 생각이지만 우리나라만큼 아름다운 곳은 없는 것 같습니다. 여전히 봄날은 갑니다~

기차와 영벽정이 주는 한 폭의 그림

패션 분야에서뿐만 아니라, 관광에서도 T.P.OTime, Place, Occasion가 존재합니다.

전라남도 화순군 능주읍에는 '영벽정映碧亭'이라는 아주 멋있는 정자 하나가 있습니다. 많은 사진작가가 지석강 강변에 늘어선 화사한 벚꽃과 왕버들 나무를 배경으로 경전선 느림보 기차가 철교를 따라 달려오는 사진 한 컷을 담기 위해 자주 찾아오는 곳이지요. 오늘은 화순 고인돌 공원 가는 길에 영벽정을 찾았습니다. '영벽정'은 조선 시대 기묘사화己卯士禍 이후 능주綾州에서 유배 생활 중 죽은 조광조趙光祖의 시신을 수습하고 장례를 치러 준 학자 양팽손梁彭孫이 만든 정자랍니다. 역사적으로는 임진왜란 당시 삼도수군통제사 이순신 장군이 화순을 방문하였을 때 이곳 '영벽정'에서 지방 수령과 담소를 나눴다는 기록이 『난중일기亂中日記』에 있다고 해서 유명해진 곳이기도 하지요.

얼마 전 미국 CNN 방송에서 '영벽정'을 화순 세량제와 더불어, 한국의 전문 사진작가들이 가장 사랑하는 곳이라고 보도한 이후, 많은 사진작

가가 이곳 영벽정을 찾아와 철교 위를 질주하는 열차 모습을 사진에 담곤 합니다. 오늘 운 좋게 이곳에 도착하자마자 영벽정을 향해 달려오는 경전선 열차를 극적으로 핸드폰 카메라에 담을 수 있었습니다. 오가는 기차가 자주 있지 않아 철교 위를 달려오는 기차를 찍기가 상당히 어려운데, 찰나의 순간에 이렇게 멋진 장면을 찍을 수 있어서 무척 기뻤습니다. 그야말로 “T.P.O의 행운!”이라고 할 수 있겠죠?

영벽정에서의 행운을 뒤로 하고, 곧바로 멀지 않은 곳에 있는 전라남도 화순군 도곡면 ‘고인돌 공원’으로 갔습니다. 청동기시대의 대표적 유적인 고인돌은 분포 숫자나 학술 가치 면에서 보면 가히 세계 최고 수준이라고 합니다. 세계적으로 유명한 영국의 ‘스톤헨지’에 버금간다고 할 수 있을 겁니다. 이렇듯 강화도의 북방식 고인돌과 고창·화순의 남방식 고인돌은 그 역사성이나 희귀성, 그리고 학술 가치를 인정받아 2000년 유네스코 세계문화유산으로 지정받아 관리, 보존되고 있습니다. 이곳 화순 고인돌 공원에서 가장 인상적인 고인돌은 화순군 춘양면 쪽으로 넘어가는 길에 있는 “여흥驪興 민씨閔氏 세장산世葬山”이라는 글씨가 새겨진 무게 200톤 정도의

'핑매 바위'라는 거대한 고인돌이었습니다. 이 바위가 세계에서 가장 큰 고인돌이라고 하니, 인증 사진도 꼭 찍으시길 바랍니다.

화순 고인돌 공원을 오시는 분은 화순군 도곡면 종합안내소 쪽으로 들어오셔서 고인돌 공원 저수지 주변 꽃밭을 산책하신 후 춘양면 지동마을 쪽으로 나오시면 좋습니다. 지동池洞마을은 능주를 거치지 않고도 나주시 남평읍에서 보성읍을 오갈 수 있는 중요 거점 마을이지요. 이곳 고인돌 공원은 지동마을 고인돌 체험관에서 판매하는 맛있고 저렴한 맷돌 커피는 물론, 쉼터나 화장실 등 편의시설도 잘 되어 있으니 넓은 잔디밭에서 즐겁고 의미있는 시간을 보낼 수 있을 겁니다. 그리고 고인돌이나 화순군 도곡면에 얽힌 이야기를 좀 더 자세히 듣고 싶다면, 공원 입구 화순군 종합안내소에 들러 문화유산 해설사의 도움도 받을 수 있습니다.

아름다운 정원, 요월정 원림

Yellow City 장성長城!

'장성'의 주요 길목마다 보이는 장성군의 홍보 마케팅 표어입니다. 사전적으로 "yellow"라는 의미가 단순히 노란 색깔이라는 의미 외에 부정적인 뜻도 있어, 개인적으로는 별로 좋아하진 않습니다. 선정적이며 저속한 경향의 신문 "yellow paper", 전염병 의미의 "yellow fever", 서양인들이 동아시아 사람을 비하할 때의 "yellow people" 등에서 볼 수 있듯이 서양에서의 이미지는 그다지 좋다고 볼 수는 없겠죠? 장성군의 역사적, 설화적 기원이 황룡에서 유래되었다는 점을 강조하고 노란색의 색깔 마케팅을 지자체 홍보에 활용한다는 점을 이해하더라도 일반 관광객 입장으로 볼 때, 이 같은 색깔 마케팅이 그리 탐탁치는 않습니다. 그냥 국내 홍보 마케팅용으로만 사용되었으면 좋겠다는 생각입니다.

각설하고, 오늘은 수양벚꽃의 화사한 모습과 수백 년 노송들이 어우러져 있는 장성군 황룡면 '요월정 원림邀月亭園林'을 찾았습니다. 광주 근교 별서정원別墅庭園으로는 소쇄원이나 명옥헌이 너무 유명해서 다른 조선 시

대 정원에는 별 관심이 없었습니다. 그런데 어떤 사람들은 번잡한 소쇄원 보다는 이곳 요월정 원림이나 화순군 사평면 임대정원림臨對亭園林 같은 곳을 "조선 시대 정원의 원형"에 가깝다면서 좋아들 하지요.

전라남도 기념물 70호 요월정 원림은 60여 그루의 배롱나무와 수백 년 수령의 송림이 우거진 곳입니다. 여기에서의 "요월邀月"은 "달을 부른다. 달을 맞이한다"라는 뜻이라고 합니다. 요월정 원림은 가파른 계단 위 언덕에 자리 잡고 있는 정자입니다. 옛날에는 요월정 아래 깎아지른 듯한 절벽 밑으로 황룡강이 굽이쳐 휘돌아 갔으나, 지금은 황룡강 직강直江 공사로 예전 같은 모습은 볼 수 없다고 합니다. 강 건너에는 옥녀봉玉女峰이 마주하고 있으며, 아래쪽에는 탁 트인 들판이 멋있습니다. 이곳 요월정 원림은 정유재란丁酉再亂 때 아낙네들이 겁탈하려던 왜군을 뿌리치고 절벽에서 뛰어내렸다 해서 "장성의 낙화암"이라고도 불리고 있으며, 원림 아래 용소龍沼는 '장성'이라는 지명의 기원 설화에서 나오는 황룡 두 마리가 살았다는 전설도 간직하고 있습니다. 스토리텔링 측면을 보아도 결코 빠지는 곳은 아니지요. 이곳은 조선 명종 때 공조 좌랑 김경우(金景遇, 1517년~1559년)

가 낙향하여 만든 후 고봉高峯 기대승奇大升이나 하서河西 김인후金麟厚 등의 문인들과 음풍농월하던 곳으로 정면 3칸, 측면 3칸 팔작지붕의 '요월정'이라는 정자와 광산 김씨光山金氏 문숙공파 '종회각', 그리고 산지기 집으로 구성되어 있습니다.

현재는 군산 출신 원로 작가인 이수월 선생이 혼자 살고 있다고 합니다. 타지 출신이 이곳으로 오게 된 계기는 풍수지리학자 조용헌 교수의 권유 때문이었다고 하네요. 이수월 선생은 요월정 앞마당을 봄, 여름꽃이 만발한 꽃 대궐로 만들어 놓아, 진분홍 배롱나무 꽃이 만개할 무렵에는 많은 사진작가가 이곳을 찾을 만큼 요월정을 숨은 명소로 만들어 놓았답니다. 뭐니 뭐니 해도 요월정 원림은 수양벚꽃이 유명하지요. 이곳의 수양 벚꽃이 피기 시작하면, 예외없이 매서운 강풍과 꽃샘추위가 곧바로 찾아 온다는 속설이 있는데, 올해는 기후 변화 탓인지 꽃은 피었으나 비바람과 추위가 오지 않고 있다고 합니다. 요월정 원림이 있는 장성군 황룡면은 국무총리를 지낸 김황식의 생가生家가 있는 곳이기도 합니다. 올해 봄이 가기 전에 요월정 원림의 화사한 수양벚꽃을 보러 가시길 바랍니다. 한적함이 그지없이 좋습니다. 또한, 한여름 배롱나무 한창일 때가 무척 좋다고 하니 그때 다시 오시길 추천합니다.

신비로운 천불천탑 운주사

세상이 어수선하고 온갖 부조리가 횡행할 때 우린 무언가를 기다리곤 합니다. 사회과학적으로는 "혁명革命"이라는 대변혁을, 종교적 관점에서는 "메시아 내지는 미륵불彌勒佛의 출현"을 말이죠.

오늘 아침 광천동 버스터미널에서 농어촌버스 318-1번을 타고 화순 운주사에 가려는데, 집사람이 버스 대신 승용차로 함께 가자고 합니다. 어제오늘 사이 날씨가 가을로 접어든 듯 선선한 기운이 거리를 휘감습니다. 운주사로 가는 도중, 잠깐 고인돌 공원에 들렀습니다. 공원 곳곳에는 여러 가지 꽃나무가 심어져 있을 뿐만 아니라, 앉아서 쉴 수 있는 공간도 잘 정비해 놓았네요. '핑매 바위'를 거쳐 춘양면 지동마을을 지나니, 순식간에 황금빛 들녘 너머로 '운주사'가 보입니다.

천불천탑 운주사!

운주사雲住寺는 남도의 한 자락인 전남 화순군 도암면 '만산 계곡'에 자리 잡고 있습니다. 도선국사道詵國師가 하늘나라 선동선녀仙童仙女로 하여금, 이튿날 닭이 처음 울 때까지 천 개의 불상과 천 개의 탑을 세우려 했다는 창건 설화를 가지고 있는 사찰입니다. 고려 초에 처음 건립되었으나 정유재란 때 절이 폐사廢寺한 이후 1930년 다시 법등法燈을 밝혔다고 합니다. 그러나 운주사에 대한 역사적 기록은 거의 없고, 몇 차례의 발굴 조사를 통해서 겨우 알아낸 건립 시기가 운주사 역사의 전부라고 해도 무방할 듯싶습니다. 운주사에 대한 역사적 기록이 별로 없다 보니 갖가지 설화나 전설 같은 이야기들이 난무하고 있습니다. 역사에서 소외된 민중이 저마다의 소원과 염원을 담아 쏟아 낼 수 있는 해방구解放區라고도 하고, 이름에서처럼 "구름이 머무는 곳"이라는 완료형完了型이 아닌, "미륵불의 세상을 향해 나아가는 배"라는 진행형進行型으로도 해석되기도 합니다. 그 무엇보다도 누워있는 와불臥佛이 일어서면 세상이 뒤집혀 민중이 주인 되는 세상이 되리라는 믿음이 운주사에 대한 가장 극적인 설화 내지는 전설 아니겠습니까? 결론적으로 말하면, 오늘 찾아간 운주사는 기본적인 통념을 벗어난 사찰이었습니다.

일주문一柱門을 지나 경내로 들어가는 길에 일렬로 서 있는 특이한 석불들이 나름 엄숙한 분위기를 줍니다. 가람伽藍 배치에서 보면, 보통의 사찰이 산세를 보면서 가람을 배치하는 데 반해, 이곳 운주사는 인근 '쌍봉사雙峯寺'와 더불어 계곡 안쪽 평지에 있다는 것이 독특합니다. 사찰 내에 일주문은 있으나 천왕문과 사천왕상도 없고, 계곡을 따라 곳곳에 무질서하게 들어선 탑과 불상이 그야말로 파격을 이루고 있는 곳이 이곳 운주사입니다. 보통의 사찰들이 한, 두 기基의 탑과 몇 개의 불상을 모시는 게 일반적인데, 운주사는 이런 정형에서 완전히 벗어나 경내 곳곳에 많은 탑과 불상들이 있습니다. 마치 야외 전시장에 작품들이 무질서하게 있는 것처럼 말이죠. 운주사는 사찰 경내의 좌우 산마루를 따라서 대략 21기의 석탑과 80여 기의 석불이 있다고 합니다. 보통 우리는 운주사를 이야기할 때 "천불천탑의 사찰"이라고 하지요. 그런데 여기에서 나오는 "천千"이라는 것을 꼭 숫자의 개념으로 직역하는 것보다는 그냥 탑塔과 불상佛像이 많다는 관용적 의미로 해석하는 게 좋을 듯합니다.

입구 주차장에 차량을 주차하고 일주문을 지나 조금 가다 보면 운주사에서 가장 높은 석탑으로 보물 796호인 9층 석탑을 만나게 됩니다. 전체적으로 세련된 균형감을 이루면서 위풍당당하게 서 있습니다. 자세히 보니 탑신석塔身石에 조금은 특이한 마름모꼴 교차 문양과 꽃잎 문양이 그려져 있네요. 9층 석탑 바로 뒤편에는 또 다른 7층 석탑이 있습니다. 두 탑과 멀리 보이는 원형 다층석탑을 배경으로 하는 사찰 풍경이 멋있다고 하는데, 정말 연이어 계속되는 탑들의 모습이 멋들어집니다. 대낮보다는 노을이 질 무렵에 본다면 더욱 운치가 있을 듯합니다. 연이어 만나는 보물 797호인 '석조 불감石造佛龕'도 이채롭습니다. 사각四角의 화강암 석실 안 돌부처 2구가 남북을 바라보면서 등을 맞대고 합장하고 있는 이 특이한 조형물은 국내에서는 좀처럼 보기가 힘들답니다. 석조 불감 바로 뒤에는 보물 798호인 '원형 다층석탑(일명 연화탑)'이 있습니다. 이 탑은 기단부부터 탑신부의 탑신塔身과 옥개석屋蓋石 모두가 10각형에 가까운 원형을 이루고 있어 이 또한 보기 드문 석탑의 형태를 가지고 있네요. 개인적으로는 원형 다층석탑이 운주사에서 가장 멋있고 독특한 석탑이라는 생각이 들었습니다.

사람들은 운주사에서 반드시 보아야 할 것은 와불臥佛이라고 말합니다. '와불'은 대웅전 오른편 쪽 산으로 올라 가야 만나게 되는데, 자연석 위에 거대하게 조각되어 누워있는 두 개의 불상을 말합니다. 도선국사가 하루 사이에 천불천탑을 세워 새로운 세상을 열어보고자 했으나, 동자승이 장난삼아 닭 소리를 내는 바람에 결국 완성되지 못하고 와불로 남게 되었다는 이야기가 전해지고 있습니다. 언제인지는 모르지만, 이 와불이 일어서는 날에 비로소 새로운 세상이 온다는 흥미진진한 설화도 있지요. 와불을 감상하고 내려오는 도중에 '칠성七星바위'를 만나게 됩니다. 칠성바위 역시 와불과 함께 운주사가 자랑하는 석조물 중 하나랍니다. 칠성바위는 각기 다른 7개의 타원형 돌로, 각기의 돌이 북두칠성을 상징한다고 해서 이렇게 이름이 지어졌다고 합니다. 이 칠성바위의 위치각位置角이 북두칠성의 각도와 일치되는 날에 민중의 주인이 되는 미륵 세상이 온다는 이야기가 있습니다. 이렇듯 흥미진진한 이야기와 설화 때문인지 운주사가 더욱더 신비로운 곳으로 다가오는 것 같습니다.

운주사 경내 이곳저곳 흩어져 있는 불상과 탑들을 전체적으로 조망해보려면 미륵전彌勒殿을 지나 운주사 뒷산인 영귀산靈龜山 '불사 바위'로 올라가야 합니다. '불사 바위'는 옛날 천불천탑을 만들 때 도선국사가 이 바위에 서서 작업을 지시했다고 해서 그 이름이 지어졌다고 합니다. 불사 바위 계단을 올라가기 직전, 미륵전 아래쪽에 떡시루를 엎어놓은 듯한 이색적인 '원구형 석탑'도 눈여겨보길 바랍니다. 이 석탑은 일반적인 상식을 벗어난 특이한 형태를 가지고 있지만, 그렇다고 해서 아주 낯설지만은 않으며 조형미도 적당히 갖추고 있습니다. 가파른 계단을 힘들게 올라 산 정상 부근에 다다를 무렵이면 비로소 '불사佛事 바위'가 나옵니다. 이곳에서는 운주사가 있는 계곡 전체 조망이 가능합니다. 계곡과 산등성이 곳곳에 들어선 수많은 탑과 불상 모습이 신비로웠습니다. 몽환적이면서 비현실적이라는 표현이 딱 어울립니다. 멀리 운주사 계곡 건너편에 펼쳐져 있는 들판도 아름답더군요.

독일 출신 미술평론가 '요헨 힐트먼Jochen Hilltmann' 교수는 "형식적 노련미와 기술에서 불필요한 과잉이 없는 운주사는 사람들 사이에 신神이 녹아 있는 풍경 같았다. 세계 불가사의의 하나로 꼽아도 손색이 없을 것이다."라고 운주사에 대한 느낌을 자신의 책 〈미륵彌勒〉에서 말한 바 있답니다. 이렇듯 외국 학자의 눈에도 운주사가 주는 혜안慧眼과 영감靈感은 대단한 것 같습니다. 어찌 독일인 한 사람에게만 국한된 감정이었겠습니까? 1984년 출간된 황석영黃晳暎 작가의 대하소설 〈장길산張吉山〉은 물론, 우리나라 장르 소설의 길을 열어 준 〈퇴마록退魔錄〉 역시, 운주사 와불로부터 영감을 받았다는 것만 보아도 운주사가 주는 의미는 상당하다고 볼 수 있겠지요. 현재 운주사는 사찰이 가지고 있는 고유의 독창성을 인정받아 "유네스코 세계 문화유산 잠정 목록"에 등재되었다고 합니다. 앞으로도 학술적 연구와 스토리 개발에 박차를 가해서 정식으로 유네스코 세계문화유산으로 지정되었으면 좋겠습니다. 오랜만에 운주사를 찾았는데, 오가는 도중 넘실거리는 초가을 들녘의 모습을 보니 마음마저 풍성해지는 느낌이었습니다. 오늘은 정말 시원한 하루였습니다.

중들의 장터,
'중장터'

운주사雲住寺 가는 버스를 알아보다 농어촌버스 218번 노선표에서 '중장터'라는 왠지 낯이 익는 지명이 눈에 들어오더군요. 어디서 한 번쯤 본 듯한 데 도무지 생각이 나질 않았습니다. 그런데 운주사 구경을 마치고 나주 불회사佛會寺로 넘어가다가 우연히 중장터라는 마을을 만나게 되었습니다. 이곳에 대한 호기심이 생겨 마을로 들어갔습니다. 마을이 제법 작은 읍내 분위기가 나는 것으로 보아, 과거에는 꽤 컸을 것 같다는 느낌이 들더군요. 이후에도 계속해서 중장터라는 지명이 줄곧 머리에 맴돌았습니다. 그러던 중 갑자기 어릴 적 영산포 사거리 정류장에 행선지 푯말에서 보았던 중장터라는 지명이 떠오르지 않겠습니까? 하여 중장터에 대한 궁금증이 생겨 이곳에 대한 기록을 찾아봤습니다. 하지만 세세한 자료는 찾을 수가 없더군요.

'중장터'는 화순 운주사에서 나주 불회사로 가는 길목인 전남 화순군 도암면 용강리에 있습니다. 말 그대로 중(승려)들이 시장을 열어 사찰 용품을 물물교환하던 곳이었지요. 고려 후기 부터 조선 중기까지만 해도 영남의 상주尙州와 호남의 나주羅州, 두 군데에 이 같은 "중들의 장터, 중장터"

가 있었다고 합니다. 이후 나주에 있는 중장터가 화순군 도암면 지역으로 옮기게 되었다고 하네요. 이렇게 장터가 화순으로 옮기게 된 배경에는 승려들의 사회적 지위와 관련이 많다고 합니다. 고려나 조선 시대 승려들은 백정이나 노비 등 천민과 같은 취급을 받아 관청은 물론, 지역 폭력배들로부터 폭력 등 불이익을 받곤 했답니다. 그래서 비교적 안전하면서도 교통이 좋은 화순으로 장터를 이전하게 된 것이라고 합니다.

보통 '중장'은 매달 보름에 열렸다고 합니다. 이는 멀리서 오는 승려들의 길이 안전하고 편리하도록 달이 밝은 날로 장날을 정했기 때문이랍니다. 이곳 화순 중장터에서 거래되는 품목으로는 대흥사大興寺의 유기鍮器, 강진 무위사無爲寺에서 제조한 자기磁器, 송광사松廣寺에서 만든 염주나 밥상, 그리고 사찰 살림에서 필요한 물건이었다고 합니다. 대개 시골장은 지역에 따라 장이 서는 날이 달라서 닷새에 한 번 서는 장場을 '오일장五日場'이라 하고, 사흘에 한 번 서는 장은 '삼일장三日場'이라 불렀던 반면, 순천장, 춘양장처럼 장소에 따라 명칭을 붙이거나, 우시장이나 싸전, 어물전 등 시장에서 잘 유통되는 물건에 따라 명칭을 불렀습니다. 그런데 "중들이 거래하는 장터"인 '중장터'는 좀처럼 들어 보지 못한 특이하고도 재미있는 오일장이네요. 이번 중장터에 관한 역사 자료를 찾으면서 느꼈던 점은, 귀중한 우리 향토사 자료 정리가 제대로 되고 있지 않는 것 같았습니다. 대학이나 향토사를 연구하는 기관들이 우리 지역의 아름답고 귀중한 향토사에 대한 자료 발굴이나 보존에 더 많은 관심을 가졌으면 좋겠다는 생각을 해봅니다.

영광의 숨겨진 명소, 내산서원

연일 우리 동네인 광주 근처 숨겨진 명소를 찾아보고 있습니다. 오늘은 벚꽃과 유채꽃으로 유명한 전라남도 영광군 홍농읍 「한국수력원자력」 사택을 찾아 가던 중 우연히 내산서원內山書院을 만나게 되었습니다.

영광군 불갑면 방마리 벚꽃 길을 지나자마자 나타나는 '내산서원'은 1635년 인조 13년 선비이자 의병장인 수은공睡隱公 강 항姜沆 선생을 기리기 위해 세워진 서원입니다. 내산서원은 규모 면에서는 그리 크진 않지만, 주변 풍광과 잘 어울리게 지어져 있는 서원 건축물이 무척 아름답습니다. 낮은 야산 아래 남향에 있는 내산서원은 외삼문外三門과 사당인 용계사龍溪祠를 중심축으로 강학 시설이 앞쪽에, 선현을 모시는 사당이 뒤쪽에 있는 "전학후묘前學後廟"의 전형적인 구조를 가지고 있는 서원입니다. 양지바른 남향에 있어서인지 서원 곳곳은 햇살 아래 눈부시게 빛나고 있었습니다. 화창한 봄날 지천으로 피어난 꽃구경을 하기 위해서라도 한 번쯤 가볼 만합니다. 물론 가을 단풍철에도 좋다고 합니다. 한겨울에도 푸르름을 맘껏 자랑하는 주변 소나무들로 인해 서원 풍광이 계절을 잊게 한다고 하네요. 2019년 「유네스코 세계유산위원회」는 전라남도 장성군 필암서원을 비롯

한 대표적인 9개 서원을 세계문화유산으로 지정하였는데, 이는 세계가 우리 서원들의 역사적, 문화적 가치를 인정했다는 의미일 겁니다.

내산서원을 구경하고 백수 해안도로를 가기 위해 백수읍 쪽으로 갔습니다. 여전히 백수 해안도로는 멋집니다. 전라남도 영광군 백수읍 읍내에서 백암리 석구미 마을까지 16.8km에 걸쳐 이어진 백수 해안도로는 기암괴석, 광활한 갯벌과 불타는 석양이 만나 황홀한 풍광을 연출하는 서해안의 대표적인 드라이브 코스 중 하나이지요. 특히 해안도로를 따라 조성된 3.5km의 해안 데크길은 바다를 옆에 두고 걸으면서 노을 지는 서해안의 아름다운 일몰을 감상할 수 있답니다. 돌아오는 길에는 10여 년 만에 백수읍사무소 앞에 있는 맛집 '백수식당'에서 이곳의 대표 음식인 백합죽을 먹었습니다. 정말 맛있더군요. 무엇보다도 백합죽과 함께 나온 20여 가지의 반찬에 놀랐습니다. 전형적인 전라도의 풍성한 식탁을 보는 듯했습니다. 오늘은 집에서 놀고 있는 백수 입에 딱 맞는 백합죽을 맛있게 먹고, 백수초등학교에서 산책도 하고, 백수 해안도로를 드라이브하면서 백수의 즐거운 하루를 보냈습니다.

진입로가 일품인 곡성 태안사

단풍이 절정에 이르면 주로 어디를 찾아가시나요? 단풍철에는 어느 곳을 가든지 발 디딜 틈 없이 사람이 많아 짜증 났던 경우가 많았을 겁니다. 개인적으로 매년 단풍철만 되면 고즈넉한 분위기에서 여유롭게 단풍을 보려고 찾아가는 곳이 한 군데 있답니다. 그곳은 바로 곡성 '태안사泰安寺'입니다. 가을이 되면 태안사 뒷산 봉두산鳳頭山 계곡을 따라 이어지는 소박하고 아기자기한 단풍길이 참 아름다운 곳이죠.

태안사 입구 매표소에서 사찰까지 2km 정도 되는 길은 평탄하고 조용해서 걷기에 좋습니다. 걷다가 쉬고 싶으면 바로 계곡 아래로 내려가 흐르는 물소리를 들으면서 시간을 보낼 수도 있지요. 물론 가을철이 되면 어느 사찰이든 진입하는 모든 길이 단풍으로 아름답다지만, 특히, 태안사로 들어가는 길은 소박하면서도 은은한 단풍의 모습을 가지고 있어 사람들에게 인기가 좋다고 합니다. 태안사로 가는 길 중간쯤에서 '시인 조태일 문학관'이라는 잘 지어진 건물을 하나 만나게 됩니다. 이곳 문학관의 주인공인 조태일 시인에 대해서는 모르는 사람들이 많을 겁니다. 1989년쯤 필자는 개인적인 일 때문에 시인을 한번 만나 뵌 적이 있었습니다. 시인의 첫인상은 온화하고 인자한 느낌이었습니다. 조태일趙泰一 시인은 태안사 대

처승의 아들로 태어났다고 합니다. 뛰어난 감수성을 바탕으로 현실에 대한 자유의지의 실현을 위해, 삶에 대한 순결성이 철저하게 파괴된 현실과 진실을 은폐하려는 기도에 맞서면서 시詩를 통해 사람들과의 연대감을 만들고자 노력한 현실 참여 시인이었습니다. 첫 만남 이후 시인에 대한 근황을 한동안 모르다가 1999년경 신문 부고를 통해 간암으로 돌아가셨단 얘기를 들었습니다. 뛰어난 시인이 젊은 나이에 요절하셔서 안타까운 마음이었습니다.

'태안사'는 신라 시대 창건된 사찰로 선종禪宗 구산선문九山禪門의 한 종파인 동리산파桐裏山派의 중심 사찰이었습니다. 한때는 화엄사와 송광사의 본산일 만큼 규모가 상당한 사찰이기도 했지만, 6·25 전쟁 와중에 대웅전을 비롯한 전각 15채가 불에 타버리고 말았답니다. 최근에 전반적인 사찰 복원 공사를 했다지만, 옛날의 위용과는 비교할 수 없을 정도로 규모가 작은 사찰이 되어버렸다고 합니다. 태안사의 주요 전각으로는 대웅전, 보제루普濟樓, 해회당海會堂, 선원禪院, 능파각凌波閣, 일주문一柱門 등이 있으며, 최근 보물로 지정된 일주문一柱門을 비롯하여 보물 273호 적인선사탑寂忍禪師塔과 보물 275호 광자대사廣慈大師 탑비, 보물 1349호 동종銅鐘 등 다수의 보물급 문화재가 태안사의 자랑거리입니다.

올해도 태안사의 단풍은 여전히 아름다웠습니다. "우리나라에서 가장 아름다운 길"에도 선정될 만큼 멋진 2km 남짓한 태안사 진입로는 여전히 멋있고 운치가 있었습니다. 재잘거리는 새소리를 들으면서 걸어가고 있는 젊은 연인들의 모습을 보면서 세상이 참으로 아름답다는 생각이 들었습니다. 더불어 젊은 나이에 세상을 떠난 친구 만성이와 함께 보냈던 태안사의 가을날을 가슴 아프게 그려봅니다. 태안사의 아름다운 가을날 오후가 이렇듯 지나갑니다.

봄의 전령사
매화꽃을 찾아서

「기상청」에서는 봄이 시작될 무렵이면 매화가 피었느니, 산수유꽃 개화가 시작되었느니 하는 날씨 예보를 합니다. 그때마다 들었던 생각은 도대체 어떤 기준으로 꽃의 개화 시기를 판별하는지 궁금했습니다. 자료를 찾아보니, 「기상청」은 표준 관측목觀測木에서 임의의 한 가지에 꽃송이가 3개 이상 피었을 때를 "최초의 개화 시기"로 본다고 합니다. 만개 시기의 경우에는 표준 관측목에서 80% 이상의 꽃송이가 피었을 때를 말한다네요. 그야말로 "알쓸신잡"(알아두면 쓸데없는 신비한 잡학사전) 같은 것이겠지만, 모든 게 나름 합리적 근거를 두고 세상 모든 현상을 설명하는 것 같습니다.

드디어 곳곳에서 꽃들이 피고 있다는 소식이 들려오는 것을 보면, 정말 봄이 성큼 오고 있나 봅니다. 4월에는 그동안 가지 못한 외국 여행을 가볼 생각으로 일본 벚꽃 여행을 계획하고 있습니다만, 일단 3월에는 국내 이곳저곳 봄맞이 소풍을 가야겠다고 마음먹고 있습니다.

오늘은 "봄의 전령사"라고 알려진 매화꽃을 보러 가기로 했습니다. 우리 지역에서 매화꽃 하면 가장 먼저 떠오르는 곳이 광양 다압면의 매화 단지이겠지만, 꽃보다 사람이 더 많은 딜레마(?)가 싫어서 조금 한가할 것 같은 해남군 산이면에 있는 '보해 매화농원'을 가기 위해 집을 나섰습니다. 보통 매화梅花는 2월 말경에 피기 시작해서 3월 초에 만개합니다. 봄을 알리는 꽃, '매화'는 잎보다 꽃을 먼저 피우는 꽃이지요. 일반적으로 꽃을 강조한다면 매화, 열매를 강조한다면 매실나무라고 부릅니다. 매화는 소나무, 대나무와 함께 엄동설한을 이겨내는 세 벗(세한삼우, 歲寒三友) 가운데 하나라고 알려져 있습니다. 또한, 군자君子의 절개와 지조를 상징하는 "선비의 꽃"이라고도 불리고 있습니다. 옛날 선비들은 이 매화를 소재로 만들어진 많은 시와 글, 그림으로 고결함을 노래했습니다. 이러한 매화의 꽃말은 맑은 마음, 고결, 기품, 미덕, 인내 등을 상징하고 있답니다.

매화를 부르는 이름은 참으로 다양하지요. 꽃 피는 시기에 따라 동지冬至 이전에 피는 것을 '조매早梅'라 하고, 봄이 오기 전 눈이 내릴 때 피는 매화를 '설중매雪中梅'라고 합니다. 매화꽃 색깔에 따라서도 이름은 제각각입니다. 꽃 색깔이 희면 '백매白梅', 붉으면 '홍매紅梅'라 부르고, 화엄사 홍매화의 경우에는 짙은 붉은색을 띠어 '흑매黑梅'라고 부릅니다. 그리고 '고매古梅'는 수령이 150년 이상이 되면서, 가지가 구부러지고 푸른 이끼가 있는 오래된 매화를 말한답니다. 특히, 우리나라에서는 "4대 매화"로서 강릉 오죽헌의 '율곡매栗谷梅', 구례 화엄사의 '들매', 전남 장성군 백양사의 '고불매古佛梅', 순천 선암사의 '선암매仙巖梅'를 꼽고 있습니다. 이들 모두 천연기념물로 지정되어 있지요. 기회가 된다면 네 곳 매화 모두를 보는 것 역시 의미가 있을 것 같습니다.

오늘 매화 구경을 온 남도南道의 산하는 봄기운은 완연했지만, 봄바람 끝 한편엔 여전히 매서운 겨울의 뒤끝이 남아 있습니다. 여정의 처음을 단 일 매화 군락지로는 전국 최대 규모인 해남군 산이면 '보해 매화농원'으로 정했습니다.

지난 주말에 〈2023 해남 매화 축제〉가 열렸다는데, 복잡한 시기를 피해 축제가 끝난 다음 날에 이곳을 찾았습니다. 보해 매화농원은 소주 회사인 보해양조가 직영 중인 매실 농장입니다. 14만여 평 규모로 매화나무만 15만 그루나 되는 대규모 매화농원이지요. 그런데 요즘 매실 수요가 줄어 매화 농장 상당 부분을 태양광 부지로 전환할 것이라는 얘기가 있었는데, 오늘 보니 이미 농원 대부분이 농지나 태양광 발전소로 바뀌고 말았습니다. 옛날 어마어마했다던 매실 농원의 면모가 사라지는 것 같아서 아쉬웠습니다. 그러나 이곳의 장점은 전남 광양의 매화농원에 비하면 구경을 오는 사람들이 그리 많지 않다는 것입니다. 매화 축제 기간이나 주말을 피하면 한가하게 매화나무 아래에 돗자리를 깔고 여유를 만끽할 수 있는 곳이죠. 그리고 이곳에서는 진입로를 따라 늘어선 동백꽃도 많이 있어 매화와 동백꽃의 절묘한 아름다운 조화를 덤으로 볼 수도 있습니다.

보해 매화농원에 피어 있는 매화는 대부분 흰색의 백매화지만, 간간이 홍매화도 눈에 띄곤 합니다. 개인적으로는 이렇게 대규모의 매화나무 단지를 본 적이 없었습니다. 드넓은 벌판에 수천 그루의 매화나무에서 피는 꽃들이야말로 정말 놀랄만한 광경이었답니다. 매화꽃 나무 아래에서 음풍농월의 여유를 부리며 돌아다니다가, 다음 일정으로 조선 시대 호남지방 양반 가옥인 국가 민속문화재 '윤철하 고택'을 찾았습니다.

윤철하尹哲夏는 조선 중기 학자 공재恭齋 윤두서尹斗緖의 후손입니다. 윤철하 고택이 있는 해남군 현산면 초호리 일대는 윤두서 후손들의 씨족 마을입니다. 고택의 배치 형태는 가옥의 전면에 니은 자(ㄴ)형의 문간채를 두고 비교적 높은 축대를 쌓은 후 그 위에 사랑채를 앉혔습니다. 사랑채 뒤쪽에는 안채와 별당채가 자리 잡고 있습니다. 이 같은 건물 배치는 조선 후기 남부지방 상류층 가옥 배치의 전형적인 규범이지만, 안채는 기역 자(ㄱ)형 팔작집으로 조선 시대 후기에 주로 충청도와 경기도에서 유행하던 한옥 형식입니다. 남부지방에서 20세기 초에 지어진 다른 상류층 가옥들은 모두 일 자(一)형인데, 유독 해남 윤철하 고택만이 기역 자(ㄱ)형을 채택한 것이 독특했습니다. 특히 본채 뒤편 넓은 개활지에 피어난 야생화 군락은 정말 따뜻한 봄날에 걸맞게 정겹고 아름다웠습니다. 야생화 사이를 따사로운 햇살을 맞으며 걷는 기분이 상쾌합니다. 더불어 고즈넉한 고택 주변의 고요함은 이곳을 찾는 사람들의 마음마저 차분하게 해주더군요.

유홍준이 『나의 문화유산 답사기』에서 해남을 맨 처음으로 소개했듯이, 해남이라는 곳이 남도 여행의 중심으로서 많은 역사 이야기와 뛰어난 자연 풍경을 가지고 있다는 사실을 새삼 느끼게 한 오늘의 여행이었습니다. 비록 규모 면에서 광양 다압면 매화농원에 비할 바는 아니었지만, 해남 매화농원에 피어 있는 수많은 매화꽃은 남도의 봄을 알려주기에 충분했습니다. 아름다운 초봄의 하루를 이렇듯 매화꽃 아래에서 따뜻하게 보낼 수 있어 행복했네요. 독특하게 남부지방 가옥 중 우리나라 중부지방 특유의 주택 양식을 띠고 있는 윤철하 고택에서의 따뜻한 봄날 하루는 야생화의 아름다움으로 넘쳐났던 시간이었습니다.

노을이 아름다운 미황사와 도솔암

「광주국제교류센터」에서 일할 때 몇몇 외국인과 '템플스테이Temple Stay'에 대해 이야기한 적이 있었습니다. 그들은 이구동성으로 한국 사찰들이 운영 중인 템플스테이가 무척이나 이국적이었다고 하더군요. 그중에서도 해남 미황사에서 운영하는 템플스테이가 가장 좋았답니다.

오늘은 한반도 가장 남쪽 달마산 서쪽 능선에 있는 해남 '미황사美黃寺'를 찾았습니다. "미황美黃"이란 이름에서 추정해 볼 수 있듯이 이곳에서 보는 노을이 무척 아름답다고 알려져 있습니다. 미황사는 병풍을 두른 듯한 달마산達摩山의 바위 능선 아래 있는 사찰입니다. 달마산 바위 봉우리와 사찰이 어떻게 이렇듯 서로 절묘한 조화를 이루었을까? 하는 생각이 절로 들 만큼 멋스럽습니다. 미황사 주차장에 차량을 주차하고 걸어 올라가면 곧바로 사찰의 '일주문一柱門'이 보입니다. 그런데 일주문에 붙은 현판이 아주 독특합니다. 글씨에 그림이 더해진 이런 현판 글씨를 어디에서 볼 수 있을까요? 이 특이한 현판을 쓴 사람은 서양화가 박방영 교수라고 합니다. 현판에 글씨와 그림을 같이 넣어서 만들었다는 것이 무척이나 창의적인 발상이라는 생각이 들었습니다.

사찰 입구를 지나 계단에 오르면 여전히 아름다운 빨간색 꽃을 품고 있는 동백나무 군락을 만나게 됩니다. 사찰 진입로 양편으로는 마치 의장대가 사열하고 있는 것처럼 울창하게 늘어서 있는 동백 숲이 인상적이었습니다. 사찰 경내에 들어서 왼편을 쳐다보니 근엄하면서도 익살스러운 '달마 석상'이 찾는 사람들을 반깁니다. 원래 달마 석상을 지나면 '대웅보전大雄寶殿'이 있어야 하는데, 하필 건물 해체 보수 공사 중이어서 소박하면서도 아름답다는 대웅보전의 모습을 볼 수 없었습니다. 다른 사찰과 다르게 미황사 대웅보전은 단청丹靑을 전혀 하지 않은 소박한 모습을 가지고 있다고 합니다. 270여 년 동안 비바람에 수축과 이완을 반복하며 만들어진 기둥과 처마의 나뭇결 자체에서 풍기는 그윽한 아름다움을 자랑하고 있지요. 그리고 미황사 창건 설화와 관련된 주춧돌에 새겨진 꽃게나 물고기 조각은 물론, 조선 시대에 유행한 배흘림 기법을 적용한 기둥 역시 문화재 가치가 상당하다고 합니다. 지금 보수 중인 대웅보전은 2023년 말이 지나야 보수 공사가 끝난다니 그때 이후에는 말로만 듣던 대웅보전의 완전한 모습을 볼 수 있을 겁니다.

무엇보다도 미황사 최고 보물은 대웅전에 보관 중인 '괘불탱掛佛幀'이라고 합니다. '괘불'이란 절에서 큰 법회나 의식을 행하기 위해 법당 앞뜰에 걸어놓고 예배를 드리는 대형 불교 그림을 말합니다. 미황사 괘불탱은 높이 12m, 폭 5m에 달하는 대형 괘불로, 괘불 전면에 본존불을 배치하고 아랫부분에 용왕과 용녀의 모습을 그려 놓았다고 합니다. 이 괘불은 문화

적 가치가 상당해서 보물로 지정받아 관리되고 있으며, 매년 10월 〈미황사 괘불재〉 행사 때 일반에게 공개한다고 하네요. 보수 공사 중인 대웅보전 뒤편으로 가면 규모는 작지만, 형식적 응결미凝結美를 잘 갖추고 있다는 보물 1183호 '응진당應眞堂'을 만나게 됩니다. 응진당은 법당 안에 그려져 있는 나한도羅漢圖가 아라한의 세계를 잘 표현하고 있다고 해서 유명한 곳이기도 하지요. 이곳 응진당은 전각의 문화적 가치도 중요할 뿐만 아니라 응진당 앞에서 바라보는 남해안 바다 절경이 빼어나다고 합니다. 특히, 해 질 무렵 이곳에서 바라보는 노을 풍경은 다른 어느 석양과도 비교할 수 없이 아름답다고 하네요. 이런 이유로 불국사, 석굴암, 부석사, 해인사 등 한국 유수의 사찰과 함께 〈한국 관광 100선〉에도 선정되었습니다.

이왕 온 김에 응진당 앞에서 지는 노을을 보고 싶었지만, 노을이 질 때까지는 시간이 많이 남아 있어 미황사 경내 구경을 대강 마무리하고 도솔암으로 가기로 했습니다. 보통 도솔암까지는 4시간 정도가 걸리는 달마산 등반이나 달마고도達摩古道 도보 길을 통해 가곤 합니다. '달마고도 도보길'은 미황사와 전라남도 해남군이 "천년의 세월을 품은 태고의 땅으로 낮달을 찾아 떠나는 구도의 길"이라는 이름으로, 해남 송지면 미황사와 달마산 일원에 공동으로 조성한 둘레길이랍니다. 도보 길 길이가 17.74km로, 미황사에서 큰 바람재→노지랑골→몰고리재로 이어지는 구간입니다. 다른 둘레길과 다르게 전 구간을 외부 자재와 장비의 도움 없이 오로지 사람 힘으로만 공사해서 완공됐다고 합니다. 둘레길을 이용하는 관광객과 등산객들이 자연 그대로의 아름다움을 느낄 수 있도록 공사 과정에서 인위적 요소를 최대한 배제했다고 하네요. 도보길 구간에서는 동백나무 군락지와 편백 숲, 그리고 다도해의 아름다운 풍광들을 만날 수가 있답니다. 특히 달마산 정상과 도솔암 주변의 기암괴석들은 보는 이로 하여금 감탄을 자아내기 충분하다고 하며, 달마산에서 바라보는 다도해 풍경이 아름답기 그지없다고 합니다. 그리고 어란포於蘭浦에서 서풍이 서늘하게 불어오는 가을이 되면, 달마산 능선에는 억새와 오색 단풍이 여행객의 발걸음을 즐겁게 해준다네요.

시간이 너무 늦어 등반이나 둘레길 걷기를 통해 도솔암까지 가기는 힘들 것 같아 미황사에서 약 12km 떨어진 도솔암 능선 주차장에 차량을 주차한 후 800m 산길을 걸어서 도솔암을 다녀왔습니다. 달마산 기암괴석 사이에 위태롭게 걸쳐져 있는 도솔암은 "숨이 막힌다."라고 표현해야 할 정도로 멋있는 곳이었습니다. 천 길 가파른 벼랑 끝에 어떻게 암자를 지어 놓을 수 있었는지가 신기했습니다. 뭐니 뭐니해도 달마산에서의 최고 명소는 "땅끝 금강산" 속에 있는 '도솔암兜率庵'이었답니다. 도솔암은 온통 바위로 이루어진 달마산의 끄트머리쯤의 절벽 위에 걸터앉아 있습니다. 달마산은 정상이 489m로 그리 높은 산은 아닙니다. 그러나 산 능선 대부분이 공룡의 등판처럼 울퉁불퉁하고 공룡의 갈기처럼 날카로운 화강암 바위들로 이루어져 있어 마치 설악산의 공룡능선을 연상케 합니다.

'도솔兜率'은 불교에서 미륵 보살이 사는 곳으로, "세상의 중앙"이라는 '수미산'에서도 한참을 더 가야 닿는 곳이라고 합니다. 같은 이름을 가진 도솔암이 전국에 많지만, 미황사의 도솔암이 그중에서 가장 멋있고 인상적이라고들 많은 이들이 말하더군요. 이곳에서 바라보는 남해안의 절경을 어떻게 표현해야 할지 모르겠습니다. 점점이 박혀 있는 완도莞島와 진도珍島 주변 섬들이 보석처럼 빛나고 있었으며, 남해의 멋진 바다는 가슴속을 뻥 뚫어주는 듯 시원했습니다. 진정으로 "남도의 금강산金剛山"이라 불리는 달마산 '미황사'와 부속 암자인 '도솔암'은 최근에 돌아본 곳 중 가장 멋진 곳이었습니다.

정말 해남은 "남도의 진주" 같은 곳임이 틀림없는 것 같습니다. 작년 단풍철에 찾았던 녹우당은 물론 천년고찰 대흥사, 초봄 매화 향기 그윽한 보해 매화농원도 아름다운 곳이지만, 달마산 일대에 피어난 동백꽃과 기기묘묘한 달마산의 기암괴석 역시 멋지니 꼭 한번 찾아보시길 바랍니다.

남도 끝자락에서 만나는 동백

"나무에서 한번, 땅에서 한번 그리고 여인의 가슴속에서 또 한 번 꽃이 핀다."라는 꽃이 '동백꽃'이라고 합니다. 화려한 듯 보이지만 절대 화려하지 않은, 평범한 듯 보이지만 절대 평범하지 않게 보이는 진실한 내밀內密함이 있는 꽃이 바로 동백꽃이 아닌는지요?

오늘은 쌀쌀한 날씨 속에서도 초봄이 왔음을 제일 먼저 알려주는 동백꽃에 대해 잠깐 이야기하려 합니다. 흔히들 남도에서 동백꽃이라고 하면 여수 오동도梧桐島 내지는 순창 선운사 동백꽃을 많이 이야기하지만, 겨울과 초봄 사이에는 남해안 지역 어디를 가든지 흐드러지게 피어 있는 동백꽃을 쉽게 만나볼 수 있답니다. 보통 동백꽃은 만물이 겨울잠을 깬 시기인 경칩 이후가 되어야 피기 시작하는 다른 봄꽃과는 달리, 경칩이 되기 훨씬 전부터 핀다고 합니다. 대략 11월 말부터 꽃을 피우기 시작해서 이듬해 2~3월에 만발하는 꽃이죠. 이러한 동백꽃은 풍경이 황량해지는 겨울에 피어나기에 인기가 높습니다. 추울수록 더 진할 뿐 아니라, 붉은색치고는 화려하지 않고 소박한 꽃잎을 가진 꽃이 동백꽃이랍니다. 동백꽃은 꽃잎이 하나씩 떨어지지 않고 통째로 떨어지기 때문에, 예로부터 여인이나 선비의 절개와 지조를 상징하는 데에 많이 비유되었습니다. 그리고 동백꽃은 "누구보다도 그대를 사랑합니다"라는 무척 낭만적인 꽃말을 지닌 꽃이기도 하지요.

한반도에 자생하는 동백꽃은 고려 때부터 줄곧 수줍음과 정열, 그리고 인내의 대상으로 알려졌지만, 박정희 독재 시기에는 엉뚱하게도 왜색倭色 논란에 휘말려 가수 이미자가 동백꽃을 주제로 부른 "동백 아가씨"가 오랫동안 금지곡이 되는 수모를 겪기도 했습니다. 최근 이미자의 이 노래는 노래꾼 장사익의 애절한 목소리로 리메이크되기도 했지요. 서구권에서도 동백꽃은 아름다운 꽃으로 인식되고 있습니다. 프랑스 명품 브랜드 '샤넬Chanel'의 상징도 카멜리아Camellia, 즉 동백꽃입니다. 샤넬의 검은색 포장상자에 장식으로 달린 흰 꽃이 바로 동백꽃이랍니다. 동백나무는 의학적으로도 아토피와 피부질환에 탁월한 베타피넨β-pinene 등 피톤치드 물질이 다른 나무에 비해 월등히 높다고 알려져 있습니다. 개인적으로는 동백꽃을 볼 때마다 어릴 적 집 정원 동백나무에서 따 온 열매로 머릿기름을 만들어 참빗으로 머리를 곱게 빗으시던 할머님 모습이 생각납니다. 이렇듯 동백나무는 필자의 어린 시절 추억과도 맞닿아 있지요. 오늘 보해 매화농원 입구에 늘어선 동백꽃은 물론, 미황사 동백꽃 역시 따뜻하고 아름다웠습니다. 곳곳에 움트고 있는 봄기운과 함께 동백꽃은 모두의 기분을 들뜨게 만듭니다.

그런데 미황사나 강진 백련사, 그리고 선운사 동백나무를 보면서 드는 생각이 있었습니다. 동백나무는 왜 사찰 주변에 많은 걸까요? 일반적으로 사찰의 동백나무는 방화림防火林이자 방풍림防風林으로 조성되거나, 아니면 풍수지리적 비보裨補 차원에서 조성되었지요. 부수적으로는 넉넉하지 않은 사찰 경제를 떠받치는 역할도 일정 부분 담당했다고 합니다. 동백나무 열매에서 짠 동백기름은 스님들의 등잔불을 밝히는 등 사찰의 필수용품이 되었으며, 조선의 억불숭유抑佛崇儒 정책으로 재정적 어려움을 겪던 사찰 경제에 적지 않은 도움을 주던 수입원이기도 했었답니다. 이렇듯 동백나무는 쓸모가 큰 나무라고 볼 수 있지요.

남도南道의 중심인 해남 일대는 동백꽃으로 인해 이미 춘색春色이 완연합니다. 봄날은 어김없이 찾아왔고 또다시 갑니다.

벚꽃 피는 순서대로 없어지는 것들

학령學齡 인구 감소로 인한 지방 대학의 위기를 얘기하면서 "벚꽃 피는 순서대로 대학大學이 없어진다."라는 우스갯소리를 하곤 합니다. 원래의 의미로는 벚꽃은 남쪽부터 차례로 핀다는 뜻일 겁니다. 어제 뉴스를 보니 서울 여의도 윤중로 벚꽃이 만개하기 시작했고, 광주에서도 벚꽃이 한창 피어나고 있다고 합니다. 그래서 벚꽃 피는 계절에 어디든지 가야만 할 것도 같았고, 시간을 놓치면 올해 벚꽃을 보지 못할 것 같다는 생각에 부랴부랴 영광 '불갑 생태공원 벚꽃길'을 찾았습니다. 그런데 웬일인지 기대와는 달리 벚꽃 나무에 작은 꽃망울만 겨우 맺혀 있을 뿐 개화까지는 상당한 시간이 필요할 듯 보였습니다. 올해는 기후 온난화로 벚꽃이 아래쪽부터 순서대로 피지 않고 중구난방으로 피는 모양입니다.

기대했던 벚꽃 구경에는 실패하고, 대신 불갑면 벚꽃 길 근처에 있는 '불갑사佛甲寺'를 찾았습니다. 불갑사는 대한불교조계종 18교구 백양사의 말사末寺입니다. 백제에 불교를 최초로 전파한 승려 마라난타摩羅難陀가 창건했다고 전해지는 불갑사는 어머니의 품처럼 포근한 모악산母岳山(일명 불갑산) 기슭에 자리하고 있습니다. 이곳 불갑사는 옛날부터 상사화相思花가

유명한 곳입니다. 상사화는 "이룰 수 없는 사랑"이라는 아주 낭만적인 꽃말을 가지고 있는 꽃으로, 해마다 9월이 되면 모악산 아래 불갑사 일대에서는 대대적으로 〈상사화 축제〉가 열리고 있지요.

또한, 불갑사는 염주念珠를 만드는 천연기념물 참식나무 군락지로도 유명합니다. 불갑사가 참식나무 북방한계선에 있는 마지막 자생지라고 합니다. 좀처럼 참식나무를 보기가 어려운데 다행히도 이곳 불갑사에는 많은 숫자의 참식나무가 자생하고 있으니 직접 보시는 것도 의미가 있을 듯합니다. 불갑사는 매년 추석 전후에 열리는 상사화 축제 중에만 사람들로 붐빌 뿐 평소에는 한가해서 조용히 산책하기 좋은 절이지만, 고려 시대 때는 거주하는 승려만 1,000여 명에 이를 정도로 사람들로 북적거렸다고 합니다. 오늘 같은 한적한 시기에 불갑사를 찾은 것은 이번이 처음인 것 같습니다. 10여 년 전 교회에서 초청해서 광주에 왔던 인도인 교우教友들과 함께 상사화 축제에 왔었으니 정말 오랜만에 불갑사를 찾은 것이지요.

불갑사 입구에 들어서니 맞배지붕의 화려한 일주문一柱門이 압도합니다. 일주문을 지나 작은 시냇물 주변으로 들어서 있는 참식나무와 상사화 군락지를 따라 한참을 올라가야 비로소 불갑사 입구에 들어설 수 있습니다. 불갑사는 가람伽藍이 일 자(一)형으로 배치되어 있으며, 각 전각은 높낮이가 달라서 계단을 통해서만이 이동할 수 있게 했습니다. 대형 사찰에 걸맞게 대웅전大雄殿을 포함해서 일광당一光堂, 팔상전八相殿, 만세루萬歲樓, 명부전冥府殿 등 전각만 수십 채가 됩니다. 그래서 그런지 두서없이 전각이 난립하고 있다는 느낌도 없진 않았습니다. 뭐니 뭐니해도 불갑사는 보물 830호로 지정된 '대웅전'이 유명하지요. 만세루와 마주하고 있는 대웅전은 삼존 불상의 위치가 사찰 앞쪽인 남쪽을 바라보지 않고, 측면인 동쪽을 바라보고 있는 점이 특이했습니다. 대웅전 문틀에 새겨진 아름다운 국화꽃, 모란꽃, 연꽃 등 "꽃 문살"의 문양에 유독 눈길이 갔습니다. 정교하기도 하지만 아름답습니다. 또한, 대웅전에는 다른 사찰에서 보지 못하는 독특한 인도 스투파 양식의 지붕 '용마루 보탑寶塔'이 있습니다. 그리고 대웅전 내 흰쥐와 검은 쥐가 용龍과 뛰노는 조각품은 보통의 사찰에서는 좀처럼 볼 수 없는 특이한 것들이었습니다.

불갑사 입구 오른쪽으로 올라서면 '불갑사 생태공원'이라는 아담한 저수지 하나가 나타납니다. 이 저수지는 오랜 가뭄에도 불구하고 수량도 많고, 맑기까지 합니다. 불갑산 계곡에서 흐르는 물이 이곳으로 모이는 것 같습니다. 저수지를 휘 돌아가는 등산로를 따라 걸으니 여기저기 지저귀는 새소리와 바람 소리가 경쾌합니다. 한 폭의 그림 같은 풍경이 그곳에 있어 한동안 따사로운 햇볕을 쐬면서 앉아 있었습니다. 저수지 둑 주변으로는 어린 쑥들이 올라와 있어 집사람은 오랜 시간 쑥을 캐는 데 여념이 없었습니다.

불갑사 주차장 한쪽에서 준비해 온 도시락으로 점심을 먹은 후 해마다

벚꽃 필 무렵이면 자주 가는 영광 묘량면 입구에 있는 재각齋閣을 찾았습니다. 수령이 100년 이상이 된 것으로 보이는 재각 주변 벚꽃 나무 역시 꽃망울만 겨우 맺혀 있습니다. 만개까지는 4~5일이 더 남아 있는 것 같았습니다. 이 고택을 찾을 때마다 고향 영산포 시골집이 생각납니다. 집 구조도 거의 비슷합니다. 솟을대문에 붙어 있는 행랑채 같은 건물은 물론, 남부지방 가옥의 전형인 일 자(一)형 본채, 그리고 본채 왼편으로 제사 음식을 준비하는 부엌이 위치한 모양새까지 어찌 그리 닮았는지요. 인적이 전혀 없는 고요함과 함께 폐허 가운데 방치된 듯한 집안 모습이 마치 시골 우리 집을 보는 것 같아서 마음이 더욱더 허전했습니다. 그래서 이곳이 더 친숙했던 모양입니다. 오늘 화려한 벚꽃을 보지는 못했지만, 아름다우면서도 한적하고 조용한 분위기의 불갑사에서 쑥도 캐고 따사로운 햇살도 온몸으로 느낄 수 있어 좋았습니다.

소설『태백산맥』과 벌교 여행

옛날부터 "여수에서 돈 자랑, 순천에서 얼굴 자랑, 벌교에서 주먹 자랑 하지 말라"는 이야기가 있습니다. 이런 말이 나오게 된 배경에 대해 정확히 알려진 바는 없지만, 다음과 같은 연유에서 기인한 것 같습니다.

여수麗水는 "밀수왕密輸王 허봉룡 사건"에서 볼 수 있듯이 60년대 이후 여수항을 기반으로 밀수가 성행하여 음성적인 돈이 많았을 뿐만 아니라, 새조개나 바지락 양식, 그리고 기선저인망機船底引網이나 권현망權現網 등 어업의 발전으로 경제력이 다른 지역에 비해 탄탄했었지요. 70년대 이후에는 인근에 여천 석유화학단지가 생겨나 GS칼텍스 한 개의 회사 법인세만 가지고도 여수시 재정을 책임질 만큼 돈 많은 지역이 되었답니다.

순천順天은 지금이야 광양제철소와 율촌 공업단지 입주업체들로 인해 전남 경제권을 좌지우지할 정도의 경제도시가 되었습니다만, 과거에는 작고 보잘 것 없는 일개 교육도시에 불과했습니다. 순천에서 인물 자랑하지 말라는 세간의 이야기는 다른 지역보다 뛰어난 인물이 많아서 그런 것만은 아닌 것 같고, 비평준화 시절에 명문 순천고등학교를 졸업한 사람 중에

정·관계에 진출한 사람이 비교적 많아 이런 말이 회자된 것으로 보입니다.

반면, 벌교筏橋의 경우 일제강점기 시절 벌교 출신 안규홍(安圭洪, 1879~1909) 의병장이 벌교장筏橋場 장터에서 읍내 아낙네를 희롱하는 일본 순사를 한주먹에 때려눕힌 사건과 관련해서 이와 같은 말이 나왔다는 설도 있지만 사실 여부는 확인되지 않는다고 합니다. 아마도 벌교가 주먹으로 유명해진 진짜 이유는 여자만汝自灣과 득량만得糧灣에서 생산되는 참꼬막이나 새꼬막 어장의 막대한 수익을 지키기 위한 이권 암투 과정에서 생긴 폭력조직 때문에 그런 말이 나오지 않았나 생각합니다.

오늘은 시외버스와 느릿느릿한 경전선 철도를 이용해서 소설 "『태백산맥』 문학기행 길"이라는 주제로 벌교를 다녀왔습니다. 소설 『태백산맥』은 1945년 해방 이후부터 1953년 휴전협정 체결까지 보성군 벌교읍을 무대로 한국 근·현대사의 비극을 다룬 작가 조정래趙廷來의 대하 장편소설입니다. 조정래가 벌교읍을 중심으로 우리 근현대사의 비극과 아픔을 소설에서 풀어낼 수 있었던 것은 '여순사건旅順事件'의 현장이었던 여수, 순천이 지리적으로 벌교와 가까웠을 뿐만 아니라, '여순사건'의 인물이나 장소가 오롯이 남아 있었기 때문이기도 합니다. 이렇듯 벌교는 명실공히 한국 근·현대사를 읽는 텍스트의 하나라 해도 과언이 아닐 겁니다.

보통 "『태백산맥』 문학기행 길"에서 찾아보는 곳은 '소화다리' 등 소설 속에 등장하는 23곳 정도이지요. 그중에서 오늘은 태백산맥 문학관, 현부자네 집, 소화의 집, 철 다리, 중도 방죽과 생태공원, 부용교, 소화다리, 홍교, 김범우의 집, 채동선蔡東鮮 생가, 월곡 영화마을, 벌교 금융조합, 보성여관, 술도가를 다녀 보기로 했습니다. 그러나 "월요일의 딜레마"에 걸려 오늘 찾은 벌교 읍내 모든 실내 관광지가 휴관입니다. 그래도 어쩌겠어요? 돌아봐야죠.

제일 먼저 버스터미널 뒤편에 있는 '태백산맥 문학관'에 갔습니다. 입구에 있는 다음과 같은 문구가 눈에 들어옵니다. "문학은 인간의 인간다운 삶을 위하여 인간에게 기여해야 한다." 작가 조정래는 문학의 사회적 의미에 대해 이렇게 이야기합니다. 문학이든 음악이든 결국 인간의 삶에 관련되는 것이므로 사람을 포함해서 무엇이든 "인간다운 삶"의 질質을 넓히는 데 복무服務되어야 한다는 뜻이겠죠. 문학관 바로 뒤편으로는 '현 부자네 집'과 '소화의 집'이 있습니다. 현 부자네 집은 멀리 '중도 방죽'이 보이는 제석산帝釋山 아래에 있는 한옥으로 전통적인 한옥 스타일에 일본식 가옥 구조가 가미된 집입니다. 이곳은 소설 『태백산맥』 첫 부분에 등장하는 집으로, 양조장 집 아들 정하섭과 소화가 애틋한 사랑을 나누던 곳이기도 하지요. 소화의 집을 지나, 읍내로 가는 길에서 중요한 다리들을 만납니다. 가장 위쪽 낙안읍성 방향에는 홍교가, 중간에는 부용교芙蓉橋(일제강점기 시절에는 '소화다리'라고 호칭), 그리고 남쪽으로는 벌교 갯벌과 맞닿아 있는 철교鐵橋가 있습니다. 보물로 지정되어 관리되고 있는 '홍교虹橋'는 '벌교'라는 지명이 생기게 된 유래와 관련된 다리랍니다. 인근에는 소설 속 '김범우의 집'도 있으니 함께 보시는 게 좋을 듯합니다. 그리고 '철교'는 일제강점기 시절 목포·광주·부산으로 이어지는 일제 수탈을 위한 철도망 위에 가설한 철제다리로, 소설 『태백산맥』 속에서는 염상구가 벌교의 깡패 왕초 땡벌과 담력 대결을 벌이던 곳으로 묘사되고 있습니다.

읍내 중심부에는 오일장인 벌교장筏橋場과 벌교역이 있습니다. 지금도 벌교장은 보성과 고흥의 여자만과 득량만 갯벌에서 얻은 수산물이 모이는 곳으로 벌교 경제의 중심이랍니다. 근처에 있는 벌교역은 지금은 경전선 운행 횟수가 현저히 감소하고 이용 승객도 줄어 중요 기차역으로의 역할은 미미해졌으나, 여전히 벌교의 중심적인 역할을 하고 있답니다. 이렇듯 벌교는 과거부터 군청 소재지가 보성읍임도 불구하고 한곳 뿐인 세무서가 있었으며, 경찰서 지서장(현 파출소장)의 계급도 전국 대부분의 지서가 경위警衛임에도 이곳 벌교지서장은 경감警監일 정도로 벌교의 영향력은 보성 지역에서 가장 컸다고 볼 수가 있습니다.

벌교 읍내에서 일제강점기 흔적이 잘 남아 있는 곳으로는 등록 문화재인 '보성여관'과 '벌교 금융조합'을 꼽을 수 있습니다. 소설 『태백산맥』에서의 '남도여관'은 지금의 보성여관을 지칭하는데, 소설 속 공비토벌대가 머물던 장소였습니다. 보성여관은 일제강점기에는 지금의 5성급 호텔에 해당하는 고급 숙소로 일반인들이 출입하기 어려운 곳이었다고 합니다. 일제강점기에 이런 5성급 여관이 운영될 수 있었던 것은 당시 벌교가 목포와 광주에 이은 전라남도의 3대 도시였기에 가능했다고 합니다. 일본식 가옥인 보성여관은 영화 〈서편제〉와 〈태백산맥〉, 그리고 〈장군의 아들〉 등 유명 영화의 촬영지이기도 했습니다. 그런데 하필 오늘이 휴관이어서 내부는 자세히 둘러보지 못했습니다만, 몇 년 전 여관 곳곳을 둘러봤기에 이

번에는 외부만 잠깐 보는 것으로 만족했습니다. 시가지 중심에 있는 보성 여관은 최근 리모델링 작업을 마친 후 카페, 숙소, 공연장, 전시장으로 변신해 벌교를 찾는 사람들을 위한 복합문화공간으로 활용되고 있더군요. 보성여관 앞 상가 거리를 조금 걸어가다 보면 붉은색 벽돌 건물인 '벌교 금융조합'을 만나게 됩니다. 1919년 건립된 르네상스식 건물인 벌교 금융조합 내부는 전형적인 일제강점기 관공서 건물의 형태를 갖추고 있습니다. 지금은 벌교 금융조합의 역사와 한국에서 발행되었던 각종 화폐를 전시하고 있더군요. 금융조합 뒤편으로는 마을 재생 프로그램의 하나로 지저분했던 동네를 각종 영화를 주제로 말끔하게 단장한 '월곡 영화마을'이 있습니다. 영화마을 골목길을 따라 한번 둘러보는 것도 재미있습니다.

금융조합을 나와 뒤편으로 고개를 돌리면 나지막한 산이 보입니다. 이곳은 벌교 사람들이 매일 산책하듯 오르내리는 부용산芙蓉山입니다. 시인 박기동朴起東이 요절한 여동생을 묻고 내려오면서 쓴 『부용산』이라는 시와 관련된 산으로, 이 시詩는 빨치산이 고향을 그리워할 때 부르는 노래가 되었다고 하네요. 읍내에서 부용산으로 가는 길에는 〈고향〉과 〈그리워〉라는 가곡을 만들어 널리 알려진 음악가 채동선蔡東鮮 생가도 만날 수 있습니다. 그 외 유명 벌교 출신으로는 우리나라 근·현대사에서 큰 역할을 한 민족 종교인 대종교大倧敎의 창시자 홍암弘巖 나 철羅喆 선생과 잡지 『뿌리 깊은 나무』를 창간한 한창기韓彰琪 선생이 있습니다.

벌교를 간다고 하니 누군가 이런 말을 하더군요. 사악한 입장료를 내고 순천만 습지를 보는 것보다, 순천만 못지않은 '벌교 생태공원'이나 '중도 방죽'을 둘러보는 게 훨씬 낫다는 이야기를 말이죠. 정말 그렇습니다. 중도 방죽이나 생태공원 일대는 '람사르 습지Ramsar Wetland'에 지정될 정도로 생물 다양성이라는 관점에서 아주 뛰어난 곳이랍니다. 갈대숲 사이

로 놓인 산책로를 걷는 기분이 무척 평화로웠습니다. 색다른 경험이었습니다. 사실 벌교는 물리적 거리가 가까운 곳은 아닙니다만, 우리 근·현대사의 주요 현장일 뿐 아니라 여자만이나 득량만에서 생산되는 풍부한 수산물과 넉넉한 인심이 그득한 곳으로 방문할 가치가 충분한 곳입니다. 오늘 여정은 광주광역시 동구 소태동 간이 시외버스 터미널에서 버스를 타고 벌교읍으로 왔고, 돌아갈 때는 경전선 기차를 타고 광주 송정역으로 돌아갔습니다. 느릿느릿한 기차를 타는 여행도 재미있으니 한번 시도해 보시길 바랍니다.

언제나 몽환적인 화순 환산정

오늘 보석처럼 빛나는 곳을 다녀왔습니다. 언제나 그렇듯 여전히 그곳은 몽환적이었습니다.

보통 화순에서 아름다운 풍경을 품은 저수지로는 화순읍 '세량제'와 동면東面의 '서성제瑞城堤'를 꼽곤 하지요. 서성제는 화순천和順川의 지류인 동천東川에다가 제방을 쌓으면서 생긴 저수지로, 주변의 산봉우리 및 절벽과 절묘한 조화를 이루고 있습니다. 서성제 풍광의 절정은 '환산정環山亭'이라고 말할 수 있을 겁니다. '환산정'은 조선 인조 때 백천百泉 류 함柳涵이 지은 정자입니다. 당시 백천은 깊은 산 계곡 옆 벼랑 위에 방 한 칸의 아담한 정자 한 채를 짓고 뜰에는 소나무와 국화를 심었다고 합니다. 이후 1965년 저수지가 들어서면서 벼랑과 계곡 일부가 잠기게 되었고, 정자는 물로 둘러싸인 지금의 '환산정'이 되었답니다. 물론 정자 부식으로 몇 차례 개·보수 과정을 거치기도 했다고 합니다,

환산정은 화순읍에서 동면 쪽으로 가다가 "전망 좋은 곳"이라는 푯말을 따라 걸어 들어가다 보면 작은 다리 위로 펼쳐진 멋진 오솔길을 만나게

됩니다. 오솔길로 들어와 왼편으로 고개를 살짝 돌리면 정면 5칸, 측면 2칸의 멋진 '환산정'이 보입니다. 정자 앞 작은 대문 옆에 서 있는 500년 된 노송老松의 자태가 무척 늠름합니다. 오랜 풍상을 겪은 모습이 의연하기까지 합니다. 멀리 건너편에는 고급스러운 전원주택들이 청명한 서성제 호숫물에 빛나고 있습니다. 마치 스위스의 어느 호숫가에 와 있는 듯한 착각을 일으키기에, 충분한 풍경입니다. 환산정 툇마루에 앉아 오랫동안 맑디맑은 호수를 바라보는 시간이 너무두 평화롭습니다. 아무도 없는 고요함을 오랜만에 보내는 것 같아 왠지 모를 포만감이 넘쳐났습니다. 그리고 이곳에서 최고의 아름답고 몽환적인 풍경을 보려면, 호수 왼편 가장자리에 가설된 다리 위로 가보세요! 그곳에서 바라다보이는 환산정과 서성제의 모습에 한동안 말문이 막힐 겁니다. 다리 뒤쪽 물속에는 커다란 나무들이 자라고 있는데, 마치 열대지방의 맹그로브Mangrove 숲에 온 듯합니다.

개인적으로 고요하고 한적한 분위기를 느끼고 싶을 때마다 환산정을 찾습니다. 특히 안개가 낀 날에 오면 환산정의 모습이 더욱더 멋있으니 꼭 이런 날 한 번쯤 가보시길 추천합니다. 덤으로 근처 전라도의 알프스라는 '화순 수만리水萬里' 마을의 멋진 풍경을 함께 보는 것도 좋습니다.

산봉우리가 보름달 같은 추월산

오늘은 고등학교 총동문회에서 주관하는 등산대회가 있었습니다. 작년에는 지리산 둘레길을 걸었는데, 올해는 담양 추월산을 등반하는 행사입니다.

해발고도 731m에 달하는 추월산秋月山은 전남 담양과 전북 순창의 경계에 있으며, 아름다운 담양호를 내려 볼 수 있는 전라남도 5대 명산 중 한 곳이죠. "가을이면 산봉우리가 보름달에 맞닿는 것처럼 높다"라고 하여 이렇게 '추월산'이라고 명명되었다고 합니다. 외형상으로는 부처가 누워있는 모양과 비슷해 '와불산臥佛山'이라고 불리기도 하지요. 역사적으로 추월산은 인근 금성산성錦城山城과 더불어 임진왜란 당시 치열한 격전지 중 하나였으며, 동학東學 농민 항쟁 때도 동학 농민군이 마지막까지 항거했던 곳이기도 합니다. 무엇보다 6·25 당시에는 빨치산 '노령병단蘆嶺兵團'이 은거하여 활동하던 지역으로 우리나라 근·현대사의 중요 장소이기도 하답니다. 향토사적으로는 인근 용추산 계곡에 있는 '용소龍沼'라는 곳이 전라도의 젖줄인 영산강의 시원始原이어서 전라도 사람들에게는 의미가 더한 곳이죠. 이렇게 용소에서 시작된 영산강은 136km를 흘러 호남평야를 비옥하게 만들었습니다.

오늘 등반은 추월산 등산로를 출발, 보리암을 거쳐 정상에서 다시 주차장으로 원점 회귀하는 왕복 5km, 약 3시간 30분 소요되는 코스였습니다. 우리는 비교적 평이한 보리암菩提庵까지만 올라갔습니다. 쉬운 코스라지만, 가파른 계단이 너무 많아 걷기가 아주 힘들었습니다. 그렇지만 산 중턱에 아슬아슬하게 매달려 있는 보리암까지 가는 길 사이로 절묘하게 등산로가 있어 등산하는 묘미가 있더군요. 무엇보다 추월산 등반의 절정은 보리암에서 내려다보는 '담양호'의 전경이 아닐런가 합니다. 담양호의 전경은 그야말로 한 폭의 수묵화를 보는 듯했습니다. 다만 오랜 가뭄으로 담양호의 물이 거의 말라 있어 발아래 풍경이 조금은 휑한 느낌이 들었지만, 추월산이 전남 5대 명산이라는 얘기가 결코 허명虛名이 아닐 만큼 풍광은 뛰어나더군요. 이곳은 우리 현대사의 가슴 아픈 이야기와 더불어, 뛰어난 풍광마저 가지고 있는 아름다운 산임은 틀림없는 것 같습니다. 특히, 가마골의 풍광은 20년 만에 보는데도 여전히 멋지더군요. 산길 곳곳에 피어 있는 영산홍映山紅의 화사함을 오랜만에 보았고, '용소龍沼'에 떨어지는 폭포는 우리를 한동안 그 자리에 서 있게 만들었답니다. 출렁다리에서 친구들과의 포토타임Photo time은 등산의 피로를 풀기에 충분할 만큼 즐거움을 더해 주었습니다.

철쭉꽃으로 물결치는 보성 일림산

며칠 전 꽃 종류에 대해 잘 알고 있는 친구가 진달래와 철쭉, 그리고 영산홍映山紅을 구별하는 법을 알려줬음에도 도대체 뭐가 뭔지 헷갈립니다. 인터넷 검색을 통해 다시 확인해 보니, 진달래는 꽃이 먼저 피고, 철쭉과 영산홍은 잎이 먼저 나고 꽃이 나중에 핀다고 하네요. 그리고 철쭉과 영산홍의 차이는 꽃 수술이 8개 이상이면 철쭉이고, 4개 정도를 가지고 있으면 영산홍이랍니다. 철쭉과 영산홍을 가장 확실하게 구별하는 방법은 진액 유무로 판단하는 것이라고 합니다. 꽃 뒷부분에 진액이 묻어 나오는 것이 철쭉이고, 묻어나지 않는 것이 영산홍이라고 합니다. 차이를 구별하는 게 약간은 혼란스럽지만, 그냥 좋고 아름다운 꽃들이라고 생각하려 합니다.

오늘은 국내 최대의 철쭉 자생지로 알려진 보성 '일림산日林山'을 다녀왔습니다. 일림산은 호남정맥이 남해로 들어가기 직전에 솟아 있는 높이 667m에 달하는 산山입니다. 장흥군과 보성군 웅치면에 걸쳐 있으며, 또 다른 철쭉 명소인 제암산 및 사자산과도 인접해 있습니다. 통상 철쭉은 보통 5월 초순이 되어야 만개한다고 합니다만, 최근 꽃들의 개화 시기가 빨라져 4월 말임에도 철쭉꽃이 70~80% 정도가 피어 있었습니다. 그러나 냉해로 꽃망울이 말라버린 것도 상당수 있어 안타깝더군요. 철쭉을 보러 가기 위한 남도의 철쭉 등산코스에는 몇 가지 옵션이 있습니다. 제암산帝岩山과 사자산獅子山을 포함하여 철쭉 자생지를 전부 돌아보는 코스와 조금 떨어진 초암산草庵山 철쭉 군락지를 돌아보는 코스, 그리고 일림산이나 제암산 한 군데만 돌아보는 코스가 있습니다.

일림산은 초보자가 등산하기 아주 좋은 산입니다. 오늘은 일림산 용추계곡 주차장에서 골치재를 거쳐 일림산 정상으로 올라갔다가, 보성강 발원지를 거쳐 다시 주차장으로 회귀하는 코스로 등산했습니다. 등산 난이도는 조금 힘들게 뒷산을 오르는 정도였습니다. 주차장에서 일림산 정상까지는 도보로 왕복 3시간 30분 정도 소요됐습니다. 일림산 정상을 중심으로 약 100여만 평 가까이 되는 철쭉 자생지는 탄성을 발할 정도로 철쭉꽃 향연이 대단했습니다. 그리고 이곳에서 바라보는 득량만得糧灣과 율포해수욕장으로 이어지는 남해안의 풍경 또한 멋들어지더군요. 특히 섬진강 발원지 쪽으로 하산하며 바라보는 정상의 철쭉꽃 군락지 풍경이 가장 좋았던 것 같습니다. 일림산 산행을 마치고 산 아래에서 간단히 점심을 먹은 후 보성군 웅치면 대은大隱마을을 찾았습니다. 마을은 정말 아늑하고 평화로웠습니다. 커피를 마시면서 따뜻한 봄날 오후의 햇살을 만끽했답니다.

정말 고요함이 마음에 드는 마을이었습니다.

무엇보다도 오늘의 하이라이트를 꼽자면, 철쭉꽃이 피어있는 일림산보다는 근처에 있는 전라남도 민간 정원 6호인 갈멜 정원이었습니다. 갈멜 정원은 이오재라는 농민이 예로부터 "연꽃이 피고 봉황이 산다"라고 알려진 곳을 40여 년 동안 조성한 개인 정원이랍니다. 나무 한 그루 한 그루에 정성이 들어가지 않은 것이 없을 정도였으며, 정원 곳곳에 세워진 아름다운 조각품과 화사한 꽃들이 정말 예뻤습니다. '갈멜'이란 "신들의 정원"이라는 뜻이라고 합니다. 덕수궁, 경희궁이라는 이름이 쓰여진 건물 앞에 바비큐 굽는 도구가 있는 것으로 보아 펜션도 운영하는 듯 보였습니다. 언제나 그렇듯 꼭 화려하고 웅장한 것만이 좋은 건 아닌 것 같습니다. 일림산과 갈멜 정원이 아주 유명한 곳은 아니었지만, 나름 소박하면서도 독특한 특색을 가지고 있는 곳이었습니다.

이루어질 수 없는 사랑, 그리고 꽃!

왜 그동안 '상사화相思花'와 '꽃무릇'이 같은 꽃이라고 생각했는지 모르겠습니다. 분명 상사화와 꽃무릇에는 큰 차이가 있다는데 말이죠. 둘 사이에는 "이루어질 수 없는 사랑"이라는 꽃말처럼, 꽃과 잎이 동시에 피지 못한다고 합니다. 그러나 확연하게 구별되는 몇 가지 차이점은 있습니다. 우선 꽃 색깔부터 다르다네요. 연한 보라색 꽃이 상사화이고, 짙은 주홍색 꽃은 꽃무릇이라고 하는데, 꽃무릇의 경우에 한자어로는 '석산石蒜'이라고도 부른답니다. 상사화와 꽃무릇은 자세히 보면 조금 다른 모양새입니다. 꽃무릇의 꽃잎은 상사화보다 가늘고 깊게 갈라졌으며 꽃술은 꽃송이 바깥으로 뻗어 나와 어지러운 듯 화려하지만, 상사화는 꽃술이 꽃송이 안에 다소곳이 자리 잡고 있어서 밋밋한 듯 차분해 보입니다. 개화 시기에도 둘 사이에는 차이가 있습니다. 상사화는 7월 말쯤 피어나고, 꽃무릇은 9월 중순이 되어야 개화합니다. 무엇보다 중요한 차이는 잎이 먼저 나느냐? 꽃이 먼저 피느냐? 라는 점이랍니다. 상사화는 봄에 잎이 돋아나고 여름에 꽃대를 올려 꽃이 피지만, 꽃무릇은 꽃이 진 후에 잎이 돋아 그 상태로 눈 속에서 겨울을 난다고 합니다. 이렇듯 상사화와 꽃무릇에는 상당한 차이가 있다는 것을 이번에 알게 되었습니다.

오늘은 영광 '불갑사', 고창 '선운사'와 더불어 우리나라 3대 꽃무릇 군락지인 함평 '용천사龍泉寺'와 인근 '모악산母岳山'을 돌아봤습니다. 보통 상사화나 꽃무릇이 산기슭이나 습한 곳에서 잘 자라는 데 우리나라의 경우에는 사찰 주변에 많이 자생하고 있다고 합니다. 지난 주말 동안 함평 용천사 일대에서는 〈2023년 용천사 꽃무릇 축제〉를 개최했는데, 축제 중에 온다면 많은 사람으로 복잡할 것 같아 축제가 끝나고 찾았습니다. 원래는 함평 용천사를 들머리로 해서 불갑산(일명 모악산) 정상인 연실봉蓮實峰을 등반한 후 불갑사佛甲寺로 넘어가려 했습니다만, 불갑사에서 광주로 돌아오는 교통편이 여의치가 않아 용천사만 구경하기로 했습니다. 아침 일찍 광주 송정공원 앞에서 함평 500번 버스를 타고 용천사에 도착해 보니 용천사 주변은 축제 뒤끝으로 어수선합니다. 복잡함을 피하려고 일단 일주문을 거쳐 빠르게 꽃무릇 산책로를 지나서 용천사 경내로 발걸음을 옮겼습니다.

전남 함평군 해보면에 있는 용천사는 대한불교조계종 제18교구 본사인 백양사의 말사末寺입니다. 백제 무왕 때 승려 '행은幸恩'이 창건하였다고 합니다. 절 이름은 용龍이 살다가 승천했다는 전설에서 생겼으며, 실제로 대웅전 층계 아래에는 용천龍泉이라는 샘이 있더군요. 사찰은 소박하고 아담했습니다. 일주문을 지나 경내로 접어들면, 대웅보전이 모악산 아래 다소곳이 자리 잡고 있습니다. 사찰 주변으로는 강렬한 붉은색 꽃무릇이 지천이어서 소박한 절 분위기와는 다소 대비되었습니다. 보통 관광객이 주로 가는 용천사 일주문 근처 꽃무릇 공원보다 모악산 등반코스 중 B코스에 있는 '꽃무릇 100경' 쪽으로 가면 규모가 상당히 큰 꽃무릇 군락지를 볼 수 있답니다. 산책길 곳곳에는 정자와 벤치가 잘 만들어져 있어서 꽃무릇 구경 도중 차분히 정자에 앉아 망중한의 시간을 갖기에 좋더군요. 용천사 주변 산길을 천천히 돌아본 후 버스 시간이 남아 입구 쪽 광암光岩 저수지 벤치에 앉아 있다가 다소 이른 시간에 광주로 돌아왔습니다.

돌아오는 길에 보니 함평군 월야면 복용마을 초입에 1919년 이곳에서 벌어졌던 3·1 독립운동을 기념하는 동상銅像과 아담한 '독립운동 기념관'이 지어져 있습니다. 언제 이곳을 다시 와야겠다고 생각했습니다. 오늘 용천사에 피어난 꽃무릇의 붉은 자태는 눈을 시리게 할 정도였습니다. 오가는 도중 누렇게 익어가는 들판의 풍경도 모처럼 마음을 평화스럽게 해주더군요.

나만의 힐링 장소,
화순 만연사

언제나 그렇듯, 화순 만연사萬淵寺는 고즈넉하고 조용합니다. 광주에서도 가까워 언제든지 마음만 먹으면 한걸음에 내 닫을 수 있는 곳으로, 개인적으로 가장 좋아하는 사찰이 바로 '만연사'입니다. 지금은 송광사 주지 스님으로 계시는 '자공 스님'을 이곳 만연사에서 만나 뵌 적이 있어, 이곳과의 인연은 조금 있답니다. 국립공원 무등산 지구에 있는 만연사는 조계종 송광사의 말사末寺입니다. 1208년 만연萬淵 스님에 의해 창건되었으며, 조선 말기에는 정약용, 정약전 형제가 이곳 화순 현감으로 있던 부친을 따라와 만연사 동림암東林庵에서 약 4개월 정도 공부했다고 합니다. 만연사의 주요 전각으로는 대웅전과 나한전羅漢殿, 명부전冥府殿, 한산전寒山殿, 요사채寮舍寨가 있습니다. 이 중 대웅전은 정면 3칸, 측면 2칸의 맞배지붕 건물로, 안에는 목조 삼존불三尊佛을 비롯하여 칠성 탱화七星幀畵, 산신 탱화山神幀畵, 천룡 탱화天龍幀畵 같은 문화재가 다수 있습니다.

만연사에 오면 일정은 대충 이렇습니다. 간단히 사찰 경내를 돌아 보고 아내와 함께 만연사 입구 약수터에서 식수를 담아 차량에 실은 후, 화순읍내 하나로마트에서 장을 보는 게 우리 부부에게 있어 소소한 행복 중 하나랍니다. 다른 농협 하나로마트와 비교해 보면, 화순읍 하나로마트 농산물이 가장 싱싱하고 질이 좋다고 생각합니다. 이곳에서 판매하는 농산물 대부분은 화순 지역 농민들이 직접 재배해서 개별 납품하기에 소비자에게 커다란 신뢰감을 줍니다. 특히 돼지고기 같은 고기는 타의 추종을 불허할 정도로 질質이 뛰어납니다.

벚꽃이 피는 봄날에는 만연사 조금 못 미쳐 있는 '동구리洞口里 호수공원'을 한 바퀴 걸어 보시길 바랍니다. 저수지 주변으로 화사하게 피어 있는 벚꽃 나무 사이를 걷노라면, 이곳이 왜 벚꽃 명소로 알려져 있는 이유를 알 수 있답니다. 며칠 전에는 만연사 뒤쪽에 조성된 '치유의 숲'을 처음 걸었는데, 모든 등산로나 탐방로에 노약자, 장애인도 편리하게 다닐 수 있도록 무장애無障礙 시설을 잘 설치해 놓았더군요. 차량을 주차하고 조금만 걸으면 계곡과 만연사 치유 숲의 울창한 산림과 바로 이어집니다. 등산로 대부분이 나무 데크로 되어 있어 걷기에도 편합니다. 진한 솔 향기 내음, 숲속 이곳저곳에서 지저귀는 새들 소리에 오감이 즐겁습니다. 가을 단풍철 역시 봄날 벚꽃 못지않은 아름다운 단풍도 만날 수 있답니다. 지금까지는 '만연사'와 '만연산'에 대한 진가를 잘 몰랐었는데, 오늘 비로소 이곳의 가치를 실감하게 되었습니다. 포근한 만연산 자락에 앉아 있는 만연사의 고요함과 함께 치유의 숲에서의 힐링 시간은 이곳을 찾는 사람들의 만족도를 높여 줄 것입니다.

혼자여도 마음 충만한 선암사

눈물이 나면 기차를 타고 선암사로 가라
선암사 해우소로 가서 실컷 울어라.
해우소에 쭈그리고 앉아 울고 있으면
죽은 소나무 뿌리가 기어다니고
목어가 푸른 하늘을 날아다닌다.
풀잎들이 손수건을 꺼내 눈물을 닦아주고
새들이 가슴 속으로 날아와 종소리를 울린다.
눈물이 나면 걸어서라도 선암사로 가라
선암사 해우소 앞 등 굽은 소나무에 기대어 통곡하라

시인 정호승은 선암사仙巖寺를 이렇게 노래하고 있습니다.

'선암사'는 전라남도 순천시 조계산에 있는 태고종太古宗의 총본산 사찰입니다. 백제 성왕 7년 529년에 고구려 승려 아도화상我道和尙이 절을 지은 이후 정유재란 등 몇 차례의 전란으로 소실되었으나, 여러 차례 중건을 거쳐 오늘날 우리나라 전통 사찰의 원형을 가장 잘 보존하고 있는 사찰이 되었습니다. 또한, 소설 『태백산맥』의 작가 조정래趙廷來가 태어난 곳으로도 유명합니다. 선암사는 사진작가들 사이에서는 "봄이 아름다운 사찰"이라 불리고 있을 정도로, 해마다 봄이 되면 연초록의 나무들과 산사 곳곳에 피어나는 매화꽃, 동백꽃 등으로 "꽃 절"이라는 별명도 가지고 있지요.

오늘은 오랜만에 천년 고찰 선암사를 찾았습니다. 선암사 입구부터 계곡을 따라 이어져 있는 울창한 연초록의 숲 사이를 걷는 발걸음이 매우 가볍습니다. 여기저기에서 지저귀는 새소리에 어느덧 마음은 평온해집니다. 얼마쯤 걸었을까요? 계곡의 물소리가 조금 커질 무렵, 선암사가 빚어낸 가장 극적인 풍경인 승선교昇仙橋와 강선루降仙樓의 모습을 마주할 수 있었습니다. 선암사의 대표적 상징인 국가 보물 '승선교'는 속칭 세속과 선계를 잇는다는 의미의 다리입니다.

이 다리는 조선 숙종 때 건립된 반원형 홍예교虹霓橋로, 승선교 바로 아래쪽으로는 특이하게도 돌출된 용머리 모양의 석재가 붙어 있어 눈길이 가더군요. 다리 아래에 달린 용머리 석재는 승선교를 지나가는 사람들을 보호하려는 마음으로 만든 상징물이라고 합니다. 또한, 예로부터 이 용머리 석재를 뽑아 버리면 다리가 무너진다는 속설도 가지고 있지요. 승선교 뒤편으로는 사찰의 출입용 문루 역할을 하는 팔작지붕의 중층누각인 '강선루'가 있습니다.

일반적인 사찰에서는 일주문을 지나야 누문樓門이 있는 데 반해, 선암사에는 누문이 일주문 밖에 있어 이채로웠습니다. 이렇게 강선루를 일주문 앞에 위치하게 한 것은 풍수적 의도라고 합니다.

경내에 들어서면 대웅전 앞에는 신라 시대에 만들어진 두 개의 3층 석탑이 있습니다. 모양이 아주 소박합니다. 불교에서의 탑이 숭배의 대상이 아닌 청정한 마음의 원동력이라고 본다면, 탑塔은 소박하고 단순해야 하는 것 같습니다. 선암사 대웅전大雄殿은 단아하면서도 장중함이 절로 우러나옵니다. 이곳 대웅전은 정면 3칸, 측면 3칸의 팔작지붕을 가지고 있는 다포多包 양식의 건축물로, 여느 사찰의 대웅전과는 다르게 출입하는 문이 따로 만들어져 있지 않습니다. 이는 자신을 낮추라는 의미라고 하네요. 대웅전의 서까래 곳곳에는 수水와 해海라는 문자가 여러 군데 있습니다. 아마 화재 예방을 위해 상징적인 의미로 새겨놓은 듯합니다. 주공간인 대웅

전 본전 뒤편에 있는 후불탱화後佛幀畵는 조선 영조 때 그려졌다고 합니다. 대웅전 전각 뒤편은 보살전菩薩傳 영역으로, 주변에는 6개의 승방僧房이 있습니다. 낮은 담장으로 둘러싸여 있는 전각들 사이를 걷고 있노라면 마치 속세의 어느 마을 속에 있는 듯한 착각을 일으키게 합니다. 선암사 전각殿閣 대부분은 산비탈을 따라서 건축되어 있습니다. 기본적으로 사찰이 위치한 지형의 경사가 심해 전각마다 계단을 활용해서 지었다고 하는데, 30개의 전각이 줄지어 있음에도 비좁고 답답하게 보이지 않는 가장 큰 이유는 이런 계단식 가람伽藍 배치 때문이라고 합니다.

주축인 대웅전 영역을 지나면 원통전 영역이 나옵니다. 관세음보살을 모신 원통전圓通殿은 모습이 조금 독특합니다. 원통전 내부에는 4개의 기둥으로 "집 속의 집"을 만들어 놓아 그 안에 관세음보살상觀世音菩薩像을 모셨습니다. 이 전각은 조선 정조正祖 왕이 이곳 스님에게 후사가 있기를 기

원하는 "100일 기도"를 부탁하여 나중에 순조純祖 임금이 태어나셨다는 일화가 있는 곳이죠. 무엇보다 원통전에서 가장 유명한 것은 '꽃살문'입니다. 다채롭고 아름다운 꽃문양이 원통전 창살에 조각되어 있는데, 조선 시대 최고의 목공예 솜씨라는 평가를 받고 있습니다. 그리고 대웅전 뒤편으로는 선암사가 자랑하는 '선암매仙巖梅'라는 매화나무가 위풍당당하게 서 있습니다. 매화꽃 필 무렵에 오면 아름답게 피어 있는 홍매화꽃을 직접 만날 수 있답니다. 선암사 구석구석을 구경하다 보면 "절들의 마을"이라는 평가에 걸맞게 속세의 어느 작은 마을을 산책하는 듯한 느낌이 드실 겁니다. 시골 마을 골목길 담장 사이를 걷고 있는데 일순간 불쑥 나타나는 새로운 공간이 주는 예기치 않는 반가움이 있는 곳이 선암사랍니다.

그리고 선암사에 오면 반드시 들러야 할 곳! 가장 이색적인 선암사의 '뒷간(해우소)'은 꼭 봐야겠죠? 오랜만에 보는 선암사의 뒷간은 여전히 명성에 걸맞게 고풍스럽고 멋있습니다. 무슨 화장실이 이렇게 거창하고 유명하냐고 할지 모르겠지만, 정말 재미있고 인상적이었습니다. 우스갯소리로 일을 보고 집에 도착할 무렵에나 그것(?)이 떨어질 정도로 화장실 깊이가 깊답니다. 조금 과장된 표현같지만, 재래식 화장실치고는 깊이가 무서울 정도니까요.

선암사는 우리 전통 사찰의 원형을 가장 잘 보존하고 있는 아름답고 멋진 절이라 생각합니다. 비록 조계종曹溪宗과의 사찰 소유권 분쟁으로 부정적 이미지가 조금 있다손 치더라도, 꽃피는 봄날에 오면 화사하고 아름다운 사찰 모습을 볼 수가 있지요. 또한, 단풍철에 온다면 승선교와 강선루 주변에 아름답게 물들어 있는 단풍의 물결도 눈에 가득 담을 수 있습니다. 그리고, 선암사는 변하지 않는 듯 보이는 아름다움으로 인해 사찰을 주로 촬영하는 사진작가들의 출사지出寫地로도 유명합니다. 선암사를 찾으려 한다면 인근에 있는 낙안읍성樂安邑城과 함께 묶어서 오시면 좋을 듯합니다. 정말 후회하지 않는 사찰, 선암사라고 말하고 싶네요.

시간에 닻을 달다,
낙안읍성

몇 년 만에 왔는지 모르겠습니다. 〈남도 음식 대축제〉 행사 초기에 왔으니, 거의 25여 년 만에 낙안읍성樂安邑城을 찾은 것 같습니다.

'낙안읍성'은 왜구의 침입을 막기 위해 만든 조선 시대의 대표적인 성곽입니다. 산을 등지고 물을 내려다보는 배산임수背山臨水의 풍수 조건을 제대로 갖추고 있는 지방 계획도시로, 읍성의 지세가 한양漢陽과 가장 유사하다고도 합니다. 사방이 산으로 둘러싸여 있는 읍성은 분지형의 드넓은 평야 지대에 자리 잡고 있으며, 멀리 남쪽에는 바다가 인접해 있습니다. 우리나라에서는 드물게 들판 한가운데에 쌓은 대표적인 평지성平地城이라 할 수 있지요. 읍성 안 남쪽은 민가民家들을, 북쪽에는 동헌東軒과 객사客舍를 배치하였고, 마을 중앙에는 마을 사람들을 위한 시장市場을 위치하게 하였습니다. 읍성 안에서 가장 권위 있는 건물인 동헌東軒은 일반인이 쉽게 접근할 수 없게 북쪽 한쪽 편에 배치했습니다. 객사客舍는 나주 객사나 전주 객사에 비해 규모는 작지만, 정청正廳을 중심으로 우측에 문관文官의 숙소를, 좌측에는 무관武官의 숙소를 소박하게 두었습니다.

낙안읍성의 출입문으로는 동문인 낙풍루樂豐樓, 남문인 쌍청루雙淸樓, 서문인 진남루鎭南樓 등 총 세 군데가 있습니다. 성문에는 각각 문루門樓를 두어 아름다움과 위엄을 더했으며, 각 성문을 연결하는 성곽 길이만 해도 1,410m 정도가 됩니다. 성벽은 큰 돌을 쌓은 후 잔돌을 끼워 마감했고, 위로 갈수록 작은 돌을 쌓는 구조입니다. 그리고 유독 북쪽에만 문이 없는 이유는 북쪽에 인접한 금전산金錢山에 호랑이가 많아 호환虎患으로부터 민가를 보호하기 위해 문을 폐쇄하였기 때문이라고 합니다. 성문 밖으로는 옹성甕城을 쌓아 놓았고, 옹성에는 활이나 총을 쏠 수 있는 여장女墻을 두어 효율적으로 적의 공격을 방어했습니다. 또한, 성벽 앞에는 해자垓字가 있습니다. 해자는 동북쪽에서 시작해 남문에 이르고 있는데, 조선 읍성 대부분은 이러한 방어 기능의 해자를 기본으로 갖추고 있답니다. 낙안읍성은 T자형 큰길을 중심으로 마을이 그물망처럼 연결되어 있습니다. 현재 120여 채의 초가집과 200여 주민들이 조선 시대 이후 고유의 전통을 지키면서 실제로 생활하고 있어, 우리나라의 고유문화와 풍속을 유지하는데 중요한 역할을 하고 있습니다.

이렇듯 조선 시대 서민들의 생활공간이었던 낙안읍성은 보존 상태가 좋아 시대극 영화나 드라마 촬영을 위한 장소로도 많이 활용되고 있습니다. 실제로 〈대장금大長今〉을 비롯한 많은 역사 드라마가 이곳 낙안읍성에

서 촬영되었다고 합니다. 용인 민속촌이나 제주 성읍마을과는 달리, 낙안읍성만이 유일하게 실제로 주민들이 거주하고 있습니다. 반면에 낙안읍성과 함께 비교적 보존이 잘되었다는 고창읍성의 경우에는, 주민은 살지 않고 관청만 달랑 있답니다. 따라서 이곳 낙안읍성은 주민 거주지도 함께 있었다는 점에서 진정한 조선 시대 읍성의 모습을 가지고 있다고 볼 수 있습니다.

정문 격인 낙풍루를 통해 낙안읍성 중심 길을 따라 올라오다 보면 왼편으로는 막걸리나 파전 등을 파는 음식점이 몇 군데 있고, 오른쪽으로는 동헌과 관아官衙가 있습니다. 동헌 뒤편으로는 넓은 잔디밭이 조성되어 있는데, 그곳에는 거대한 푸조나무 한 그루가 서 있습니다. 그 나무는 정유재란丁酉再亂 직전 이곳을 다녀간 이순신李舜臣 장군이 직접 심었다고 합니다. 이 나무는 벼락을 맞아 몸체가 약간 기울긴 했지만, 거대한 위용은 여전히 위압적이었습니다. 동헌 뒤 성벽으로 올라가 서문 방향으로 가면 낙안읍성에 있는 초가집들을 한눈에 볼 수 있는 멋진 장소가 있습니다. 그곳에서는 낙안읍성 전체를 조명할 수 있지요. 그곳에서 아름답고 멋진 낙안읍성의 전경을 정신없이 사진에 담았습니다. 발아래 옹기종기 모여 있는 초가집의 예스러움이 한 폭의 그림 같았습니다. 서문西門인 진남루에 도착하기 직전 마을 골목길로 내려가 초가집 한 집 한 집을 구경하는 재미가 좋았습니다. 거기에는 드라마 〈대장금〉을 촬영했던 세트장도 있었고, 명창 송만갑(宋萬甲, 1865~1939)의 생가도 있었습니다. 이곳 초가집들은 남부지방 특유의 일 자(一)형 주택으로 검소하고 단아한 모습을 가지고 있더군요.

낙안읍성 인접한 곳에는 '뿌리 깊은 나무 박물관'이 있습니다. 우리나라 잡지 중 최초로 가로쓰기 활자체로 기사를 작성한 월간 『뿌리 깊은 나무』는 우리 전통의 멋과 맛을 주요 소재로 다룬 우리 시대 잡지의 최고봉이었습니다. 이곳에서는 『뿌리 깊은 나무』 창간자인 한창기韓彰琪 선생과 관련된 유품을 전시하고 있답니다. 가는 날이 휴관이어서 내부 관람은 하지 못했습니다. 오랜만에 낙안읍성을 찾아보니 많은 것들이 변해 있었습니다. 주 출입문인 동문에서 마을 중심으로 가는 길은 깨끗하게 정비되었고, 관아나 객사는 물론, 주민들이 사는 초가집 역시 새롭게 단장했네요. 평온한 마음으로 읍성 마을 곳곳을 둘러보았습니다. 시간여행을 하는 느낌이었습니다. 낙안읍성에서 가장 흥미로운 볼거리는 매년 10월 말쯤 개최되는 초가집 "이엉 얹기" 행사라고 합니다. 그때쯤 다시 와서 전통 이엉 얹기 행사를 구경할 계획입니다.

남도의 대표 사찰, 화엄사

몇 년 전까지만 해도 매년 1~2번 정도는 구례 화엄사 초입에 있던 한화리조트콘도를 찾곤 했습니다. 리조트 시설은 오래되어서 무척 열악했지만, 리조트 주변 풍광이 아주 뛰어나서 저절로 힐링이 되는 느낌을 주는 곳이었지요. 리조트에서 지내다가 해 질 무렵이면 화엄사로 올라가 저녁 법고法鼓 치는 모습을 보는 즐거움이야말로 개인적으로 가장 좋아하는 이벤트였답니다. 고즈넉한 사찰 분위기 속에서 어둑어둑해지는 산중의 적막을 깨뜨리는 법고 소리는 마치 미망迷妄 속에서 헤매고 있는 나를 깨우는 듯했습니다. 물론 T.P.OTime, Place, Occasion가 딱 맞아떨어져서 인상적이었을 수도 있었겠지만, 화엄사의 법고 소리는 언제나 기억 속 울림으로 남아 있답니다. 그런데 이러한 화엄사와 한화리조트의 환상적인 조합 역시 경영상 수익구조를 못 맞추는 한계로 인해 결국 문을 닫고 말았네요. 무척 아쉬웠습니다.

한동안 구례 쪽을 와보지 못하다가 3년 만에 화엄사를 다시 찾았습니다. 개인적으로 수많은 국내 사찰 가운데 화엄사만큼 애정이 가는 곳은 없답니다. 아래쪽 주차장 입구에서부터 울창한 숲길을 따라 화엄사 경내로 들어서면 마음이 평온해집니다. 일주문을 지나 금강문 사이 나지막한 오르막길에서 눈과 귀와 입을 가리고 있는 익살스러운 동자승童子僧 석상을 잇달아 만나게 됩니다. 이 불상들은 "불문不問, 불견不見, 불언不言하라"는 깊은 울림을 주는 법구경法句經의 말씀을 우리에게 전해주고 있습니다. 보통의 사찰들은 보제루普濟樓 아래를 통해 경내로 들어가는 데 반해, 화엄사는 보제루 우측을 통해 사찰 경내 중심부로 들어갑니다.

보제루 우측을 돌아 경내에 접어들면 화엄사의 대표적 전각인 '각황전覺皇殿'과 '대웅전大雄殿'이 한눈에 들어옵니다. 특이하죠? 보통 어느 사찰이든 대웅전이라는 건물이 가장 규모도 크고 중심을 이루고 있는 데 반해, 이곳 화엄사는 각황전이라는 전각이 사찰을 대표하고 있는 듯 웅장함이 대웅전을 압도합니다. 대웅전 앞뜰 양옆으로는 보물인 동오층석탑東五層石塔

과 서오층석탑西五層石塔 등 2기의 석탑이 우뚝 서 있습니다. 비록 규모 면에서 각황전에는 비교할 수 없지만, 대웅전 또한 천년고찰인 화엄사의 중심 건물 중 하나랍니다.

화엄사에는 국보 67호 '각황전'의 위엄을 압도할 만한 전각은 없는 것 같습니다. 옛날 '장륙전'丈六殿이라고 불렸다는 각황전은 대웅전과 함께 화엄사의 주불전主佛殿입니다. 정면 7칸, 측면 5칸의 중층 건물로, 화엄사 중수 당시 조선왕조 숙종肅宗 임금이 현판을 썼다고 합니다. 원래 각황전 내부에는 신라 문무왕 때 〈화엄경華嚴經〉이 새겨진 '화엄석경華嚴石經'이 있었으나, 임진왜란 당시 화재로 소실되어 현재 파편들만이 과거의 존재를 일부나마 확인해 주고 있습니다. 각황전 바로 앞에는 넓은 마당이 조성되어 있습니다. 마당 중앙에는 통일신라시대에 만들어진 6.4m 높이의 국보 12호인 석등이 있는데, 현재 해체되어 보수 수리 중인 관계로 적어도 2025년까지는 볼 수가 없다고 합니다. 각황전 맞은편에는 보물 300호 사자탑獅子塔이 귀중한 자태를 자랑하고 있습니다.

각황전 왼편으로 나 있는 가파른 계단을 오르면 '효대孝臺'라고도 불리는 화엄사의 자랑거리인 국보 35호 '사사자四獅子 3층 석탑'과 이 석탑과 마주하고 있는 석등石燈 하나를 만나게 됩니다. 설화에 의하면 이 석등은 화엄사를 창건한 연기緣起 스님이 자신의 어머니를 위하여 차를 공양하는 모습을 효대와 석등으로 표현하였다고 하네요. 이곳 '효대'에서 내려다보는 화엄사의 전경이 무척 아름답습니다. 지금처럼 단풍이 물들 시기에는 화엄사를 감싸 안고 있는 만산홍엽의 물결을 멋지게 볼 수 있답니다. 물론 사진 촬영 장소로도 아주 좋습니다. 발아래 화엄사의 풍경이 지루해질 무렵 발길을 구층암九層庵 쪽으로 옮겼습니다. 대웅전 뒤편에서 구층암으로 가는 길은 일명 "무언無言의 길"이라고 합니다. 걸어가는 대나무 숲길이 무척 조용하고 운치가 있습니다. 아무런 말 없이 5분 정도를 가다 보면 불쑥 나타나는 '구층암'을 만나게 되지요. 구층암은 예로부터 다도茶道로 유명한 암자로 알려져 있답니다. 과거에는 암자 측에서 지리산에 자생하는 차를 방문하는 사람들에게 무료로 제공했었는데, 지금은 돈을 받고 판매한다고 합니다. 종무소宗務所 앞으로 돌아가니 노랗게 익은 모과들이 떨어져 있어 모과차를 담으려고 몇 개를 담았습니다.

오랜만의 가을 화엄사 구경이 좋았습니다. 혹시 초봄에 올 기회가 있으면, 검붉은 화색과 두 줄기가 꼬인 화엄사 '홍매화'의 아름다운 자태도 구경해 보시길 바랍니다. 내려오는 길에 상가 지역 초입에 있는 '지리산 식당'에서 산채 비빔밥으로 점심을 먹었습니다. 비빔밥 속 산채가 주는 풍미가 여전히 좋았습니다. 더불어 가을이 깊어 갑니다.

제2장

내가 사는 곳, 광주

광주공원에 대한 단상斷想

이곳은 언제나 그리운 곳으로 남아 있습니다. 초등학생 시절 친구들과 공원 계단 난간에서 미끄럼을 타던 아련한 추억이 깃들어 있는 이곳이 왜 그렇게 그리웠는지 모르겠습니다. 이렇듯 '광주공원'은 추억이 참 많은 곳이지요.

오늘은 친구 정렬이와 점심을 먹은 후 오랜만에 광주공원을 찾았습니다. 여전했습니다. '석서정石犀亭' 정자에서 바라본 광주천光州川이 무척 평화로웠습니다. 공원 입구 포장마차는 지금도 성업 중에 있는지 가게 몇 곳이 영업 준비를 위해 천막 세팅 작업을 하고 있었고, 근처 벤치에는 추운 날씨임에도 갈 곳 없는 할아버지 몇 분이 담소를 나누고 있더군요. 공원으로 올라가는 계단에는 "이곳은 과거 신사 참배를 위해 올라가는 계단이다."라는 일제강점기에 신사神社가 있었던 사실을 알려주는 문구가 눈에 들어옵니다. 어릴 적 뛰놀 때는 이곳에 가슴 아픈 역사가 있다는 사실을 전혀 몰랐었는데, 최근에야 이 계단에 얽힌 사연을 알게 되었네요.

광주공원은 광주에 살았거나, 살고 있는 사람들 누구에게나 추억이 많

이 깃든 곳이랍니다. 70년, 80년대 광주공원에 있던 '광주시민회관'은 영화관 기능뿐만 아니라 클래식 공연장, 그리고 일반 시민의 결혼식장으로서 광주의 열악한 문화적 기반을 담당하는 역할을 톡톡히 했답니다. 개인적으로는 클래식 음악에 심취하기 시작한 중학생 시절 성악가 엄정행과 오현명이라는 사람을 이곳에서 처음 보았고, 지금은 고인이 된 바이올리니스트 김남윤의 귀국 연주회에서 '사라사테'의 〈치고이너바이젠Zigeunerweisen〉을 감동 있게 들었던 곳도 이곳이었습니다. 시설 노후로 한동안 폐쇄된 상태로 있다가, 몇 년 전 내부 리모델링 작업 하여 지금은 소규모 공연장과 1층에 청년 창업 공간인 '포레스트 971'이라는 테라스 카페가 성업 중입니다. 카페 이름에서의 "971"이라는 숫자 의미는 이곳 시민회관이 "1971년"에 처음으로 개장했다는 것을 기념해서 지었다고 합니다. 참 재미있는 작명입니다.

또한, 광주공원은 일제강점기 일본의 신사 참배 터가 있던 곳이었으며, 80년 5·18 당시에는 공원 광장에서 시민군들의 부대 편성 및 총기 사용 교육 등이 이루어진 곳이라고 합니다. 서현교회 맞은편 공원 아래쪽으로는 우리 지역 유교 문화의 전통을 계승, 발전시키고 있는 '광주향교光州鄕校'가 있습니다. 옛날 공원 입구에 있던 '광주 구동체육관'은 지금은 「광주문화재단」과 '빛고을시민문화관'으로 바뀌었고, 인접한 옛 전남체육회관 건물은 「광주문화재단」의 '빛고을 아트 스페이스Art Space'가 되었습니다. 이 건물은 유명 고깃집이었던 '수궁갈비'가 있던 곳이지요. 이곳 '빛고을 아트 스페이스'는 1960년대 우리나라 유명 건축가 김수근金壽根이 설계한 붉은 벽돌 건물입니다. 현재 빛고을 시민문화관의 별관으로서, 홀로그램 극장·소극장·작은 도서관 등을 갖춘 복합 문화 공간 역할을 하고 있는데, 건축학적으로 볼 때 전라도 지방에서는 아주 드물게 김수근 건축가가 설계한 의미 있는 건물이라고 합니다.

광주공원에서 중앙로 쪽 천변 가까이에는 조선 시대 광주의 대표적 누각樓閣을 다시 건축한 '희경루喜慶樓'가 있습니다. '희경루'는 1430년 무진군茂珍郡으로 강등된 광주목光州牧이 1451년 다시 광주목으로 복권되자 이를 기념하기 위해 건립했던 누각으로 "함께 기뻐하고 서로 축하한다."라는 뜻이 담겨 있다고 합니다. 희경루의 완공으로 역사 문화도시 광주를 알리는 문화콘텐츠가 되었을 뿐만 아니라, 각종 공연을 하는 문화 체험 및 휴식 공간으로도 큰 역할을 할 것으로 기대되고 있습니다.

시민회관 앞 주차장 한편에는 「자유총연맹」 소유였던 '무진회관'이 아직도 건재하고 있었습니다. 1989년 여행 자유화 이전에 해외여행을 가려던 사람들은 이곳에서 의무적으로 "해외여행 소양 교육"을 받았기에 익숙한 곳일 겁니다. 그리고 이곳은 예전 필자의 직장 사무실도 있던 곳이어서 잠깐이나마 옛날 생각에 젖게 하더군요. 공원 위쪽으로 올라가 '4·19 추모탑'과 일제강점기 시절 신사가 있었던 '현충탑顯忠塔'을 둘러보았습니다. 옛날에는 이곳에 비둘기가 엄청 많았었는데, 지금은 한 마리도 보이지

않았습니다. 계절이 겨울이어서 없는 건지, 아니면 지금 이곳에 살고 있지 않는 건지는 모르겠습니다. 공원 정상에서 사동社洞 노인복지관 쪽으로 넘어가다 보면 보물 제109호 '성거사지 서오층석탑聖居寺址 西五層石塔'을 만나게 됩니다. 서오층석탑은 고려 시대에 '성거사'라는 사찰에 건립된 석조 불탑입니다. 지산동에는 서오층석탑과 유사한 '동오층석탑'이 있습니다. 석탑 주변이 한적하니, 날씨 따뜻한 봄날 벤치에 앉아 고즈넉한 분위기 속에서 한때를 보내는 것도 좋을 듯합니다.

내가 사는 곳,
광주 돌고개 이야기

광주 시내에서 월산동과 농성동, 그리고 양동良洞 경계에 있는 자리한 '돌고개'는 70년대에 개발되기 전까지만 해도 전라남도 남부지역에서 광주로 넘어오는 중요한 고개의 기능을 하고 있었습니다.

돌고개 주변을 살펴보면, 광주 MBC가 있는 곳이 덕림산德林山이고, 반대편에는 양동초등학교가 있는 제봉산祭峯山이 있습니다. 덕림산이나 제봉산 모두 이미 산山으로의 위상을 잃어버린 지 오래되었습니다. 지금은 많은 아파트와 빌라, 주택들이 빽빽하게 들어서고 있어 광주의 새로운 부도심으로 탈바꿈하고 있지요. 제봉산은 해발 91m 정도의 낮은 산으로, 과거에는 이 고을 사람들이 국태민안國泰民安을 기원하거나 기우제祈雨祭를 지낸 곳이라고 합니다. '제봉祭峯'의 의미는 그 제사 터가 정상에 있었기 때문이랍니다. 제봉산 정상은 1970년 1월 개소하여 광주지역 동남부의 치안을 담당하다 2006년 11월 광주 상무지구로 이전한 옛 광주 서부경찰서가 있었던 곳입니다. 지금 그곳에는 광주 시영아파트가 들어서 있으며, 근처에는 광주 최대의 재래시장 '양동시장'이 자리 잡고 있습니다. 현재 이 곳을 중심으로 도심 재개발 바람이 불어 계림동, 학동과 더불어 광주의 새

로운 아파트 재개발 지역으로 거듭나고 있습니다. 양동시장 앞 대로변은 중소 규모의 병원들이 속속 들어서고 있으며, '닭전머리'라고 불리고 있는 닭 파는 시장은 언제부터인가 저렴한 임대료로 상당수의 점집과 보살 집들이 옮겨와 성업 중입니다. 돌고개에서 양동시장으로 내려가는 길에는 사람의 몸을 치료하는 메디컬 병원들이 많고, 닭전머리 쪽으로 빠져나가는 샛길에는 사람의 마음을 치유하는 점집과 보살 집이 많은 것으로 보아, 이 일대야말로 "인간 치유(?)의 구역"임이 틀림없는 것 같습니다.

그리고 이곳 돌고개 일대는 대인동, 황금동과 더불어 80~90년대 홍등가(집창촌)로도 유명한 곳이었습니다. 당시 이곳은 '유리방'이라는 별칭으로 불렸으며, 광주 시내 '콜박스' 근처 "쉬었다 가세요"라고 불리는 주점들과는 달리 아주 색다른 영업 형태를 보였다고 합니다. 광주에서의 유흥주점과 집창촌은 1970년대만 해도 삼성동(황금동, 불로동, 호남동)을 중심으로 130여 개, 종업원 700여 명에 달할 정도로 번창했었답니다. 이러한 유흥

집창촌은 대개 역전과 차부(버스터미널), 그리고 장터를 중심으로 형성되었죠. 80년 말 이후부터는 룸살롱, 단란주점 등 음주와 가무를 위주로 하는 유흥업소들이 대세를 이룸에 따라 집창촌이 현저하게 줄었다고 합니다. 월산동 닭전머리와 까치고개 사이에 있는 주점 역시 재개발의 열풍 속에서 이제는 한두 군데 정도만 남아 겨우 그 명맥을 유지하고 있답니다. 그러나 이 주점들도 주변에 아파트 신축 공사가 한창 진행 중이어서 조만간 사라질 것 같습니다.

속칭 "광주의 배꼽"이라 불리는 돌고개는 광주에만 있는 고유 지명이 아니라, 전국적으로 같은 이름을 가지고 있는 곳이 상당수 있다고 합니다. 돌고개는 '돌'과 '고개'의 합성어입니다. 한자 지명 '석현石峴'과 함께 쓰여 대부분 돌石과 관련되는 곳으로, "돌이 많은 고개"를 의미한다고 하네요. 또한 '석령石嶺'으로 불린다고도 합니다. 생뚱맞게 돌고개의 어원이나 주변 상황을 장황하게 이야기하는 이유는 며칠 전 광주 서구를 떠나 남구 월산동 돌고개 근처로 이사를 했기 때문입니다.

무등산이 가장 잘 보이는 곳, 덕림산

광주에서 '무등산無等山'이 가장 잘 보이는 곳은 어디일까요? 친구 학섭이는 어린 시절 대부분을 보냈던 월산동 '덕림산德林山'에서 바라보는 무등산이 가장 멋있었다고 합니다. 마치 큰형님의 떡 벌어진 어깨처럼 포근하게 모두를 감싸 안고 있는 듯 보였다고 하네요. 돌고개로 이사를 해보니 친구 말처럼 '덕림동산'에서 바라본 무등산의 모습이 가장 멋지게 보였습니다.

오늘은 월산동 점쟁이촌 위쪽 '달팽이 마을'과 덕림산 주변을 산책했습니다. 월산동 달팽이 마을은 2015년 정부의 〈도시재생 새뜰마을〉 사업에 선정되어 마을의 생활 및 주거 환경을 개선하고 주민들에게 일자리를 제공하는 것은 물론, 주민들의 문화적 소양 함양을 위해 개발되었다고 합니다. 그동안 마을 정비 사업비 지원으로 마을 외관은 비교적 깨끗하게 정비되어 달동네라는 오명은 겨우 벗었다지만, 외관 이외에는 특별히 마을에 변화는 없는 것 같아 조금은 안타깝게 생각합니다. 마을 초입에는 최근 지어진 것으로 보이는 말쑥하게 단장한 마을 커뮤니티센터가 보입니다. 이곳은 지역 주민과 문화기획자들이 그들만의 여가와 창작공간으로 활용하고 있었으며, 마을 도서관이나 노인당은 주민들에게 놀이 공간 역할을 하고 있더군요. 좁은 골목 곳곳에는 재미있고 다양한 그라피티 그림이 그려져 있어 마을 구경을 오는 사람들의 호기심을 자극합니다. 조금은 누추한 골목이었지만, 곳곳을 정갈하게 꾸며 놓으려는 노력이 엿보여 정겨운 마음으로 구석구석을 돌아보았습니다. 한때 광주의 대표적 달동네였던 '달팽이 마을'은 나름 옛날 우리 동네 모습을 간직하고 있었습니다. 마을 골목길에는 초등학교 때 자주 불렀던 "다 같이 돌자! 동네 한 바퀴 아침 일찍 일어나 동네 한 바퀴.... (후략)"라는 동요가 생각날 정도로 어릴 적 향수를 자극할 만한 것들이 아직은 남아 있더군요.

달팽이 마을을 벗어나 약간의 언덕길을 오르면 덕림산 정상이 나옵니다. 광주 시내 중심지에서 보면 동쪽에 솟은 산이 무등산이며, 서쪽으로 보이는 산이 덕림산(94m)입니다. 덕림산은 돌고개에서 서남쪽인 월산초등학교까지 뻗어 있는 산으로, 지금은 주택가와 아파트 단지들로 에워싸여 있습니다. 옛날 '광주읍성光州邑城' 안쪽에 살던 사람들은 무등산 쪽에서 해가 떠오르면 하루를 시작하고, 덕림산 쪽으로 해가 지면 하루 일을 마쳤다고 합니다. 지금은 나무가 그다지 많지는 않지만, '덕림德林'이라는 지명에서 알 수 있듯이 옛날에는 나무가 울창한 지역이었다고 합니다. 무등산이 한눈에 들어오는 덕림산에 올라 보니, 이곳이야말로 무등산을 바라보는 장소로서 최적이 아닐까? 라는 생각을 해봤습니다. 덕림산 정상에 있는 광주 MBC에서 보는 무등산의 모습도 거침없이 보이더군요. 근처에는 가벼운 식사와 차를 마실 수 있는 아주 분위기 좋은 '덕림산방'이라는 찻집도 있네요. 이곳은 나이 지긋한 중년의 여자분들이 모여 잡담에 여념이 없는 놀이터 같은 곳이랍니다. 메뉴로는 냉모밀 비빔국수나 쌍화탕이 유명한데, 여기 쌍화탕이나 대추차는 깊은 맛이 있다고 합니다. 이곳에서 바라보는 무등산의 풍경 역시 그지없이 멋집니다. 덕림산 정상에는 이탈리안 음식 맛집인 레스토랑 '루치아'와 카페 '필문'이라는 곳도 있어, 탁 트인 무등산을 바라보면서 분위기 있는 자리에서 식사나 커피도 마실 수 있답니다. 광주 MBC 방송국 아래쪽으로는 1932년 건립된 조계종 '덕림사德林寺'가 있는데, 그 사찰 마당에는 커다란 은행나무가 압도적인 모습으로 서 있습니다. 만추晩秋의 계절에 온다면 노랗게 물들여진 은행나무 너머로 보이는 무등산의 전경이 무척 인상적일 거라는 생각이 들었습니다.

코로나 이전에는 매년 연초에 해돋이 행사가 이곳 덕림산 정상에서 열렸다고 합니다. 그때는 동네 주민들이 모두 모여 떡국도 먹으면서, 서로의 우의를 돈독히 다지는 새해맞이 행사를 했다네요. 광주 같은 대도시에서 동네 주민들이 함께 모여 해돋이 행사를 한다는 사실이 신기했습니다. 덕림산은 광주 도심에서 가깝고 전망도 아름다운 곳입니다만, 재개발 열풍으로 주변에 우후죽순 고층 아파트가 세워지고 있어 언제까지 덕림산 정상에서 멋진 무등산을 바라볼 수 있을지는 모르겠습니다. 혹시 돌고개 근처에 오시는 분들은 광주 MBC가 있는 덕림산에 오셔서 전망 좋은 카페에서 차도 마시고, 호젓하게 월산동 달팽이 마을 골목길 탐방을 해보시길 바랍니다.

지속 가능하고 싶은 청춘 발산마을

돌고개로 이사 오기 전까지는 발산마을이 어디 있는지를 정확히 몰랐습니다. 오늘 처음으로 '청춘 발산마을'이라는 곳을 찾았습니다. 우리 어릴 적에는 '발산마을'보다는 '발산부락'이라는 이름으로 더 자주 불렀던 광주의 대표적 달동네랍니다.

발산마을은 지금은 슬럼화되어 재개발 중이지만, 옛날에는 광주에서 경관이 수려한 곳이었습니다. 해방 이전만 해도 발산마을 언덕에는 '석하정石下亭'이라고 하는 광주 시내를 조망할 수 있는 우아한 정자도 있었다고 합니다. 당시 사람들의 과장된 표현에 의하면, 발산마을은 언제나 구름 위에 있는 듯 보였다고 합니다. 한국전쟁 이후에는 전쟁을 피해 광주로 온 피난민들이 모여 마을을 형성하여 살았던 곳이었으며, 1970년대는 전남방직이나 일신방직에 근무하던 여성 근로자들이 집단으로 모여 자취생활을 하던 곳이었습니다. 이렇듯 발산마을은 한동안 인근 양동이나 월산동 달팽이 마을, 그리고 학동과 함께 광주의 대표적 달동네 중 하나였습니다. 1990년대 이후에는 섬유산업 퇴조와 함께 방직공장들이 하나둘 문을 닫음에 따라, 발산마을 역시 도심 공동화 현상을 피할 수 없게 되었죠. 빈집이 늘고 마을이 황폐된 채로 방치되고 슬럼화되자, 2015년 「현대자동차그룹」은 사회적 기업인 '공공미술 프리즘'과 함께 소위 〈청춘 발산마을 프로젝트〉라는 이름으로 발산마을에 대한 도시재생사업을 시작하게 되었습니다. 이 사업은 청년 문화기획자들이 마을주민들과 함께 주민들의 생활 의식을 개선하는 한편, 마을 정비 사업을 추진하는 것이었습니다. 이후 지방자치단체의 홍보 마케팅으로 많은 방문객이 이곳 발산마을을 찾게 되었다고 합니다.

오늘 발산마을 탐방은 돌고개 사거리에서 마을 초입에 있는 중흥 파크 아파트 쪽으로 올라가, 전망대 쪽을 시작으로 쭉 아래로 내려오면서 골목길을 둘러보는 일정이었습니다. 먼저 발산마을 전체를 조망할 수 있는 전망대로 향했습니다. 발산마을 전망대에는 옛날 힘들게 일하던 여공들이 고향을 그리워했다는 의미를 형상화한 별 모양의 철골 상징물이 있네요. 이 철골 구조물은 〈2014년 마을 미술 프로젝트〉로 설치된 "별이 뜨는 발산마을"이라는 이름의 작품이라고 합니다. 별을 주제로 발산마을에 아름다운 별빛이 내려오는 모습을 형상화했다고 합니다. 전망대 근처 나무 그늘에서는 마을 할머니들이 모여 앉아 때 이른 더위를 식히며 담소를 나누고 있는 모습이 무척 정겨웠습니다. 옛날 우리 동네 할머니들 같은 모습이어서 한동안 그곳에서 그들을 지켜봤습니다. 마을 커뮤니티센터를 지나 굽이굽이 이어지는 골목길을 돌아 브라질 리우데자네이루의 '세라론 계단'과 비슷한 '108계단'을 내려가니, 이곳이 고향이라는 올림픽 금메달리스트 양학선과 BTS 멤버 제이홉J-hop의 벽화가 있었습니다.

나름 깨끗하게 마을 정비는 잘 되어 있었지만, 코로나 시국 때문인지 방문객이 전혀 보이지 않았고, 마을에서 운영 중인 자체 프로그램 또한 시들한 것처럼 보여 왠지 맥이 빠지는 느낌이었습니다. 그렇지만 한 번쯤은 가볼 만합니다. 왜냐하면 요즘 도시재생사업에 있어 가장 화젯거리 지역인 전남방직 일대가 건너편에 있고, '1913 송정시장'과 더불어 광주의 대표적 도시재생사업 현장의 하나이니까요. 무엇보다도 우리나라 산업화의 주역이었던 70년대 여성 공장 근로자들의 애환이 서려 있는 장소에서, 지금은 많이 변해 버린 광주 시내 전경을 내려다보는 느낌도 남다를 것 같습니다. 가슴 아픈 과거지만 언제나 회한이나 후회만은 아닐 수 있기에, 기억의 보물창고인 청춘발산마을에서 보내는 시간도 괜찮을 듯합니다.

도심 공동화, 그리고 나의 추억

학생 숫자가 32명이 전부인 초등학교가 대도시인 광주 시내 한복판에 있다는 사실을 아시는지요?

'광주 중앙초등학교'는 1907년 일본인들이 주로 다니던 '광주 심상 고등소학교'로 광주시 동구 불로동에서 개교한 이래로, 광주의 대표적 학교로 성장하여 한때 재학생이 5,000~6,000명, 2부제 수업까지 했던 거대한 학교였지요. 그러나 저출산과 도심 공동화로 인한 학령 인구 감소로 지금은 학생 숫자가 32명 정도에 지나지 않아 폐교 위기까지 몰려 있는 현실에 이 학교를 졸업한 사람으로서 만감이 교차합니다.

오늘은 시내 세종악기사에 기타 플랫 교체를 의뢰하고 시간이 남아 중

앙초등학교 교정을 둘러봤습니다. 오랜만에 걸어보는 학교는 그동안 많은 변화가 있었네요. 예술의 거리 담벼락을 사이에 두고 운동장 한쪽으로는 청소년 예술 활동과 관련된 건물이 들어서 있었고, 고색창연한 본관 강당 지붕은 원래의 모습과는 어울리지 않게 하얀색으로 칠해져 있었습니다. 전체적으로는 초등학교 재학 시절의 학교 모습과 크게 다르진 않았지만, 학교 주변 이곳저곳에서 주상복합 아파트 신축 공사가 진행되고 있어 무척이나 어수선하고 복잡했습니다. 바로 옆 예술의 거리 가게들은 내부를 수리해서 깨끗하기는 하나, 예전에 가지고 있던 고풍스러운 정취는 많이 사라진 듯했습니다.

오늘날 중앙초등학교가 보존 가치 있는 건축물로 평가받고 있는 이유는 건물 원형을 그대로 유지, 보존하고 있다는 점이라고 합니다. 본관 건물은 전형적인 빨간 벽돌 건물로, 현재까지 외부와 내부를 거의 손대지 않고 일제강점기 건축 당시 모습을 그대로 잘 간직하고 있답니다. 일제강점기 초기에 지어진 중앙초등학교는 본관 건물을 일 자(一) 형태로 먼저 세운 후 좌·우측에 별도의 건물을 세웠으며, 건물 입구에는 작은 연못을 배치하였습니다. 중앙초등학교는 우리나라 사람이 다니던 서석초등학교와는 달리 일본인들의 학교인 까닭에, 건축 당시 학교 시설은 최고급이었다고 합니다. 대리석으로 만들어진 급수대와 복도, 교실에는 벽난로 시설까지 갖춰졌으며, 강당과 계단 등은 건축 당시 유럽에서 유행했던 아르누보 Art Nouveau 건축 양식이 적용되었다고 하네요. 이렇듯 중앙초등학교는 일본인에 의해 만들어진 우리나라 학교들의 특징을 골고루 가지고 있을 뿐 아니라, 건축사적 의미 또한 상당하다고 합니다.

교정과 학교 주변을 돌아보면서 친구들과 뛰어놀던 시절을 떠올렸습니다. 그렇게 넓게 보였던 운동장이 왜 이리 작은지 모르겠습니다. 이따금 시골집으로 시외전화를 하기 위해 오갔던 전남여고 앞 전신전화국 건물은 KT 지사 건물로 바뀌어 있네요. 전신전화국 뒤쪽에 있던 친구 가성이 집 또한 온데간데없습니다. 동부경찰서 앞 친구 영삼이 집은 지금은 학원 건물이 되어 있습니다. 동기 집 역시 주상복합 아파트가 지어지고 있었고, 영욱이가 어린애들 돈 뜯던 만화방도 이제는 추억 속의 그곳이 되어버렸네요.

"Once upon a time in Gwangju!(옛날 광주에서의 한 때!)"

광주 메밀국수 집 이야기

날씨가 화창합니다. 오늘은 친구 경재와 점심을 먹기 위해 시내를 나갔습니다. 월산동 돌고개 부근으로 이사 온 후부터 약속이 있어 시내를 나갈 때는 대중교통을 이용하기보다는 주로 걸어서 다닙니다. 시내로 가는 일반적인 동선은 양동시장을 가로질러 광주천 천변 산책로를 따라 충장로 5가에서 1가 쪽으로 이어진 상가를 쭉 걸어서 올라갑니다.

오늘은 이상하게도 초등학교 때 누나와 함께 자주 다니던 충장로 4가 '모밀 하우스'라는 메밀국숫집이 있던 건물 앞에서 발길이 멈춰지더군요. 요즘 들어 어린 시절 충장로 '모밀 하우스'에서 먹던 메밀국수 생각이 나서 가끔씩 먹곤 합니다. 그런데 지금 먹는 메밀국수 맛은 예전 누나와 같이 먹던 '모밀 하우스' 메밀국수만큼 맛있다는 느낌이 들지 않았습니다. 왜 그럴까요? 아마도 옛날 메밀국수에는 어린 시절의 애틋한 추억들이 담겨 있어 맛있게 기억되는 것 같습니다.

보통 광주에서는 '메밀'을 '모밀'이라고 부르지요. 아마 광주 출신이 아니면 광주에서만 부르는 '모밀'이라는 호칭에 다소 생소하다고 느끼실 겁

니다. '모밀'이라는 단어가 전라도 사투리일 것이라고 막연히 생각했는데, 실제로는 함경도 지방에서 '메밀'을 그렇게 부른다고 합니다. 1936년 당시 「조선어학회」에서 만든 『조선 표준말 모음』에서 보면, '메밀'이 '모밀'을 제치고 표준어로 선정되었다는 것을 알 수 있습니다. 이효석의 소설 『메밀꽃 필 무렵』도 원래는 『모밀꽃 필 무렵』이었는데, 「조선어학회」의 한글 표기 기준에 따라 나중에 『메밀꽃 필 무렵』으로 바뀌었다고 합니다. 광주에서 먹는 메밀국수는 일본 '소바국수(そば)'의 변형이라고 합니다. 멸치를 기본 베이스로 잔치국수처럼 메밀국수를 멸치육수에 말아 먹는 레시피Recipe지요. 메밀국수로 유명한 지역 중 하나인 경남 의령宜寧의 메밀국수가 소고기 육수를 기본 베이스로 하는 것과는 약간의 차이는 있다고 합니다.

일제강점기 소바 음식점을 운영하던 일본인 주인들이 일본이 패망하자 본국으로 귀국하기 전에 한국인 종업원들에게 육수 내는 법과 메밀국수 제조법을 전수하면서부터 광주의 메밀국수가 시작되었다고 합니다. 그 종업원 중 하나가 광주 시내에 '조선옥'이라는 상호로 메밀국숫집을 시작했던 것이 광주에서 메밀국숫집의 시초라고 하네요. 이후 '조선옥' 주인마저 외국으로 이민을 가버리자, 조선옥 주방 종업원들이 '청원 모밀' 등 몇 곳의 메밀 국숫집을 시내에 개업하면서 메밀국수가 광주의 보편적이고 대표적인 음식이 되었다고 합니다. 한때는 '청원 모밀', '화신 모밀', '모밀 하우스'를 광주 3대 메밀국숫집으로 불렀습니다만, '모밀 하우스'가 없어진 후에는 '산수옥'을 대신 그 자리에 넣곤 한답니다.

광주에서 메밀국수를 오래전부터 먹어왔던 사람들 상당수는 '화신 모밀'의 메밀국수를 가장 좋아하는 것 같습니다. 이곳은 1982년 '청원 메밀' 주방장으로 일하던 분이 독립하여 개업한 메밀국숫집인데, 불친절하고 멸치육수 국물이 다소 짜다는 결점에도 불구하고 면발이 다른 곳보다는 굵어 씹히는 식감이 좋다고 알려져 있었습니다. 그런데 최근 남자 사장님이 아프셔서 간혹 문을 닫곤 하다가 얼마 전부터는 임대한다는 종이가 붙은 것을 보니 장사를 접을 것 같은 걱정이 듭니다. 자꾸만 친숙한 기억이 있는 것들이 없어져 안타깝습니다.

주관적으로 메밀국수 가게를 총평하자면, 최근 브랜드화하여 미슐랭 한국판 맛집으로 선정되었다는 '청원 모밀'은 젊은이들이 즐겨 찾고 있다고는 하나, 옛날 메밀국수 맛에 길들어져 있는 어른들 입맛에는 다소 가벼운 듯합니다. 그리고 '산수옥'이라는 이름의 여러 가게는 그냥 일반 잔치국수 집 정도라고 생각하면 될 것 같습니다. 필자는 '화신 모밀'을 가지 않을 때는 상무지구에 있는 '박정표 밀알 모밀'을 주로 가는데, 그 식당 메밀국수 맛이 담백하고 멸치육수의 맛도 그런대로 괜찮았습니다.

매년 지방자치단체에서는 지역의 대표 음식을 발굴하여 지원, 육성하고 있습니다. 광주광역시의 경우에는 오리탕, 육전, 한정식, 주먹밥 등을 광주의 대표적 음식으로 선정하여 홍보하고 있답니다. 그런데 이것들은 너무 비싸거나 이미지가 대중적이지 못하는 단점이 있어, 외지 관광객들에게 그다지 큰 호응을 받지 못하는 것 같습니다. 지역의 대표 음식을 선정할 때는 가격이나 대중성을 감안하여 선정하는 것이 좋을 것 같은데, 그런 의미에서 우리 시대 옛날 향수가 묻어있고 가성비도 있으면서 즉석 음식처럼 가볍게 먹을 수 있는 메밀국수를 광주의 대표 음식으로 선정해 보는 것은 어떨까요?

지방 청와대 이야기

윤석열 정부가 출범하자마자 대통령 관저 이전 문제로 시끄러운 적이 있었죠. 평범한 사람들 생각에는 대통령의 관저가 뭐길래 이렇게 시끄러운지 조금은 의아했을 겁니다. 하여 한 번쯤은 서울에 있는 대통령 관저뿐만 아니라, 지방에 있었던 대통령 관저 시설에 대한 정리가 필요한 것 같다는 생각이 들었습니다.

1948년 정부가 수립된 이후 '경무대景武臺'라는 이름의 대통령 관저가 박정희 대통령이 집권하면서부터 '청와대'라는 이름으로 바뀌었습니다. 그러다가 2022년 윤석열 정부가 들어서자마자 관저를 용산 국방부 청사로 이전하여 현재에 이르고 있습니다. 박정희 정권까지만 해도 대통령 관저는 서울 종로구에 한 곳만 있었으나, 80년대 군사정부 시절에는 "지방 청와대靑瓦臺"라는 곳을 전국 주요 도시에 만들어 놓았답니다. 얼마 전 JTBC에서 절찬리에 방영되었던 드라마 〈재벌집 막내아들〉의 주요 촬영 장소였던 부산 수영구 남천동 옛 부산시장 관사 역시 전두환 대통령 시절 지방 청와대 역할을 했던 곳이었다고 하네요. 광주·전남의 경우에도 민간 시설을 포함해서 두 군데 정도가 그런 역할을 했던 것으로 알고 있습니다. 한 곳은 현재 '하정웅 미술관'이 들어선 광주광역시 서구 농성동 '전남도지사 공관'이었고, 다른 한 곳은 광양제철소 '백운대白雲臺'라는 VIP 숙소였답니다.

오늘은 80년대 5공화국 당시 지방 청와대의 역할을 했던 광주시립미술관 상록분관인 '하정웅 미술관'을 다녀왔습니다. 그런데 하필 가는 날이 휴관일이어서 미술관 내부 구경은 하지 못하고 건물 외관과 미술관에 인접한 상록도서관만을 구경했습니다. 하정웅 미술관은 전두환 대통령 집권 당시 대통령의 지방 순시에 대비해서 숙소 용도로 만들었던 지하 1층, 지상 2층의 일본풍 벽돌 건물입니다. 건립 명분은 도지사나 시장 공관으로 활용한다는 것이었으나, 실제로는 대통령의 연두순시年頭巡視 때 지방 청와대 역할을 하기 위한 것이었습니다. 당시 지방 청와대 중 하나였던 광주광역시 서구 농성동 도지사 공관은 전남도청이 광주를 떠나 전남 무안군 남악 신도시로 옮겨지면서 "개발"이냐, "보존"이냐 하는 논쟁을 거친 끝에, 광주광역시가 「공무원연금공단」으로부터 공관 전부를 매입한 후 건물 내·외부 리모델링을 거쳐 '상록전시관'이라는 이름으로 다시 태어났던 것입니다. 그러다가 2017년 재일교포 사업가 하정웅河正雄이 보유하고 있던 2,523점의 미술작품을 광주광역시에 기증한 이후 하정웅 컬렉션의 작품 연구 및 전시와 홍보를 위해 현재의 하정웅 미술관으로 이름을 바꾸게 되었고, 이후부터는 광주시립미술관의 분관分館으로서 지역 문화 발전에 기여하고 있답니다.

초록빛 자연이 선사하는 건강함을 도심 속에서 느낄 수 있는 오아시스 같은 하정웅 미술관은 외관부터가 멋집니다. 미술관 앞뜰 넓은 잔디밭 사이사이에는 많은 조각 작품이 전시되어 있고, 온갖 종류의 꽃들이 조각품 사이로 피어나 있어 전반적인 미술관 분위기를 밝게 해줍니다. 녹음이 푸르른 야외공간도 가지고 있어서인지 많은 시민이 산책이나 소풍을 오더군요. 특히 인접한 농성동 SK 아파트 주민들이 많이 이용하는 것 같았습니다. 미술관 우측에는 광주 서구청에서 운영하는 '상록도서관'이 있습니다. 공원 속에 도서관을 만들어 놓아 인근 주민들이 부담 없이 찾아오고 있는 등 시민들의 문화생활에 도움을 주고 있다고 합니다. 사실 마을 도서관은 이렇게 녹지공간 속에 자리 잡고 있어야 책을 읽는 재미가 제대로 나지 않을까요?

우리 동네에도 이런 곳이?

며칠 전 어머니 주소 전입신고를 하기 위해 서창동 행정복지센터를 다녀오다가 한옥마을인 '서창 향토 문화마을'이라는 곳을 들렀습니다. 간혹 자동차로 지나가기는 했지만, 이렇게 걸어서 동네 이곳저곳을 둘러본 적은 이번이 처음이었습니다. 서창 향토 문화마을은 광주광역시 서구 서창동에 있습니다. 뒤로는 백마산白馬山, 앞으로는 넓은 서창 들녘과 영산강이 있는 전형적인 배산임수背山臨水 지형의 전형적인 마을이지요. 임진왜란 당시 의병으로 활동했던 삽봉插峰 김세근金世斤 장군이 이 마을에 처음 터를 잡은 이후, 그의 이름을 따서 '세동마을'이라고 불리고 있습니다. 세동마을은 역사와 전통을 존중하고 이를 지키기 위해 마을총회를 통해 주거용 주택 이외에는 다른 용도의 건물은 일체 건축할 수 없도록 자체적으로 의견을 모아 전체적인 마을 분위기를 조용하고 살기 좋은 곳으로 만들었다고 합니다.

이곳 세동마을 서창 들판은 해 질 녘에 볼 수 있는 붉은 낙조가 일품으로 알려져 있습니다. 광주 서구 8경 중 제4경을 "서창 들녘 낙조"라고 합니다. 드넓은 서창 들녘으로 지는 석양의 모습은 서해안 어느 유명한 낙조에 비해도 손색이 없다고 알려져 있습니다. 이 근처 또 다른 볼거리로는 '서창 나루'와 '서창 포구'가 있지요. 서창 나루는 조선 시대 광주지역을 대상으로 세곡을 거두기 위해 만든 옛 영산강 뱃길의 주요 나루터였습니다. 서창 나루에서 모아둔 세곡 대부분은 영산강 뱃길을 통해 '영산포 조창榮山浦漕倉'을 거쳐 한양으로 보내졌다고 합니다. 당시 서창 나루터 일대에는 오일장도 열렸으며, 술맛 좋은 주막도 있어 매일 오가는 사람들로 북새통을 이루었다고 합니다.

최근 코로나로 인해 문은 닫았지만, 서창 향토 문화마을에서는 외부인을 대상으로 하는 체험 프로그램도 운영하고 있을 뿐 아니라 마을 내 작은 도서관이나 찻집도 개방하여 외부와의 소통에도 힘쓰고 있다고 합니다. 기회가 되면 전통문화 체험도 경험하고 고즈넉한 마을 길을 둘러보면서 마을 초입에 있는 한옥 카페 '가배당'에서 맛있는 커피나 디저트도 맛보시고 작은 마을 도서관에서 책도 읽으면서 한나절을 보내시면 좋을 듯합니다. 그리고 인근 동하마을에는 '만귀정晩歸亭'이라는 아름다운 정자도 있습니다. 이곳 주변은 봄에는 벚꽃이 화려하게 피어나고, 여름에는 연못 가득히 연꽃이, 늦여름에는 아름다운 배롱나무꽃이 피어 있어 많은 사람이 꽃놀이를 오곤 한다고 합니다. 또한, 서창 향토 문화마을은 가을날 〈서창 만드리 풍년제〉라는 재미있는 축제도 열린답니다. 광주 도심지인 상무지구에서 10~15분이면 갈 수 있는 곳이니, 한 번쯤 찾아 보시길 바랍니다.

선비들의 놀이터, 독수정

비가 추적추적 내립니다. 이른 아침 병원 진료를 마치고 광주호光州湖 쪽으로 발길을 옮깁니다. 오랜만에 무등산 무돌길에 있는 '독수정 원림獨守亭園林'을 찾았습니다. 독수정 원림이 있는 '무돌길'은 광주시와 담양군, 그리고 화순군이 공동으로 만든 무등산을 한 바퀴 돌 수 있는 둘레길을 말합니다.

오늘 찾은 독수정 원림은 우리나라 대표적 별서정원인 '소쇄원'을 지나 담양군 가사 문학면(舊 담양군 남면) 소재지 쪽 우거진 숲속 언덕에 자리 잡고 있습니다. 독수정 원림의 주인은 고려 공민왕 때 병부상서(지금의 국방부장관)를 지낸 서은瑞隱 전신민全新民 장군입니다. 이분은 고려가 멸망하자 두 나라를 섬길 수 없다면서 이곳 담양에 은거하여 물이 흐르는 남쪽 언덕 위에 정자를, 뒤쪽 정원에는 소나무를, 앞의 계단에는 대나무를 심어 수절守節을 다짐했다고 합니다. 우리나라는 예로부터 사람이 머무는 곳인 집이나 정자는 햇볕이 들어오기 좋은 남향이나 동남향을 향하는 경우가 대부분인데, 이곳 독수정은 독특하게 북쪽을 향하고 있습니다. 방향이 북쪽을 향했던 이유는 전신민이 아침마다 조복을 입고 자신의 충절을 나타내는 곡배哭

拜를 송도松都(개성) 쪽으로 향하기 위해서라고 합니다. '독수정'의 정식 명칭은 '독수정 원림'으로, 원림園林이란 "집터에 딸린 숲"을 일컫는답니다. '독수정'이란 이름은 중국의 유명 시인 이백李白의 시구 중 "백이 숙제는 누구인가? 홀로 서산에서 절개를 지키다 굶어 죽었네"에서 따 온 말이라고 합니다. 정자 주변에는 1890년대 심어진 회화나무, 느티나무, 살구나무, 매화나무 등이 울창합니다. 조경학적 측면에서 보면 전형적인 고려 시대 산수 원림이라고 합니다. 정자 앞 무성한 대나무 숲은 터널처럼 마을까지 이어져 있습니다.

독수정은 정면 3칸, 측면 3칸의 정사각형 팔작지붕 정자입니다. 독수정 정자 안쪽 지붕 밑에는 독수정의 풍광을 노래한 전신민이 〈독수정원운獨守亭原韻〉이란 시詩가 걸려 있습니다. 지금의 독수정 정자는 1972년 다시 건립되어 고풍스러운 맛은 인근 식영정息影亭이나 환벽당環碧堂에 비해서는 다소 떨어지지만, 정자를 오르는 둔덕 풍경 하나만큼은 아주 좋답니다. 늦여름 꽃무릇이 필 무렵이나 가을에도 주변 단풍이 무척 아름답습니다. 독수정을 나와서 점심을 먹으려고 친구 태승이가 추천한 호수생태원 근처 추어탕과 떡갈비 맛집인 '외할머니집'에 갔으나 문을 닫았네요. 할 수 없이 또 다른 맛집인 무등산 평촌마을 초입 '돌담 게장백반'에서 게장백반으로 맛있는 점심을 먹었습니다. 이 식당은 2018년 광주광역시가 '게미 맛집'(음식 속에 녹아 있는 독특한 맛을 뜻하는 전라도 방언)으로 선정할 만큼 담백한 반찬과 짜지 않은 게장으로 유명하답니다. 무등산 주변은 가사 문학과 관련한 아름다운 정자들이 많으니 느긋한 마음으로 둘러보시고, 광주댐 근처 맛집에서 맛있는 음식도 드셔 보시길 바랍니다.

한국의 예루살렘, 양림동

요즘 '양림동楊林洞'을 많이 생각하고 있습니다.

감수성이 아주 민감했던 중학생 시절 양림동 양림교회 옆 초가집에서 약 2년 정도 자취생활을 한 적이 있었습니다. 그때만 해도 양림동은 그저 일반 서민들이 살던 평범한 동네에 지나지 않았지요. 그런 익숙하고 친숙했던 양림동의 모습이 자꾸만 이상한 방향으로 변해 가는 것 같아 마음이 편칠 않습니다. 모두에게 양림동이 주는 의미나 기억은 다르겠지만, 적어도 필자에게는 추억이 남다른 곳이랍니다.

"관광 개발"이라는 것이 무조건 부수고 새롭게 만드는 것만이 아니라, 있는 그대로 보존하는 것도 개발의 한 모습일 수 있다는 것을 관광 정책을 입안하고 집행하는 사람들이 왜 모르는지 정말 답답합니다. 지속 가능한 관광 개발이란, 우리가 매일 볼 수 있는 것들을 만드는 것이 아니라 좀처럼 볼 수 없는 것들을 만드는 작업이라고 생각합니다만, 평범하고 흔해 빠진 것에 너무 집착하는 것 같아 마음이 씁쓸합니다. 얼마 전 유행했던 TV 드라마 〈응답하라 시리즈〉에서 배경 무대였던 '쌍문동'에 우리가 열광했던 이유를 생각해 보면, 관광자원의 개발 방향을 어디에 두어야 할지 답答은 분명해지지 않을까요?

그간 정체성 불명의 기획자들이 역사 문화마을인 양림동에 대거 몰려와 그 화려한 언변을 가지고 문화 귀족 흉내를 내는 관료와 지역 유지들과 결탁해서 양림동을 이렇게 형편없는 곳으로 만들었다는 것에 대해서 분노를 참을 수가 없네요. 오래전 우리 지역 출신이 아닌 어느 유명 공정 여행가에 물었던 적이 있었습니다. "양림동이 좋다고 말씀하시는데 양림동의 매력이 무엇이라 생각하시죠?" 그녀는 이렇게 대답하더군요.

"양림동 언덕배기 숙소를 나와 골목길로 나오면 세탁소가 나오고 철물점 앞에 아줌마들이 도란도란 얘기하는 모습, 분식집 앞에서 튀김을 먹고 있는 학생들의 모습 같은 일상의 풍경과 어린 시절 내가 살던 동네를 보는 듯한 아련한 향수! 이런 것들이 양림동의 매력입니다."

그렇습니다. "As it was"(옛것을) "As it is"(있는 그대로) 하게 두는 것도 때론 관광 개발의 기본 철학일 수 있다는 걸 알았으면 좋겠습니다. 밀어 버리고, 세우고, 짓는 개발만이 능사는 아니랍니다.

그러면 지금 양림동은 어떤 볼 것들이 있을까요?

양림동은 사직산社稷山과 양림산楊林山으로 이어지는 능선 동남쪽에 있는 주거지역입니다. 옛날에는 버드나무 숲으로 덮인 마을이라 하여 양촌楊村과 유림柳林을 합해, '양림楊林'이라 칭했다고 합니다. 일제강점기 이후 양림동은 광주기독교 선교의 발상지로서 "한국의 예루살렘"이라는 별칭은 물론, 우리 지역 근대 교육과 문화의 중심 역할을 했던 곳이지요. 해방 이후 근대화와 개발의 열풍을 피한 양림동은 광주에서 옛날 모습을 가장 많이 가지고 있는 곳일 뿐 아니라, 광주·전남 기독교 선교의 메카로서 기독교 발자취가 가장 많이 남아 있는 근대 역사 마을이라 할 수 있답니다.

양림동은 2시간 정도 가벼운 산책으로도 돌아볼 수 있는 작은 동네지만, 골목과 건물 하나하나에 담긴 이야기는 적지 않습니다. 골목을 따라 걷다 보면 100여 년 이상되는문화유산들과 개화기에 건립된 상류층 한옥도 만나게 됩니다. 그리고 양림동산 주변으로는 서양 선교사들의 힘겨운 선교 활동의 자취도 느낄 수 있습니다.

제일 먼저 커다란 솟을대문을 가지고 있는 '이장우 가옥'을 찾았습니다. 이 고택은 대문 양 옆으로 행랑채가 있으며, 남부지방 한옥의 고유 형태인 일 자(一)형 가옥이 아닌, 한양이나 중부지방처럼 기역자(ㄱ) 형식의 한옥 양식을 보여 줍니다. 마당 쪽 연못을 보면 이곳 정원이 일본식 정원의 모습을 일정 부분 모방하고 있다는 것을 알 수 있습니다. 이렇듯 '이장우 가옥'은 19세기 일제강점기를 거쳐 20세기 한옥이 변화하는 변천사를 여실히 보여 주고 있습니다. 1959년 집주인이 한차례 바뀌었으나, 이후 소유주가 꾸준히 잘 관리한 덕에 지금도 옛날 모습을 그대로 유지하고 있네요.

현재 광주에 남아 있는 가장 오래된 근대 서양 건축물인 우일선Robert

M. Willson 선교사 사택은 양림동의 랜드마크임이 틀림없는 것 같습니다. 양림동을 홍보하는 사진 자료에는 언제나 우일선 선교사 사택이 맨 앞을 차지하고 있지요. 광주 제중원 원장을 지냈던 우일선 선교사는 광주 근대화의 주역으로, 양림동 역사에서 가장 중요한 사람으로 기억되고 있습니다. 우일선 선교사가 살던 사택은 1905년 건축한 이후 1921년에 증축한 정사각형 회색 2층 벽돌 건물입니다. 현재는 내부를 리모델링하여 대한예수교 장로회 사무실로 사용하고 있습니다. 사택 뒤편 산책로로 걸어가면 선교사로 파송되어 선교 활동을 하다 사망한 선교사들이 묻힌 선교사 묘원墓園이 나옵니다. 묘원 주변을 고요히 감싸 안고 있는 울창한 숲은 그곳을 찾는 이의 마음을 저절로 경건하고 숙연하게 만듭니다.

우일선 선교사 사택을 지나면 광주의 대표적 기독교 학교인 '수피아 여자 중·고등학교'를 만나게 됩니다. 1911년 미국인 여성분이 '수피아'라는 여동생을 추모하기 위해 수피아 홀 건립 기금을 기부한 이후, 선교사 유진 벨이 이 건물을 수피아 여자 중·고교로 발전시켰다고 합니다. 현재 학교 건물 중 1921년 유진벨Eugene Bell 선교사를 추모하기 위해 건립된 '커티스 메모리얼 홀Curtis Memorial Hall'은 학교 부속 예배당으로 사용하고 있고, '윈스보로 홀Winsborough Hall'은 수피아여중 본관으로 활용되고 있습니다.

개인적으로는 양림동에 있는 근대역사 유적 가운데 '오웬기념각'이 가장 인상적이었습니다. 이 기념관은 광주·전남 지역 최초의 선교사 클레멘트 오웬Clement C. Owen과 그의 할아버지를 기념하기 위해 건립된 건물이지요. 오웬기념각은 회색 벽돌과 우진각 지붕의 2층 건물로, 정면과 측면 입구의 장식은 조형미가 뛰어난 이슬람 양식으로 되어 있습니다. 남녀가 유별났던 개화기에는 출입하는 입구도 달리하였고, 객석 한가운데에 휘장을 쳐서 남녀를 구분하여 앉게 하였다고 합니다. 1977년 '기독간호대학'이 이곳으로 이전한 이후부터는 학교 강당으로 사용되고 있습니다. 예전에는 음악회나 각종 공연과 강연 등의 행사가 열렸으나, 최근에는 관리가 어렵다는 이유로 외부에 좀처럼 대관을 해주지 않는다고 합니다. 2016년 5월 필자가 주도하여 〈2016년 광주 관광포럼〉을 개최한 적이 있었는데, 당시 포럼에 참가한 사람들 대다수는 오웬기념각 분위기가 너무 좋다는 반응을 보이더군요.

이러한 양림동이 관광지로서 본격적으로 뜨기 시작한 계기는 '펭귄 마을' 때문이라고 합니다. 혹자들은 펭귄 마을이 동북아시아 최초의 자발적 마을재생 사업이라고 합니다만, 글쎄 이곳이 최초로 재생 사업을 시작한 곳인지는 잘 모르겠습니다. 어쨌든 옛날 감성의 상징으로 자리매김하고 있는 펭귄 마을은 온갖 폐품과 생활용품 등 나름의 특이한 콘텐츠로 양림동의 대표적 관광지로 거듭나고 있답니다. 이렇듯 양림동은 우리 지역에서 근대 문화가 유입된 통로로서의 역할 뿐만 아니라, 굴곡 많은 우리 근대사의 현장이었다는 점에서 의미 또한 크다고 할 수 있을 겁니다.

박물관 나들이,
어느 수집가의 초대

겸재謙齋 정선鄭敾의 작품 '인왕제색도'를 포함해서, 이건희 삼성그룹 회장이 기부한 예술품들을 모아 〈어느 수집가의 초대 - 이건희 컬렉션〉이라는 이름으로 광주에서 전시한다는 소식을 들었습니다. 그러나 차일피일 미루다 보니 어느덧 광주 전시가 며칠 남지 않았네요. 정말 이렇게 미루다가는 영원히 못 볼 수도 있다는 생각에 부랴부랴 「국립광주박물관」을 찾았습니다.

겸재 정선이 아름다운 인왕산을 배경으로 그의 나이 76세에 그렸다는 인왕제색도仁王霽色圖는 우리나라 진경산수화眞景山水畵의 최고봉으로 인정받고 있는 작품이랍니다. 학창 시절 수업 시간에 국사 선생님께서 겸재 정선의 이 작품을 극찬했던 기억이 납니다. 겸재의 진경산수화眞景山水畵에서 표현하고 있는 화법畫法은 단순히 다른 그림을 모방해서 그리는 것이 아니고, 직접 실물을 보면서 사실 그대로 그림을 그리는 화법을 말합니다. 겸재 정선은 병석에 누워있는 60년 친구 이병연李秉淵의 쾌유를 바라는 마음을 표현하기 위해 '인왕제색도'를 그린 것으로 알려져 있습니다. 인왕제색도는 묵직한 붓 터치를 주로 사용하는 '묵찰법墨擦法'이라는 기법으로 바위나 산을 표현하였고, 한 그림 속에서 위와 아래를 번갈아 보면서 그리는 '부감법俯瞰法'과 아래에서 위를 바라보면서 그리는 '고원법高遠法'을 통해 길고 긴 장마비가 그친 인왕산을 관객이 직접 바라보는 듯 현장감 있게 그려내고 있었습니다.

사실 〈어느 수집가의 초대 - 이건희 컬렉션〉에서의 작품 모두가 우리나라의 국보나 보물급이라지만, 개인적으로는 그다지 큰 흥미를 주지 않았습니다. 그렇지만 이번 전시회에서 가장 인상적인 작품을 꼽으라면 인왕제색도가 아닌 조선 시대 백자白瓷인 '달항아리'라고 말하고 싶습니다. 높이와 폭의 비율이 거의 같은 백자 항아리는 그 단아한 모습으로 전시실 전체에 오묘한 무엇으로 다가왔습니다. 정말로 이 백자는 오른쪽 위쪽의 보름달 조명과 어울려 고즈넉하면서도 차분한 분위기를 주더군요.

광주박물관 1층 기획전시실에서의 〈어느 수집가의 초대 - 이건희 컬렉션〉을 둘러본 후 고대 전라도 사람들의 생활 모습이 궁금해서 2층 전시실로 올라갔습니다. 그곳에는 전라도 지방뿐만 아니라, 우리나라 초기 철기시대 생활상을 자세히 알아볼 수 있었습니다. 그곳 전시물의 백미는 역시 '신창동 유적지' 유물이었습니다. 농기구를 비롯하여 각종 쌀, 보리 등 곡식류와 일상 생활용품을 한눈에 볼 수 있어서 좋았습니다. 역사학계에서는 광주광역시 신창동에서의 철기시대 유적 발견을 "유레카Eureka"라고 극찬할 정도라고 합니다. 그런데 광주에 사는 우리만이 신창동 유적지가 가지고 있는 고고학적 가치를 모르고 있는 것 같아 안타깝습니다. 그리고 말로만 듣던 화순군 도곡면 대곡리 청동기 유물도 직접 눈으로 볼 수 있었습니다. 유물 일부를 엿장수에게 엿으로 바꿔 먹는 과정에서 이 소중한 유물의 존재가 알려졌다는 발견 비화도 재미있었지만, 정교한 쌍두령雙頭鈴이나 팔주령八珠鈴, 잔무늬 동경銅鏡의 정교함은 보는 이로 하여금 감탄을 자아내게 하더군요. 그런데 지금까지 우리 전라도 지방 특히, 마한 지방 역사 연구가 이루어지지 못하고 답보상태에 있는 이유가 일본의 한반도 지배설과 맞물린 측면도 있다고 합니다. 더욱더 정교하고 실증적인 마한馬韓 시대의 전라도 연구를 통해 일본의 부당한 역사 날조 시도를 일축했으면 좋겠습니다.

풍광이 좋은 월봉서원

오늘은 광주광역시 광산구 임곡동 너브실 마을에 있는 광주의 대표적 서원인 '월봉서원月峯書院'을 다녀왔습니다.

월봉서원은 조선 시대 성리학의 대학자였던 고봉高峯 기대승(奇大升, 1527~1572) 선생을 기리는 서원입니다. 기대승 선생은 퇴계退溪 이황李滉 선생과 8년 동안이나 서신을 통해 "사단칠정四端七情"에 대한 논쟁으로 유명한 분이죠. 논쟁의 쟁점이었던 '사단四端'은 인간의 본성에서 우러나오는 마음씨, 즉 선천적이며 도덕적인 능력을 말하며 '칠정七情'은 인간의 본성이 사물을 접하면서 표현되는 인간의 자연적인 감정을 말한다고 합니다. 주된 쟁점이 되었던 부분은 '사단四端'이 이理에 속하는가 아니면 기氣에 속하는가? 이理가 과연 발동할 수 있는가? 라는 두 가지 문제였다고 합니다. 철학적 이해도가 떨어진 필자로서는 도통 이해가 어려운 주제인 것 같습니다. 어쨌든 기대승과 이황의 이 논쟁은 이후 학계 전체의 문제로 확대되어, 19세기 말에서 20세기 초에 이르기까지 거의 모든 성리학자가 이 문제를 다루었을 정도로 한국 유교의 발전에 절대적 영향을 미쳤다고 합니다.

월봉서원이 세워진 과정을 보면 1578년 선조 11년 지방 유림 인사들이 광산구 비아동에 망천사望川祠라는 사당을 지어 기대승奇大升의 학문과 덕행을 추모하였다고 하며, 이후 임진왜란으로 소실되었다가 인조 24년에 임곡동 너브실 마을에 옮겨 재건되었고, 효종으로부터 현재의 이름인 '월봉서원'이라는 이름을 사액賜額 받았다고 합니다. 조선 말기 대원군의 서원 철폐령 때는 전국 서원들의 정리 명령으로 훼철되어 한동안 방치되었으나, 1938년 전라남도 유림 인사들의 주도로 다시 정비되어 현재의 모습으로 태어났다고 하네요. 월봉서원이 있는 '너브실 마을'은 황룡강 강변의 푸른 논밭을 따라 들어가면 만나게 되는 행주幸州 기씨奇氏 집성촌입니다. "너른 계곡"이라는 이름답게 서원 쪽으로 들어갈수록 찾는 이로 하여금 아늑함과 편안함을 준답니다. 능소화가 멋지게 담장 위에 늘어선 황톳빛 돌담을 따라가면 고봉 기대승의 위패를 모신 월봉서원이 나옵니다.

월봉서원 정문인 '망천문望川門'을 지나면 서원의 기숙사 역할을 했다는

'명성재明誠齋'가 우측에 있고, 좌측에는 '존성재存省齋'가 있습니다. 맞은편에는 정면 7칸·측면 3칸 규모의 중심 건물인 '빙월당'이 보입니다. 양쪽으로 동재東齋와 서재西齋, 장판각藏板閣까지 거느린 당당한 모습입니다. 빙월당氷月堂은 광주기념물 9호로 서원의 강당 역할을 하는 곳입니다. "빙월氷月"의 뜻은 고봉 기대승의 깨끗한 성품을 의미한다고 합니다. 따뜻한 봄날이나 여름에 오신다면 빙월당 마루에 앉아 한가한 시간을 보내면 좋습니다. 빙월당을 구경하시고 뒤편의 '숭덕사崇德祠'에도 올라가 보시길 바랍니다. 숭덕사는 고봉 선생을 기리는 사당입니다. 사당의 내삼문內三門을 등지고 돌계단에 서면 빙월당의 뒷모습과 너브실 마을을 감싸고 있는 산자락이 풍경화처럼 눈앞에 펼쳐집니다. 특히 해 질 무렵의 풍광이 아주 멋지니 그때 가시면 아름다운 노을도 감상하실 수 있을 겁니다.

코로나 창궐 이후 월봉서원 유생 옷 입기 체험행사를 운영하는지는 모르지만, 기회가 될 때 한 번쯤 유생儒生 옷을 입고 시간을 거슬러 올라가는 경험을 해본다면 무척이나 기억에 남게 될 겁니다. 그리고 월봉서원을 찾는 또 다른 즐거움은 백우산白牛山 자락을 따라 이어지는 '철학자의 길'을 걷는 데 있습니다. 기대승의 묘를 찾아가는 이 길은 푸른 소나무와 대숲이 시원한 그늘을 만들어 주어 상쾌함이 이를 데 없습니다. 철학자의 길은 서원을 중심으로 왼편, 오른편 아무 쪽으로나 갈 수 있습니다. 그리고 오른쪽 철학자의 길 도중에 있는 '백우정白牛亭' 정자도 좋으니 시원한 바람을 느끼면서 쉬는 것도 좋습니다. 가을날에는 서원 뒤편 숲길에서 밤 줍는 재미도 쏠쏠하답니다.

특히, 너브실 마을 초입 골목길 담장을 배경으로 사진 한 컷 해보길 추천합니다. 담장 밖으로 늘어진 능소화의 아름다운 자태를 만나볼 수 있는데, 능소화가 이렇게 아름답게 드리워진 풍경을 본 적이 없어 무척 인상적이었습니다. 그야말로 이곳 능소화는 월봉서원의 상징이라 할 수 있습니다. 그리고 동네를 거의 빠져나올 무렵 바로 오른편에 있는 한옥 카페 '다시茶時'에 들러 멋있는 한옥 구경도 하길 바랍니다. '다시'의 뜻은 "차 마실 시간"이라는 의미와 함께 "또again 오라!"는 뜻도 된답니다. 깨끗하고 정갈한 한옥에서 차 한잔하는 것도 또 다른 즐거움이 될 것입니다.

이렇듯 월봉서원을 둘러보고 느낀 점은, 우리 주변에 이렇게 멋있고 아름다운 서원이 있다는 사실을 모르는 분이 의외로 많아 안타까웠습니다. 월봉서원에서는 놀이와 예술로 철학을 배우고 조선 선비의 하루를 체험하는 등 다양한 교육 문화 프로그램도 운영된다고 하니, '월봉서원'의 고즈넉한 분위기에서 한나절 자신만의 시간을 가져 보시길 바랍니다.

광주 광산구에
볼거리가?

내가 사는 도심 속 명소名所는 어디일까요?

한때 그런 꿈을 꾸었답니다. 지금은 사라져 존재하지는 않지만, 1876년 조선의 개항 이후부터 1960년대 사이 세워져 역사의 현장을 지켰던 장소와 건물들을 설명하는 해설사가 되고 싶다는 꿈 말이죠. 그동안 광주도 산업화 또는 부동산에 대한 욕망 등의 이유로 많은 역사적 장소와 추억들이 사라졌습니다. 계림동 경양 방죽과 인접한 태봉산, 유림 숲, 동명동 광주교도소, 금남로 YWCA, 1943년 건립된 충장로 조흥은행, 장동 광주여고, 그리고 개인적으로 가장 아름다웠던 광주 천변에 늘어선 수양버들 등등….

이제 생각해 보니 너무나 많은 문화유산이 사라진 것 같습니다. 어떤 통계는 지금까지 광주에서만 근대유적이나 역사적 건물 23곳 정도가 흔적도 없이 사라졌다고 합니다. 이렇게 소중한 역사 자원을 고민 한번 없이 사라지게 한 관계 당국의 무지와 무관심을 어떻게 평가해야 할지 모르겠네요.

오늘은 지난번 월봉서원을 다녀온 이후 후속 탐방으로 광산구 도심에 있는 '무양서원武陽書院'과 백제 초기시대 대표적 무덤인 '월계동 장고분月溪洞長鼓墳'을 돌아보았습니다.

무양서원은 1927년 설립된 탐진耽津 최씨崔氏 문중의 서원입니다. 서원 이름은 광주의 옛 이름 "무진주의 별"이라는 의미에서 지어졌다고 합니다. 옛날 광주의 동쪽 관아 창고 터였던 동창東倉 자리에 양반 출신 최원택崔元澤이 중심이 되어 세웠다고 합니다. 서원은 고려 인종 때 어의御醫 최사전崔思全과 그의 후손인 손암 최윤덕崔允德, "한국의 마르코 폴로"라고 불리고 있는 여행기 『표해록漂海錄』의 저자 최 부崔溥와 문절공 류희춘柳希春, 그리고 충열공 나덕헌羅德憲 등 5인의 역사적 인물을 모신 곳입니다. 다른 서원들과는 달리 문중 중심의 서원이기에 단출한 모습을 가지고 있으면서 서원이 갖춰야 할 기본적인 강학講學과 제향祭香 공간도 정갈하게 자리 잡고 있습니다.

강당인 이택당以澤堂의 좌, 우에 합의문合義門과 일반적인 통용문으로 사용되는 합인문合仁門이 있고, 문안 오른쪽에 성지재誠之齋, 왼쪽에 낙호재樂乎齋가 있습니다. 높은 대지 위에 사당인 무양사武陽祠를 두었고, 앞쪽의 삼오문三五門 좌, 우측 문짝 위에는 귀신 얼굴이 조각되어 있습니다. 서원 규모나 역사성에 있어 '월봉서원'과 비교할 수는 없지만, 도심 속에서 우리 민족의 교육에 대한 사랑과 조상들에 대한 공경의 의미를 되새기기에 적절한 힐링 공간임은 틀림없는 것 같습니다.

서원을 둘러보고 바로 뒤편 아담한 '무양공원'을 산책했습니다. 이어서 약 700m 떨어진 백제 시대 초기에 조성된 것으로 추정되는 유명한 '월계동 장고분月溪洞長鼓墳'도 둘러보았습니다. 월계동 장고분은 A.D. 3~6세기경 일본에서 유행했던 전형적인 '전방후원분前方後圓墳' 양식의 고분으로, 우리 전통악기인 장구 모양을 하고 있습니다. 이러한 양식은 주로 영산강 일대 및 한반도 남부지방과 일본 규슈 지방 등에서 발견되고 있다고 합니다. 장고분 형태의 고분이 우리나라 남부지방에서 발견된 것과 관련하여 일본은 "임나일본부설任那日本府說"이라는 것을 주장하면서 6세기 이전 한반도 남부를 지배했다는 근거로 삼고 한반도 식민지 지배를 정당화하고 있답니다.

어쨌든 우리 지역에 있는 '전방후원분' 무덤 양식이 일본과의 역사적 논쟁의 중심 소재가 된 것은 분명한 것 같아 우리 역사학계의 치열한 연구와 노력이 필요할 것 같습니다. 관심 있는 분은 광주광역시 첨단지구에 있으니 한 번쯤 다녀오시길 바랍니다. 가을에는 서원 내에 국화도 많이 피어난다고 하니 만추의 국화 향기에 취해 보는 것도 좋을 것 같습니다. 또한, 광산구에는 우리나라 유적발굴의 유레카 중 하나인 신창동 철기시대 유적지와 김봉호金鳳鎬 가옥, 용아龍兒 박용철朴龍喆 생가, 그리고 장덕동 근대가옥 등 다른 볼거리도 있으니, 굳이 볼거리를 멀리에서만 찾지 않았으면 합니다.

재벌의 사회적 책임

"금호그룹이 우리 지역에 해준 것이 뭐가 있느냐?"고 불만을 제기하는 전라도 사람들이 많습니다.

사실 어떤 면에서는 그 말이 틀린 건 아닙니다. 전라도를 기반으로 해서 번 돈으로 한때는 우리나라 10대 재벌까지 갔으나, 기업 이익의 사회 환원이라든가 지역사회 기여도는 정작 기대치에 크게 못 미쳤다고 많은 이들은 생각합니다. 오늘날 중소기업 수준까지 전락한 금호그룹이 합리적인 기업 인수와 합병, 형제간 경영권 순환 원칙, 그리고 임원 나이 제한 등 몇 가지의 불문율만 지켰더라면 이렇게까지 초라한 모습은 되지 않았을 겁니다. 그러나 금호그룹 평가에 있어 모든 면이 다 부정적인 것만은 아니라고 생각합니다. 사회공헌 활동에 있어서는 몇 가지 칭찬받을 일은 있답니다. 「금호문화재단」의 음악 영재를 위한 지원프로그램이나 경제적 능력이 없는 음악인을 위한 고급 악기 대여, 그리고 창업주 박인천 가옥의 민간 개방은 긍정적으로 평가받을 부분이지요.

오늘은 2018년 9월 민간에 개방한 박인천朴仁天 회장의 자택이었던 광주광역시 동구 금남로 5가 '금호시민문화관'을 찾았습니다. 문화관 입구 쪽에는 박인천 금호그룹 회장이 1946년 처음 운수업을 할 때 사용하였던 1933년형 포드 디럭스Ford Deluxe 자동차가 전시되어 있습니다. 입구를 지나면 1930년대 우리나라 가옥의 전형을 보여 주는 단층 기와집이 보이는데 이 가옥은 박인천 회장이 기거하던 생전의 집이라고 합니다. 사랑채는 1950년대 후반 우리나라에 도입되었던 2층 양옥의 단순한 형태를 보여주고 있습니다. 무엇보다 눈에 띄는 것은 본채 뒤편으로 이어지는 넓은 정원으로, 가장자리 담장 주변으로 작은 정자와 벤치를 두어 도심 속 시민들의 휴식처로 활용토록 해놓았습니다. 가끔 야외음악회나 작은 규모의 문화 공연도 열린다고 합니다. 가뜩이나 녹지공간이나 도심 속 공원이 부족한 광주에서 박인천 가옥이 시민들의 편안한 놀이터 역할도 하고 있다니 반가웠습니다. 그러나 공간뿐만 아니라 그 공간을 채울 프로그램이나 이벤트가 필요한데, 과연 그런 역량이 우리 지역에 있는지 궁금합니다.

광주 舊시청의 역사를 아시나요?

"술"이라는 것을 맨 처음 배운 곳은 광주광역시 동구 불로동 구舊시청 사거리 일대 유흥가였습니다. 70년대까지만 해도 광주시청은 지금의 국립아시아문화전당 근처 불로동 구시청 사거리에 있었습니다. 1969년 10월 '경양방죽'을 매립한 후 조성된 터에 지어진 계림동 청사로 이전하였다가, 2004년 3월 광주 상무지구 현 청사 자리로 옮기게 되었습니다. 이후 불로동 구시청 일대는 일식당과 카페가 밀집한 광주의 대표적인 유흥가가 되었으나, 광주에 부도심 지역이 몇 군데 생긴 이후 점차 활력을 잃게 되었습니다. 그러던 중 2014년 「국립 아시아문화전당」 개관에 대비, 구시청 일대 활성화를 위해 남녀노소, 다문화 가정 등 모든 세대가 즐길 수 있는 '아시아 음식문화 거리'가 만들어졌지요. 이곳에서는 이색적인 아시아 각국 음식을 소개하고, 남도 음식이 광주를 찾는 관광객에게 하나의 문화콘텐츠가 될 수 있도록 음식문화 창업 교육 및 음식 공방을 마련해 주고 있습니다. 또한, 야간 경관조명 설치로 빛의 거리를 조성하는 등, 미향味鄕 광주로서의 특화 거리를 만들기 위한 노력을 하고 있지만, 현재까지 괄목할 만한 활성화는 이루지 못하고 있답니다.

필자는 1987년 직장에서 광주로 인사 발령을 받은 이래 한동안 하루가 멀다고 구시청 사거리에 있던 '애플'이라는 카페에서 친구들과 술을 마셨지요. 당시만 해도 젊은 친구들에게는 이곳이 유흥가로서 가장 인기가 있던 곳이었답니다. 전설의 광주 바람둥이 7공자라고 불렸던 사람들이 자주 다녔던 '모던타임즈'를 비롯하여 나이트클럽의 맹주였던 '쇼2000' 등 유명한 카페와 술집, 나이트클럽이 많이 있었습니다.

그리고 폭력조직 계보를 공부하면서 알게 된 사실은 70~90년대 광주를 중심으로 생겨났던 서방파, 콜박스파, 충장 OB파, 신양 OB파, 구시청파, PJ파 중 폭력조직 '구시청파'의 터전이 이곳 구시청 일대였다는 것입니다. 폭력조직 구시청파가 이곳에서 태동했던 계기는 광주시청이 시내 중심가인 불로동에 있던 시절, 중·소규모 토목 건설 회사들이 조직폭력 출신을 고용하여 공사 입찰 업무를 맡게 하면서부터 시작되었다는 설이 유력합니다. 뜬금없이 술집 이야기와 폭력조직의 역사를 이야기하는 이유는 어제저녁 구시청 사거리 약속 장소에 가다가 옛날 친구들과 구시청 사거리 일대에서 세상모르게 술 마시고 놀던 때가 생각나서랍니다.

짜장면 이야기

Sun Kim 선생님의 짜장면에 대한 팟캐스트 방송을 듣던 중 갑자기 탕수육과 짜장면 한 그릇이 먹고 싶어져서 광주에서 "탕수육의 지존"이라고 불리는 '영발원'을 찾았습니다. 가는 날이 장날이라고 하필 내부 공사 중입니다. 대신에 중국 화교가 운영하는 쌍촌동 중국식당 '마천루'에서 짜장면을 먹으면서 느꼈던 사실은 역시 짜장면은 사람들을 배반하지 않는다는 사실이었습니다.

'짜장면'은 원래 치오장멘, 즉 초장면炒醬麵이라 하여 베이징 등 중국 북부지방에서 먹던 서민 음식이었다고 합니다. 지금 우리가 먹고 있는 우리나라식 짜장면의 기원은 1882년 임오군란 이후 청나라와의 상민수륙무역장정商民水陸貿易章程 조약 체결과 함께 중국 산둥반도 엔타이 주민들이 인천에 거주하면서부터 시작되었다고 하네요. 당시 엔타이 주민들이 그들 고유의 발효 된장을 우리 입맛에 맞게 변형시킨 것이 지금의 짜장면이라고 합니다. 중국 음식이 우리나라에 들어와서 원산지 중국 음식과는 다른 맛으로 변모한 대표적인 사례라 볼 수 있을 겁니다.

그러면 가장 먼저 우리나라식 짜장면을 만들어 팔았던 곳은 어딜까요? 1904년 인천 차이나타운에 있던 '공화춘共和春'이라는 중국집에서 처음으로 짜장면을 만들어 판매한 것이 우리나라식 짜장면의 시초라고 합니다. 물론 원조가 누구냐에 대해서는 이견은 있지만, 공화춘이 우리나라 최초의 중국 음식점일 것이라는 주장에는 대부분 동의하고 있는 것 같습니다. 그런데, 몇 년 전 인천 차이나타운 공화춘 주인과 최초 공화춘 창업자 조카 사이에 "짜장면 원조" 여부를 다투는 1,000원짜리 소송이 있었답니다. 결국은 지금의 공화춘 주인이 대법원에서 승소하였다고 하네요.

광주에서는 언제쯤 중국음식점(청요릿집)이나, 지금 우리가 먹는 짜장면을 파는 음식점이 생겼을까요? 광주 최초의 중국음식점에 관한 정확한 기록은 없다고 합니다만, 대체적인 의견은 1930년대 중국의 내란을 피해 광주로 이주해 왔던 산동성山東省 출신들이 광주 변두리에 가게를 임대하여 찐빵이나 만두, 그리고 짜장면과 우동 같은 음식을 팔기 시작하면서부터 중국 식당이 시작되었다고 합니다. 광주지역 화교華僑 사회 역시 광주에서의 중국음식점은 1930년대 후반쯤 생긴 것으로 추정하고 있습니다. 그간 광주에서 성업했던 유명 중국 식당의 면면을 보면, 일제강점기에는 광주의 대표적인 중국집으로는 화흥루(충장로 5가), 덕의루(금남로 4가), 송죽루(황금동), 아관원(광산동), 아서원(충장로 4가), 영빈루(금남로 3가) 등이 있었고, 해방 후에는 충장로 1가에 있던 왕자관과 황금동 파레스 호텔 자리에 있던 '여명반점'이 광주의 대표적인 중국 요릿집이었다고 합니다. 80년대 이후부터는 한식과 양식 레스토랑 등 다양한 음식점들이 생김에 따라 중국집들이 하나 둘 사라지기 시작했습니다. 결국은 왕자관 등 몇 군데 정통 중국 음식점만이 명맥을 유지하고 있었지요. 그런데 왕자관마저 경영상의 이유로 얼마 전 폐업하였고, 현재는 대중적 기호에 맞춘 신락원이나 영안반점 등이 남아 겨우 정통 중국 식당의 면모를 이어가고 있습니다. 지금은 정통 중화요리 방식을 고수하는 것보다는, 퓨전 스타일로 대중의 기호를 맞춰야 겨우 살아남을 수 있다고 하네요. 어쨌거나 퓨전이냐 정통이냐를 떠나 한국인 모두에게 짜장면이 주는 의미는 중독성 있는 맛과 함께 어릴 적 향수 같은 게 녹아 있다는 것입니다.

결론적으로 말하면, 짜장면은 언제나 맛있습니다!!

오일장에 가는 즐거움

누군가가 이렇게 물어본 적이 있습니다. "우리 지역 전통시장 중 어디가 가장 좋던가요?"

글쎄요? 어디가 제일 좋았을까요? 친구 영석이는 순천 아랫장이 최고라고 합니다만, 개인적으로는 송정 오일장이 제일 나은 것 같았고, 그다음으로 구례 오일장·영광 오일장·말바우 오일장 순서라 말할 수 있습니다. 상설시장의 경우에는 주로 송정시장이나 근처 양동시장을 다니는데, 일반 마트와는 가격이나 품질 차이가 그리 크게 나지 않는 것 같습니다. 무엇보다 물건을 파는 상인들 사이에서 훈정이 오고 가는 것이 없어서인지 그다지 재미는 있지 않답니다. 지금의 전통시장들 대부분이 고유의 차별성이나 특징이 없어 그들 사이의 우열을 정하기가 쉽지 않더군요.

'장날'의 사전적 의미를 살펴보면, '장날'은 많은 사람이 모여서 여러 가지 다양한 물건을 사고파는 곳이라는 뜻인 '장場'이 서는 날을 말합니다. 요즘 우리 주변에서 흔히 볼 수 있는 시장은, 일정한 장소에서 항상 물건을 사고팔 수 있는 상설시장이 대부분이지만 옛날에는 정기적으로 일정하게 장場이 섰답니다. 지역에 따라 장이 서는 날이 달라서 닷새에 한 번 서는 장은 '오일장'이라 하고, 사흘에 한 번 서는 장은 '삼일장'이라 불렸던 반면, 순천장이나 춘양장처럼 장소에 따라 명칭을 붙이기도 했습니다. 또한, 우시장이나 싸전, 어물전 등 시장에서 잘 유통되는 물건에 따라 오일장의 명칭을 다르게 부르기도 하였으며, 전남 화순 근처에서는 "중(승려)들이 거래하는 장터"라는 뜻에서 '중장터'라고 부르는 다소 특이한 명칭의 오일장도 있었는데, 이곳에서는 인근 쌍봉사나 운주사에서 필요한 사찰용품이나 승려들의 생활용품을 거래했다고 합니다. 원래 '장날'은 사람이 죽어서 초상初喪을 치르는 장삿날이란 의미였다고 합니다. 이 같은 속담이 전해지는 과정에서 '장날'이 "죽은 사람을 장사 지내는 날"이 아니라, "장이 서는 날"로 바뀌게 된 것이랍니다. 요즘 각 지방자치단체는 옛날의 '장場'처럼 상설시장이나 오일장을 활성화하기 위해 관광시장이니 문화시장이니 하면서 시장의 관광 자원화를 위해 노력을 하고 있습니다. 그러나 이러한 노력에도 불구하고 시장을 시장답게 만드는 데는 성공하지 못한 듯합니다.

오일장이나 상설시장은 본질적으로 상술商術이 인간적 유대감과 어우러져야 하는 것은 물론, 지역 주민들의 애환이 스며들어 있어야 하는 것으로, 외지 관광객만을 대상으로 하는 시장이 되어서는 안 된다는 의미이지 않겠습니까? 다시 말해 '시장市場'은 시장으로서의 고유 기능에 충실해야 합니다. 관광이든 문화든 이런 것들은 시장 활성화를 위한 유인책 중 하나로 머물러야지, 시장 기능의 중심이 되어서는 안 된다는 의미지요. 오늘 송정 오일장에 다녀오면서 문득 어릴 적 어머니 손을 잡고 고향 영산포 오일장을 다니던 기억이 떠올라서 우리 '시장'의 모습을 생각해 봤습니다. 언제나 그렇듯 오일장에서의 하루는 즐겁습니다!

추억의 전일빌딩

모처럼 멍때리기 좋은 장소를 발견했습니다. 광주 시내에 나가면 스타벅스 매장 외에는 인터넷 서핑하면서 오랜 시간 편안하게 있을 장소를 찾지 못했는데, 멀리 무등산을 바라보면서 인터넷 서핑하기도 좋고 피로한 안구 정화도 할 수 있는 커피숍 하나를 소개하려 합니다.

"전일빌딩 8층에 있는 카페 245"

분위기 좋습니다. 커피값 저렴하고 공간도 넓어 쾌적한 기분을 느낄 수 있게 해줍니다. 무엇보다 오래 앉아 노트북 작업을 해도 전혀 눈치가 보이지 않습니다. 지루해지면 2층 남도 관광센터나 5·18 기념전시관에 들러 VR을 체험하거나, 광주민주화운동 전시물을 구경할 수도 있답니다. 또한, 옥상인 '전일 마루'로 올라가 광주 시내 전경을 시원하게 바라보면서 안구 정화도 할 수 있지요. 다들 아시죠? '전일빌딩 245'는 70~80년대에 광주에서 학창 시절을 보냈던 사람들에게는 추억의 장소였다는 사실을 말이죠. 당시 전일빌딩 6층에는 광주에서 가장 장서 보유량이 가장 많았던 '전일도서관'(후에는 남봉도서관으로 개칭)이 있어, 학구열에 불타던 학생들로 늘

붐볐습니다. 지하에 있는 '전일다방'은 대학생들의 미팅과 청춘남녀들이 맞선을 보던 장소였으며, 광주의 언론인, 문화예술계 인사, 국회의원들의 사랑방 역할을 하던 곳이었답니다. 또한 이곳은 5·18 항쟁 당시 시민군의 저항 거점 중 한 곳이었습니다. 최근에는 9층과 10층에서 계엄군의 무자비한 헬기 사격의 증거인 총탄 자국 245개가 발견되어, 80년 당시 군부의 무자비한 진압 상황을 추정해 볼 수 있는 곳이기도 합니다. 그래서 8층 카페 이름도 '카페 245'라고 부른답니다. 이렇듯 전일빌딩이 광주 사람들에게 주는 의미는 아주 각별하지요.

전일빌딩은 1965년 무궁화 화가로도 유명한 건축가 조동희와 오무송이 설계한 지하 1층, 지상 10층의 콘크리트 구조물로, 광주의 랜드마크Landmark 역할을 하던 건물이었습니다. 처음에는 전남일보全南日報가 입주하였으나, 1980년 전두환 정권의 언론 통폐합 조치에 따라 광주일보光州日報로 통합된 이후에는 광주 언론의 중심지가 되었지요. 그래서 건물 1층 로비에는 광주일보를 창간했던 남봉南鳳 김남중金南中의 흉상이 전시되어 있습니다. 개인적으로는 비영리민간단체인 「광주 국제교류센터」에서 근무할 때 사무실이 전일빌딩 7층에 있어서 그곳과는 인연이 특별한데, 여름에는 후텁지근한 더위 속에서, 겨울에는 혹독한 추위에 떨던 기억이 새록새록 떠오릅니다. 그리고 전일빌딩 옆 민주 광장 너머에는 「국립아시아문화전당」이 있습니다. 이곳은 과거 전라남도 도청이 있던 곳이죠. 지금은 대단위 복합 문화시설로 거듭나서 연일 각종 공연과 문화 이벤트가 열리고 있습니다. 이곳 전일빌딩과 국립아시아문화전당은 광주 문화의 심장이라고 할 수 있는 곳이니 꼭 방문해서 광주가 가지고 있는 의향義鄕, 미향味鄕, 예향藝鄕의 진수를 맛보시길 바랍니다.

누정樓亭을
다시 갖게 된 광주!

드디어 광주에서도 남원 광한루廣寒樓나 진주 촉석루矗石樓 같은 아름다운 '누樓'를 볼 수 있게 되었습니다. 조선 시대에 건립되었다가 사라졌던 광주의 대표적인 누각 '희경루'가 전라도 정도定都 1,000년을 기념해서 157년 만에 중건(重建, Recreate)되었다고 합니다. 이번에 중건된 '희경루喜慶樓'는 1451년 광주가 무진군茂珍郡에서 광주목光州牧으로 복원되었음을 기념하기 위해 세워진 누각입니다. '희경喜慶', 즉 "함께 기뻐하고 서로 축하한다"라는 의미를 지닌 '희경루'는 조선 시대 학자 신숙주(1417~1475)가 "동방東方에서 제일가는 누樓"라 표현할 정도로 웅장한 누각이었으나, 우여곡절을 겪은 끝에 사라졌다고 하네요. 일제강점기 '광주읍성光州邑城'이 헐리고부터는 희경루의 흔적과 정확한 위치조차 알 수 없게 되었다고 합니다.

이에 광주시는 2018년 〈전라도 정도定都 1,000년 사업〉의 하나로, 광주 공원 기슭에 정면 5칸, 측면 4칸 팔작지붕의 중층 누각인 희경루를 다시 건립하기 시작하여 2023년 완공하였습니다. 희경루는 원래 광주 목사 관아가 있던 '충장우체국' 근처에 있었지만, 중건하는 데 있어 제반 여건

이나 접근성, 사업성 등을 고려해서 지금의 광주공원 근처에 재건축하게 되었던 것입니다. 이번 희경루 중건은 옛날 희경루에서 열렸던 연회 장면을 묘사한 보물 제1879호 '희경루 방회도喜慶樓 榜會圖'라는 족자簇子를 참고로 해서 문화재 전문가 자문을 거쳐 옛 모습을 최대한 살리려고 노력했다네요. 건축에 참고한 '희경루 방회도'는 1567년 광주 목사 최응룡崔應龍, 전라감사 강 섬姜暹 등이 20년 만에 희경루에서 만난 회포를 풀었던 것을 기념해 당시 모습을 화폭에 담은 그림이라고 합니다.

새롭게 만들어진 희경루에서는 광주의 얼굴인 무등산은 물론 번화가인 충장로와 금남로, 그리고 광주천의 모습도 한눈에 굽어볼 수 있습니다. 앞으로 희경루가 광주시의 바램처럼 광한루나 촉석루처럼 전국적으로 유명해질지는 모르겠습니다. 그렇게 되기 위해서는 광한루가 춘향과 이몽룡의 사랑 이야기를 담고 있듯이, 그리고 촉석루가 논개의 절개라는 가슴 아픈 이야기가 있듯이, 희경루에도 재미있고 인상적인 스토리를 하나 입히는 작업이 필요할 것 같다는 생각을 해봅니다. 더불어 재즈든 국악이든, 장르를 초월하는 문화 공연이 이곳 희경루에서 상시 열렸으면 좋겠습니다. 그동안 광주에 있는 공연 시설 대부분이 접근성이 좋지 않아 불편했는데, 비교적 좋은 입지에 멋있는 희경루가 생겨나서 기대가 많이 됩니다.

이정표와 도로원표

친구 경재와 점심을 먹고 집으로 돌아가는 길에 충장로 5가 귀퉁이에서 '도로원표'라는 표지석 하나를 만났습니다. '도로원표'라는 게 일반 사람들에게는 상당히 생소할 겁니다. '도로원표'가 있는 충장로 5가 일대는 1960년에서 1970년대까지만 해도 광주여객, 금성여객, 동방여객, 호남여객, 함평여객 정류소가 있었던 장소랍니다. 오래전부터 전라도 교통과 상권의 중심지 역할을 했던 곳이었죠.

보통 '도로원표道路元標'에는 '진표眞標'와 '이표異標' 두 종류가 있다고 합니다. 오늘 충장로 5가에서 보았던 '도로원표'는 실제 거리 기준점인 '진표'라 하고, 광주광역시청 부근 평화공원에 있는 '도로원표'는 실제의 '도로원표'를 기념하기 위한 '이표'라고 합니다.

과거 내비게이션이 없던 시절에 운전자들 대부분은 도로 안내 표지판만을 보고서 목적지를 찾곤 했지요. 그런데 도로 안내 표지판에 표기된 거리가 실제 어디에서부터 어디까지의 거리인지 궁금했을 겁니다. "광주 50㎞"라고 표기돼 있으면, "여기부터 광주까지 50㎞ 남았구나"라고 생각하고 마는 것이지요. 그런데 광주도 상당히 넓은 지역인데 광주 어디까지를 기준으로 50㎞가 남았다고 하는지 궁금하지 않으셨는지요? 그리고 국도에서 흔히들 볼 수 있는 도로 안내 표지판에는 도로 번호를 나타내는 숫자가 있답니다. 이 도로 번호는 남↔북 방향 도로는 홀수, 동↔서 방향 도로는 짝수로 표기됩니다. 예를 들어, 목포시에서 서울까지 연결된 '일반국도 1번'은 남↔북 방향의 국도이고, 전남 목포에서 부산까지를 연결하는 '일반국도 2번'은 동↔서 방향의 도로라는 뜻입니다. 동↔서 방향의 도로는 서쪽이 시점始點 또는 기점起點이 되고, 동쪽이 종점이 됩니다. 남↔북 방향의 도로는 남쪽이 시점이고, 북쪽이 종점이 됩니다. 통일을 대비해 남쪽을 시작점으로 만든 것이지요. 시점과 종점은 일반국도나 지방도로의 경우, '도로원표'를 기준으로 남는 거리를 표기하고, 고속도로의 경우는 '나들목(IC)'을 기준으로 표기합니다. 그리고 유명한 관광지는 주차장이나 명소, 고속버스나 열차는 출발·도착하는 터미널이나 역驛이 기준이 된다고 합니다. 이런 기준은 도로법에 따른 것으로, 각 광역시 등 주요 지자체는 1개의 '도로원표'를 반드시 설치해야 한다는 것이 법률로 정해져 있답니다. '도로원표' 같은 것도 지역 문화자원의 일부라 생각하기에 모두가 관리에 신경을 써야 할 듯합니다. 기회가 되면 '도로원표'가 어떻게 생겼는지 한 번쯤 보는 것도 의미가 있을 것 같습니다.

지원이와 함께 오른 무등산

부산釜山에 사는 조카 손자 지원이가 봄방학을 이용해 2박 3일 일정으로 광주光州에 왔습니다. 이 녀석은 시골 친척 집에 놀러 가는 친구들이 부럽다고 줄곧 이야기했던 모양입니다. 그래서 처형께서는 시골은 아니지만, 부산보다는 조금은 더 시골스러운 광주로 데리고 왔다고 합니다. 그런데 초등학교 5학년에 불과한 지원이의 광주 일정이 대견스럽습니다. 광주에 오게 되면 무등산無等山을 등반해서 산 위에 쌓인 눈 구경을 하고 싶다는 포부를 밝혔다고 하네요. 지원이는 초등학생답지 않게 등산을 좋아해서 부산 근처 많은 산山을 등산했다고 하는데, 등산을 싫어하는 엄마와 아빠가 그동안 상당히 골치 아팠다고 합니다. 그런데 딜레마 하나가 있었습니다. 광주에서는 지원이와 함께 무등산을 등반해 줄 사람이 없어 어쩔 수 없이 무등산을 올라야 할 상황이었죠. 10여 년 전 산티아고 순례길을 걷기 전에 체력 단련을 위해 몇 차례 증심사·중머리재·장불재·중봉을 거쳐서 군사 도로를 따라 원효사로 내려는 와봤지만, 지금 체력이 그때와 같지 않아 부담스러운 게 사실이었습니다. 그래서 적당히 해발 610m에 있는 중머리재까지만 갔다가 내려올 요량으로, 슬며시 거기까지만 가자고 하니 이 녀석이 정색하고 산 정상까지 올라가고 싶다고 합니다. 당황스러웠습니다. 뭔가 일이 잘못되고 있다는 생각이 들었습니다. 어쩌면 등산 도중 쓰러질 수도 있다는 걱정도 들었지만 어쩔 수 없이 가야만 했습니다.

광주 도착 다음 날 일찍, 아침을 먹자마자 무등산 등반의 출발점인 증심사 주차장에서 등반을 시작했습니다. 이번 무등산 등산을 지원이에게 인상적인 추억으로 만들어 주고 싶어 미리 인터넷을 찾아보니, 전국 22개 국립공원에서는 국립공원 방문자에게 '스탬프 투어Stamp tour 여권'을 발급해 준다고 합니다. 그래서 무등산 입구에 있는 국립공원 관리사무소에서 스탬프 투어 여권을 신청하니, 지금은 남아 있는 게 없다면서 찾아보고 연락을 주겠다고 합니다. 대신에 무등산 기념 뺏지를 하나 주더군요.

오늘 지원이와 올랐던 '무등산'은 광주광역시와 담양군, 화순군에 걸쳐 있는 산으로, 동서남북 어디에서 바라보아도 산줄기와 골짜기가 뚜렷하지 않은 둥근 모습이 특징이랍니다. 산 정상은 천왕봉天王峯, 지왕봉地王峯, 인왕봉人王峯 등 3개의 바위 봉우리로 이뤄져 있고, 정상을 중심으로 여러 곳에 입석대·서석대 같은 이름난 기암괴석과 증심사·원효사·규봉암 등의 사찰이 있는 국립공원입니다. 전라도 사람들에게는 정신적 영감이 깃들어 있는 산이라고 할 수 있지요.

무등산 등산을 본격적으로 시작하기 전, 무등산이 품고 있는 광주의 대표적인 사찰인 '증심사'에 들러 대웅전을 비롯하여 절 경내를 간단히 구경하고 곧바로 산에 올랐습니다. "걸인들의 아버지"라는 최흥종 목사님과 관련이 있는 '오방교회五放敎會 수련원'을 지나 20여 분을 올라가니 수령이 500년이 되었다는 '당산나무 쉼터'에 도착하더군요. 마침 등산회 회원들이 돼지머리를 놓고 한해 안전 등반을 위한 시산제始山祭를 지내고 있었습니다. 여기에서 잠시 휴식을 한 후 이어지는 중머리재의 급한 경사로를 올라갔습니다. 매번 무등산을 오를 때 느끼는 것이지만, 중머리재까지 올라가는 1시간 30분 남짓한 시간이 가장 힘들었습니다. 평소 등산을 즐겨 하지 않아서인지 한 걸음 한 걸음 내딛는 게 고통의 연속이었습니다. 그런데 지원이는 보무步武도 당당하게 올라갑니다. 헐떡거리며 가쁜 숨을 몰아쉬고 중머리재에 오르니 이미 많은 등산객으로 장사진을 이루고 있었고, 등산객들은 삼삼오오 모여 앉아 가져온 도시락으로 점심을 먹고 있더군요. 우리도 중머리재에서 잠시 쉬면서 멀리 무등산 정상을 배경으로 기념사진 몇 장을 찍은 후 곧바로 장불재로 향했습니다. 중머리재에서 장불재 코스는 남아 있는 잔설로 등산길이 진창으로 변해 있어 걷기가 쉽지는 않았습니다. 그러나 경사도는 중머리재까지 오는 길보다 완만해서 크게 부담스럽지는 않았답니다.

장불재 대피소 도착 시간은 점심시간이 훨씬 지난 오후 1시 30분이었습니다. 허기진 배를 채우기 위해 대피소 안으로 들어가니 등산객들로 북적거립니다. 대피소 한쪽 의자에 앉아 김밥 한 줄과 빵 한 개로 점심을 먹었습니다. 20여 분간의 맛있는 점심시간과 약간의 휴식을 가진 후 입석대를 향해 출발했습니다. 며칠 전 무등산을 자주 오르는 지인 몇 사람에게 무등산 코스 상태를 물어봤는데, 지난달 내렸던 눈이 대부분 녹아 등산하는 데는 특별히 지장이 없을 거라는 말을 들었습니다. 그래서 아이젠을 준비하지 않았는데 그게 큰 실책이었다는 것을 입석대 코스 초입부터 알게 되었답니다. 올라가는 길은 눈이 전혀 녹질 않아 무척 미끄러웠습니다. 그래도 등산화를 신은 필자는 그런대로 괜찮았지만, 운동화를 신은 지원이는 위험스럽게 보였습니다. 입석대立石臺에 올라 바라본 화순 쪽 산들이 너무 멋있습니다. 연무 속에서 보이는 산 능선들의 희미한 모습이 몽환적이라는 느낌마저 들게 하더군요. 멀리 산그리메의 모습 또한 장관이었습니다. 길이 미끄러워 서석대까지 올라가는 것이 조금 무리였지만, 지원이에게 추억 하나쯤은 남겨 주고 싶어 마지막 10여 분을 더 올라가기로 했습니다.

1,100m! 무등산 서석대瑞石臺의 해발고도입니다. 현재 등산객이 오를 수 있는 가장 높은 곳이지요. 1,187m 정상 일대에는 군부대가 주둔해서 민간인 출입이 불가능합니다. 이것 또한 2023년 9월쯤에는 개방한다고 하니 그때 이후에 무등산에 오다면 정상에 오를 수 있을 겁니다. 서석대와 입석대의 주상절리柱狀節理는 보는 이의 감탄을 자아냅니다. 무등산의 주상절리대는 중생대 백악기에 3번의 화산 폭발로 만들어졌다고 합니다. 주상절리대의 암석도 신기했지만, 그곳에서 내려다보이는 광주 시가지 모습이 멋있습니다. 비록 안개 속이어서 도시 윤곽은 뚜렷하지 않았지만, 우리 집이 산 아래 어딘가에 있다는 게 신기했습니다. 정상에서 부는 바람은 매서웠습니다. 추울 뿐만 아니라 시간도 많이 지체되어 빨리 내려가야 했습니다. 서석대에서의 하산 루트를 지름길인 원효사 쪽으로 잡은 것이 실책 아닌 실책이 되어버렸네요. 이쪽 하산 길은 눈이 전혀 녹질 않았고, 표면이 얼어 있어 한 걸음 한 걸음이 긴장의 연속이었습니다. 아이젠을 착용하지 않고 급한 경사를 내려가는 게 자칫 큰 사고로 이어질 수가 있었습니다. 그렇다고 이미 상당 거리를 내려와서 다시 올라가 다른 길로 갈 수도 없었지요. 운동화를 신은 지원이는 거의 벌벌 떨면서 게걸음으로 미끄러

지다시피 하면서 내려갔답니다. 정말 걱정되었습니다. 등산객 한 분이 미끄러지고 넘어지면서 내려가는 지원이의 모습이 불안하게 보였는지 신고 있던 아이젠 한쪽을 내어 줍니다. 정말 고마웠습니다.

엉금엉금 급경사를 30분 정도 내려와 중봉과 원효사 군사 도로로 내려가는 갈림길에 도착하니 비로소 살 것 같았습니다. 여기에서 아이젠을 빌려준 분께 감사 인사를 하고, 평탄한 6.8km의 군사 도로를 따라 원효사 지구를 향해 걸었습니다. 때마침 국립공원 스탬프 투어 여권을 구해 주기로 한 직원으로부터 전화가 와서 내일 여권을 받으러 오라고 합니다. 지원이가 무척 기뻐해서 기분이 좋았습니다. 아마 지원이는 친구들에게 스탬프 투어 여권을 보여 주면서 오늘의 힘든 등산 여정을 자랑할 것 같습니다. 1시간 30여 분 가량 무등산 비포장도로를 걸으면서 아직 녹지 않는 눈을 뭉쳐 눈사람도 만들고, 고드름이 매달려 있는 작은 폭포를 배경으로 사진도 찍고, 지원이와 이런저런 얘기를 하면서 내려왔습니다. 오늘 하루 정말 힘든 등산 여정이었지만, 지원이와의 시간이 오랫동안 기억에 남을 듯합니다. 물론 지원이에게도 좋은 추억이 되었으면 좋겠습니다.

시민들의 친구,
도심 사찰 무각사

학창 시절 봄 소풍으로 기억됩니다. 지금은 광주 제일의 번화가인 상무지구로 변해 버렸지만, 육군 상무대 군軍 법당이던 '무각사無覺寺'로 소풍을 온 적이 있었죠. 그때는 군부대 내에 무슨 사찰이냐? 하는 궁금증도 들었지만, 심산유곡에 있는 여느 사찰과 별반 다르지 않은 평범한 사찰이었던 것으로 기억됩니다.

'무각사'는 광주 서구 팔경八景의 하나인 여의산如意山에 자리 잡고 있습니다. 1990년대 상무대가 이전하고 행정·문화·상업 기능이 신도시인 상무지구로 옮겨오면서부터 광주불교의 중심지가 되었답니다. "일이 뜻하는 대로 이루어진다."라는 뜻을 지닌 '여의산'에는 원래 '극락암極樂庵'이라는 작은 암자가 자리하고 있었습니다. 그런데 1951년 1월 육군 보병·통신·포병학교가 상무대尙武臺에 들어서면서부터 군인들의 훈련 공간 안으로 들어가게 되었습니다. 그러다가 1971년 당시 송광사松廣寺의 방장方丈이던 구산九山 큰스님이 상무대 장병들에 대한 포교를 목적으로 극락암 자리에 오늘날의 '무각사'를 만들게 되었던 것입니다. 1994년 상무 도심개발과 함께 상무대가 전남 장성으로 옮겨가면서 무각사를 포함한 여의산 일대 10

만여 평이 5·18 기념공원으로 편입되었고, 무각사는 비로소 민간 사찰이 되었던 것입니다. 이후 광주시민의 쉼터 역할과 함께, 광주에 사는 불교도의 수행 도량 역할을 하게 되었답니다.

무각사에 대한 숨겨진 이야기 중에는 비구니 스님이었던 박정희 대통령의 본처本妻가 신분 안전이 보장되는 이곳 무각사에서 승려로 기거한 적이 있었다는 이야기가 있는 반면, 어떤 이는 이분이 상무대로 거처를 옮기지 않고 계속 충남 수덕사 비구니로 있다가 사망했다고 주장한다네요. 어떤 사실이 맞는지는 잘 모르겠습니다. 어쨌든 무각사는 도심 사찰로서는 보기 드물게 일주문, 사천왕문, 대웅전, 종각 등 전통 사찰의 형태를 고스란히 갖추고 있는 도심 속 대가람大伽藍입니다. 일주문에서 사천왕, 대웅전으로 이어지는 사찰 형태는 도심 한복판에 자리 잡고 있으면서도 깊은 산사에 들어선 듯 경건함마저 느끼게 합니다. 그리고 무각사 주변으로는 5·18 기념공원을 일주하는 2km에 이르는 산책로가 있어 인근 주민들의 운동 장소로 이용되고 있습니다.

오늘 찾은 무각사는 낮 시간대여서 그런지 인적도 없고 무척이나 한가했습니다. 아직 대웅전大雄殿 법당 건축이 마무리되지 않아 경내는 약간 어수선했지만, 사찰 특유의 고즈넉함은 그대로였습니다. 외지에서 손님이 오면 자주 모시고 가던 사랑채 식당도 여전히 영업 중인 것 같았습니다. 로터스 북 카페에서 커피라도 한잔 마시고 싶었지만, 친구와의 약속 때문에 그렇게 하질 못했답니다. 오늘 모처럼 도심 속의 공원, 무각사 경내를 걸으면서 작은 행복감을 맛보았습니다.

재미있는 발산 뽕뽕 다리

광주광역시 양동良洞 발산마을과 건너편 전남방직을 연결하는 '발산 뽕뽕 다리'가 48년 만에 다시 만들어졌다는 소식을 듣고 오늘 이곳을 찾았습니다. 우리 어린 시절에는 광주천을 중심으로, 이곳에 있던 뽕뽕 다리 이 외에 학동의 '배고픈 다리', '배부른 다리' 등 재미있는 이름을 가지고 있던 다리들이 몇 개 있었지요.

오늘 찾은 '발산 뽕뽕 다리'는 방직 산업이 호황을 이루던 시절 전남방직과 일신방직에 근무하던 여성 근로자들이 살았던 양동 발산마을과 그들이 근무했던 공장을 이어주던 길이 65m, 폭 5m의 철제다리를 말합니다. "뽕뽕"이라는 단어는 공사장 안전 발판으로 쓰이는 구멍 뚫린 철판을 다리 상판으로 활용해서 다리 이름이 그렇게 지어졌다고 합니다. 이렇듯 구멍이 나 있는 철판으로 만든 뽕뽕 다리는 비단 발산마을 쪽에만 있었던 것이 아니라, 동구 학동鶴洞과 남구 방림동芳林洞을 이어주는 곳에도 있었다고 합니다. 아마도 교량 설치를 하는 데 있어 다른 자재에 비해 저렴해서 1960년대에 이곳저곳에 구멍 뚫린 철판을 이용해서 다리를 지었던 것으로 보입니다. 원래 '발산 뽕뽕 다리'는 임시로 사용할 목적으로 가설하여 사용한

다리입니다. 그런데 1975년 홍수 때 광주천이 범람하면서 유실되었다고 하네요. 유실된 이후에는 바로 위쪽 발산교鉢山橋나 아래쪽 광천교光川橋를 통해 광주천 북쪽과 남쪽 사람들이 왕래했다고 합니다. 한동안 사람들의 뇌리에서 '발산마을 뽕뽕 다리'라는 존재는 사라졌으나, 2021년 도시 재생사업의 일환으로 사라진 뽕뽕 다리 재건설이 시작되어, 이번에 현대적 디자인을 가미해서 새로운 모습으로 태어나게 된 것이죠.

'발산마을'은 "하늘이 가까워 달이 가장 밝게 비친다."라는 뜻을 가진 마을입니다. 1960~1970년대 광주천 건너편 방직공장에 근무하던 여성 노동자들이 많이 살았던 곳이었죠. 이들 대부분은 전남 각지에서 올라온 어린 소녀들이었습니다. 이들은 광주천에 놓인 '뽕뽕 다리'를 통해 방직공장으로 건너가 온종일 고된 노동을 하며 자신을 희생해 고향의 부모 형제를 봉양했습니다. 당시 발산마을에는 한집당 약 4~5명이 모여 사는 것이 기본이었으며, 심지어 20명 가까이 살던 집도 있었다고 합니다. 그러나 방직 산업이 쇠퇴한 이후 발산마을도 활력을 잃고 말았죠. 점차 빈집이 늘어나면서 광주의 대표적인 달동네로 전락해 있다가, 2015년 "창조 문화 마을사업"이라는 지역 재생 사업이 시작되면서부터 빈집과 폐가를 활용한 예술촌 마을로의 변모를 시도하고 있답니다.

이번 '발산 뽕뽕 다리' 재건설은 광주에 새로운 랜드마크Landmark가 하나 생긴다는 의미 외에도 산업 일꾼으로 일했던 70년대 여성 공장 근로자의 애환이 서린 곳을 역사적으로 보존한다는 의미도 더해질 것으로 보입니다. 그러나 새로 들어서는 다리를 옛날 '발산 뽕뽕 다리'와 비교해 보면, 뽕뽕 뚫린 몇 개의 철판 외에는 비슷한 점이 별로 없는 것 같아서 마음은 개운치가 않았습니다.

제3장

가까운 이웃 전라북도

가을날 만나는
문수사와 선운사

남도南道의 가뭄이 심해 걱정입니다. 고창을 향해 가는 고속도로 주변 숲이 메말라서 단풍이 너무도 볼품없습니다. 고창 선운사禪雲寺 단풍 역시 호남의 대표적 단풍임에도 단풍이 들다 만 채로 파리한 이파리만 남아 실망이 이루 말할 수 없습니다. 원래 선운산도립공원은 사계四季가 다 아름답다고 알려진 곳이죠. 봄에는 신록, 여름에는 울창한 녹음, 가을에는 꽃무릇과 단풍, 그리고 겨울 설경까지, 어느 하나를 빼놓고 선운산을 이야기할 수는 없을 것 같습니다. 그러나 올해 가을은 예전과 비교해서 행색이 초라합니다.

선운사禪雲寺에서 도솔암兜率庵 사이에는 오붓하고 운치 가득한 숲길이 하나 있습니다. 그 길은 오래도록 천천히 걷고픈 길이면서도 이야기가 가득찬 길로, 왕복 2시간 정도면 다녀 올수 있는 짧은 산책로 같은 길입니다. 길 역시 흙길이고 평탄해서 남녀노소 누구나 편하게 다녀올 수 있지요. 선운사를 출발해 2km 채 안 되는 지점에는 신라 진흥왕眞興王이 수도修道했다고 전해지는 '진흥굴'이 있습니다. 삼국통일 전에 신라왕이 백제의 서쪽 끝까지 와서 수도 생활을 했다는 게 그리 쉬운 일은 아니었을 것 같습니다. 진흥굴 바로 앞에는 20m가 훌쩍 넘는 위풍당당한 소나무 한 그루가 서 있습니다. 천연기념물 제354호로 지정된 선운사 도솔암 '장사송長沙松'입니다. 선운사 입구의 송악, 선운사 뒤편 동백나무 숲과 함께 선운사를 대표하는 천연기념물 3종 세트라고도 한답니다. 그나마 도솔암 마애불 앞쪽 단풍은 자그마한 탄성을 발할 정도는 되었습니다. 그리고 마애불 위쪽 내원궁內院宮에서 바라보는 아름다운 선운산의 모습 또한 그럭저럭 체면치레는 해주더군요. 제대로 단풍이 들었더라면 선운사의 가을은 정말 멋지고 아름다운데 말이죠.

무엇보다 아쉬웠던 것은 내장산 단풍나무숲보다 청량산 문수사文殊寺에 대한 실망이었습니다. 내장사나 선운사보다 한적하면서도 오래된 수령의 단풍나무가 즐비하여 전라북도에서 가장 아름다운 단풍 명소로 알려진 곳이 바로 '문수사'라고 할 수 있지요. 그런데 여기마저도 가뭄이 심해 단풍이 이쁘지가 않습니다. 그나마 사찰 초입부터 약 1km 정도 이어지는 단풍나무 숲길이 그럭저럭 볼만했습니다. 단풍이 제대로 물들면 내장사 못지않은 아름다운 단풍 명소가 될 것 같습니다. 비록 기대한 것만큼의 가을 단풍은 아니었지만, 선운사에서 도솔암까지의 고즈넉한 오솔길은 번잡한 일상에서 힘들게 살아온 우리에게 평온한 마음을 주기에 충분했답니다.

보석 같은 변산반도 내변산

전라북도 여행을 떠나기 전 친구 한 녀석이 변산 쪽을 가면 내변산內邊山을 꼭 가보라고 하더군요. 올해는 심한 가뭄으로 내변산의 단풍 역시 별반 다르지 않을 거라고 지레 생각하고 특별히 기대는 하지 않았습니다만, 올해 여행지 중에서 가장 멋있는 곳이었답니다. '변산반도 국립공원'은 서해의 고군산 군도와 위도蝟島, 그리고 장장 99km에 이르는 해안선과 북쪽으로는 새만금, 남쪽 곰소만 등 변산반도 일대를 포함하는 천혜의 지역을 말합니다. 일반적으로 국립공원 안쪽 산악지대를 내변산, 그 바깥쪽 바다 주변을 외변산外邊山으로 구분하지요. 내변산의 중심은 변산반도 최고봉인 의상봉(509m)을 비롯하여, 남서쪽의 쌍선봉과 낙조대·월명암·봉래구곡·직소폭포 일대랍니다.

리조트에서 아침을 먹은 후 내변산 탐방지원센터 주차장에 차를 주차하고 직소폭포로 올라갔습니다. 보통 내변산을 등반하는 사람들은 반대편 내소사來蘇寺에서 출발해서 직소폭포 쪽으로 올라가는 게 일반적이지만, 오늘 산행은 구간 거리가 짧은 쪽인 이곳 탐방지원센터에서 시작했습니다. 비교적 이른 시간이어서 그런지 사람들이 별로 보이지 않습니다. 별다른 생각없이 탐방로 입구를 지나 주변을 둘러보고 깜짝 놀랐습니다. 탐방로 좌우로 늘어선 바위산이 마치 무슨 동양화 속의 한 장면을 연상케 하더군요. "아! 정말 멋있다"라는 탄성이 절로 나왔습니다. 활엽수가 빽빽이 늘어선 숲길을 걷는 기분이 무척 상쾌했습니다. 비록 단풍은 화려하진 않았지만, 선운사나 문수사 단풍에 비해 단풍 색깔이 조금 나은 것 같아서 올해 단풍 구경의 체면은 조금이나마 세운 것 같습니다.

이런 고즈넉하고 조용한 숲길을 걸어 본 게 얼마 만인지 모르겠습니다. 연신 "멋있다!"라는 감탄사를 연발합니다. 평탄한 숲길을 한참 걸어가다 확 트인 개활지에 자리하고 있는 실상사實相寺라는 사찰을 만났습니다. 이 사찰은 6·25 전쟁 당시 소실되어 한동안 방치되었다가 복원 중이더군요. 그런데 불현듯 이런 생각이 들더군요. 실상사란 이름을 가지고 있는 사찰들은 왜 평지에 주로 있는 것일까? 지리산에 있는 실상사도 사찰과는 다르게 평지에 있는데, 이곳에 있는 '실상사'도 역시 평지에 있습니다. 이곳 실상사는 통일 신라 시대 초의선사草衣禪師가 창건한 사찰로써, 한때는 부안 지역 모든 사찰을 총괄하던 규모가 꽤 큰 절이었답니다. 한국 전쟁 때 모든 전각이 불에 타 없어지고, 지금은 절터만 겨우 남게 되었다고 합니다. 등산로 초입에 있는 실상사를 지나면 선녀仙女가 목욕했다는 '선녀탕'과 '직소보'라는 저수지를 만나게 됩니다. 그런데 직소보 저수지 전망대에 올라 주변을 조망하였지만, 산중 저수지 물이 오랜 가뭄으로 현저히 줄어들어 볼품이 없습니다. 여기서 약간의 오르막길을 오르면 '직소폭포'가 나옵니다. 평소에는 높이 30m에서 떨어지는 물줄기가 장관인 것으로 알려져 있는데, 지금은 가뭄으로 물이 한 방울도 떨어지지 않았습니다. 가뭄이 심각한 것 같네요. 그러나 폭포 주변 풍광은 정말 멋졌습니다. 제대로 폭포에서 물이 떨어진다면 주변 풍광과 어울려 한 폭의 동양화일 듯합니다. 내변산을 등반하면서 들었던 생각은 "지리산이나 설악산만이 가장 좋은 산이다."라는 편견을 버려야만 할 것 같았습니다. 우리 가까이에도 정말 멋있고 아름다운 산들이 많은데, 이에 대한 정보가 부족해서 이런 편견을 갖게 되는 것은 아닐까요? 이번 내변산 산행은 '직소폭포'까지 가는 4km 정도로 했지만, 다음에는 직소폭포에서 '재백이재'를 지나서 '내소사'로 이어지는 코스로 가볼까 합니다. 어쨌든 내변산은 그간 모르고 있었던 "최고의 아름다운 산" 중 하나였습니다.

숙소로 돌아오기 전에 곰소에 있는 '슬지 제빵소'에 들러 크림 찐빵 몇 개를 샀습니다. 이곳 슬지 제빵소는 서울 강남에 있어도 손색이 없을 정도로 현대적이고 세련된 빵집이었습니다. 실내 장식도 독특하면서 멋있었고, 제빵소에 딸린 카페 역시 분위기가 좋더군요. 빵 맛 또한 좋은 재료를 사용하는지 부드럽고 달콤했습니다. 그리고 이곳 2층에서 바라보는 '곰소염전' 전경도 인상적이었습니다. 곰소염전은 옛날 곰 한 쌍이 수영하면서 놀았다는 연못沼에서 따 온 이름이라고 합니다. 서해안의 해넘이 장소로도 유명한 곳이죠. 곰소항 일대 부안 갯벌은 람사르 습지 보호구역으로 지정되어 관리되고 있고, 이곳 염전에서 생산되는 소금은 주변에 오염원이 없어 깨끗하기로 정평이 나 있답니다. 전북 여행 2일째는 격포 해수욕장에서 바라보는 일몰과 채석강을 둘러보는 것으로 하루를 마무리했습니다. 이번 여행에서 비록 직소폭포의 힘찬 물줄기는 보지 못했지만, 내변산 직소폭포까지의 산행이 무척 좋았습니다.

부안 개암사와 능가산 산행

군산群山으로 갈까? 아니면 부안 근처를 돌아다닐까? 고민하다 군산은 여러 차례 구경했고, 군산으로 간다면 이성당 빵집에서 빵이나 사는 정도일 것 같아서, 부안 능가산楞伽山 자락에 있는 '개암사'를 돌아보기로 했습니다. 개암사는 부안 읍내에서 차량으로 20분 정도 가면 나오는 작은 사찰입니다. 그런데, 부안읍에서 개암사開巖寺로 들어가는 길이 아름드리 벚꽃 나무 터널이네요. 대략 3km 정도 되는 길에 벚꽃 나무가 촘촘히 들어서 있습니다. 벚꽃이 필 시기에 오면 그야말로 벚꽃으로 장관을 이룰 것 같습니다. 이곳처럼 벚꽃 나무가 도로를 따라 길고 빽빽하게 들어차 있는 곳을 좀처럼 보기 힘들 듯합니다. 개암사는 부안 능가산 밑에 자리 잡고 있습니다. 사찰 일주문一柱門을 지나자마자 연이어 전

나무 숲이 이어집니다. 비록 내소사나 오대산 전나무 숲보다 규모는 작았지만, 나름 아늑하고도 호젓한 길이었습니다. 사찰의 규모 또한 그다지 크지는 않았으나, 대웅보전大雄寶殿 뒤편으로 올려다보이는 능가산의 위용이 정말 멋지더군요.

개암사는 우금바위, 대웅보전의 귀공포(처마 모서리), 매화나무, 벚꽃 등 4개의 명물名物로 유명합니다. 절집을 병풍처럼 감싸고 있는 능가산 정상의 우금바위를 포함해서, 금방이라도 날아오를 것 같은 용龍들과 함께 연꽃 위에서 아름다운 자태를 뽐내고 있는 봉황鳳凰이 그려진 대웅보전의 천장, 그리고 수령 400여 년 되는 매화나무 '개암매開巖梅'와 마을 초입부터 개암사 일주문까지 흐드러지게 피는 벚꽃 나무 군락은 이곳 개암사의 자랑거리라 할 수 있답니다. 개암사 사찰 오른쪽 길로 돌아가면 능가산의 대표 명소인 '우금산성'으로 올라가는 입구가 나옵니다. 등산로 초입에서 우금산성 아래 '우금굴禹金窟'까지는 경사가 상당히 급하지만, 나무가 우거진 아늑한 오솔길입니다. 울창한 활엽수가 빽빽이 들어 차 있는 등산로를 따라 30여 분을 힘들게 올라가면 우금굴 입구에 도착합니다. 재잘거리는 산새들이 가을 산행의 멋과 즐거움을 더해 줍니다. 우금굴은 문무왕 때 원효대사와 의상대사가 능가산 우금바위 아래 우금굴에 머물면서 암자를 지어, '원효방元曉房'이라 칭했다는 전설이 있는 곳이죠. 물론 여기에는 삼한시대 변한의 문왕(文王, ?~794)이 도성을 쌓았다는 이야기가 있는 곳이기도 합니다. 그저 평범하다고만 생각했던 개암사와 우금굴을 막상 와보니, 우리나라 곳곳이 아름답지 않은 곳이 없다는 생각이 들었습니다. 따뜻한 봄날에 이곳을 찾는다면, 연초록 색깔로 물들어 있는 능가산의 아름다움은 물론, 사찰 진입로를 따라 수백 미터에 걸쳐 피어 있는 벚꽃길의 아름다운 모습을 볼 수 있을 겁니다.

개암사 구경을 마치고 부안 읍내 '부안상설시장'에 들러서 신선하고 맛있는 초밥으로 점심을 먹었습니다. 시장의 규모가 대도시에나 있을 법하게 상당히 큽니다. 이곳에서 자랑하는 수산물 코너는 서해안의 특산물인 젓갈류와 갓 잡은 듯한 생선을 많이 판매하더군요. 그리고 부안扶安은 우리나라 순수문학의 대표 시인 신석정(辛夕汀, 1907~1974) 선생의 생가가 있는 곳이랍니다. 그를 추모하는 문학관과 생가 고택이 있어 잠깐 둘러본 후 숙소 근처에 있는 '휘목미술관'를 구경했습니다. 전라북도에서 도립미술관 다음으로 큰 부안 휘목미술관은 펜션·카페·조각공원·누드화갤러리 등이 함께 있습니다. 미술관 앞쪽으로는 서해의 드넓은 갯벌이 펼쳐져 있고, 뒤로는 뛰어난 경관을 자랑하는 내변산이 있습니다. 한동안 카페에서 쉬다가 내일 전주 일정 때문에 일찍 숙소로 돌아왔습니다. 저녁은 격포항格浦港 근처 화덕 생선구이 맛집인 '마 식당'에서 생선구이를 먹으려 합니다.

전라도의 자랑,
전주 한옥마을

'전주 한옥마을'은 관광지로서 지속, 가능할 것인가?

빅데이터 전문가 송길영 씨는 우리나라에서 현재 유명한 관광 도시 중 호수나 하천, 바다가 없는 유일한 곳이 '전주'라고 하더군요. 그러한 견해는 '물'을 가까이하지 않는 곳이 관광지로서 유명해지기가 어렵다는 이야기와 별반 다르지 않다는 말이지요. '물'이 가까이 있지 않음에도 전주는 그들만이 가지고 있는 '한옥' 콘텐츠를 무기로, 사람들의 레트로 감성을 자극하여 우리나라 최고의 관광지가 되었다는 것은 정말 대단하다고 생각합니다. 그러나 역사적 유적이나 유물, 그리고 자연 관광자원이 별로 없는 전주全州가 지금의 콘텐츠를 가지고 계속해서 지속 가능한 관광지로 남을 수 있을지는 잘 모르겠습니다.

전주는 역사적으로 후백제後百濟의 도읍지였으며, 조선왕조의 정신적

본향本鄕으로 한식과 한복, 한지 등 우리 문화의 전통이 여전히 살아 있는 고장이라 할 수 있습니다. 전주시 풍남동과 교동 일대 한옥마을은 일제강점기 일본 상인들에 대항해 조성한 한옥촌으로, 지금은 전주를 상징하는 대표적인 곳이 되었습니다. 또한, 이곳에서는 조선왕조 태조의 어진御眞을 모신 경기전慶基殿, 천주교 성지 전동성당殿洞聖堂, 한류 영화와 드라마 촬영지였던 전주향교全州鄕校 등 우리 역사 유적지와 오랜 전통문화의 면면을 만날 수 있답니다.

그런데 오랜만에 찾은 전주 한옥마을은 예전과는 다르게 크게 설레지는 않았습니다. 길가에 늘어선 기념품 가게와 한복 대여점, 그리고 퓨전 한식 먹거리를 파는 가게들이 여전히 즐비했지만, 전국 어디에서나 흔히 볼 수 있는 평범한 광경이었습니다. 그다지 신기하지는 않더군요. 앞서 전주라는 도시가 관광지로서 지속 가능할지 어떨지 운운했던 이유는, 한 도시가 계속해서 관광지로서 주목받으려 한다면 "어디에서나 볼 수 있는 것이 아닌, 어디에서나 보지 못하는 것들을 만들어 내는 것이 필요하다."라는 뜻에서 그렇게 말을 한 것입니다. 그런 의미에서 전주 한옥마을이 자랑하는 콘텐츠는 이미 나태하고 고루한 것이 되었다는 느낌이 드는 건 어쩔 수가 없습니다. 최근 전주시 당국은 전주 한옥마을이 가지고 있는 타성과 고루함을 타개할 목적으로 한옥마을 태조로太祖路를 비롯한 일부 구역에서 기존 1층에서 2층까지로 건축허가를 완화하는 조치를 했다고 합니다. 또한 음식을 판매하는 부분에서도 그동안은 한식 판매만 고집했으나, 앞으로는 일식과 중식 판매까지 다양한 음식을 선보이기로 했다고 합니다. 아마도 한옥마을 활성화를 위한 고육지책이라는 생각을 해봅니다.

오늘 찾은 전주 한옥마을은 "트리 허그Tree hug"라는 이벤트를 하고 있었습니다. 이 이벤트는 가로수 몸통에 털실 옷을 입혀 누구든지 나무를 껴

안게 하는 퍼포먼스였습니다. 그냥 지나치기 어려워 나무와 포옹 아닌 포옹을 하면서 사진 찍는 시간을 가졌습니다.

전주 한옥마을 초입에 있는 '전동성당'은 서울 '명동성당', 대구 '계산성당'과 함께 우리나라 3대 성당이라고 불리고 있습니다. 오랜만에 보는 전동성당은 여전히 고풍스러우면서도 아름다운 모습을 뽐내고 있더군요. 전동성당은 호남권에서 최초로 건립된 서양식 근대 건축물이랍니다. 명동성당을 만들었던 프와넬Victor Louis Poisnel 신부가 설계한 이 성당은 높이 솟은 고탑古塔 아래 종탑이 있으며, 좌우에 계단 탑이 있는 것이 주요한 특징이라고 합니다. 그리고 엄숙함과 포근함을 동시에 느낄 수 있게끔 잿빛 벽돌과 붉은 벽돌을 적절히 배치하고 있는 점이 눈에 띕니다. 명동성당보다 화려하지는 않습니다만, 나름 비잔틴 양식과 로마네스크 양식이 혼재된 성당의 고풍스러움이 인상적이었답니다. 전동성당 바로 앞에는 국보 317호인 태조 이성계의 어진御眞이 모셔진 '경기전慶基殿'이 있습니다. 갖가지 색깔로 물들인 경기전 일대의 나무들은 이미 가을이 우리에게 깊숙이 들어왔음을 느끼게 해주더군요. 곳곳에서 한복을 입은 국내외 관광객들이 멋진 경기전 경내를 배경으로 사진을 찍고 있었습니다.

한옥마을 골목 여기저기를 거닐면서 우리 광주에 있는 양림동楊林洞을 생각해 봤습니다. 관광지로서 '양림동'의 강점과 약점을 생각해 봤지만, 강점으로는 별다른 게 떠오르질 않았습니다. 안타까웠습니다. 어떤 것을 만들고 키워내야 할지를 그냥 관광 기획자나 관료에게만 맡기지 말고 모두가 고민하고 지혜를 모아야 하지 않을까요? 광주로 돌아오는 길에, 이렇듯 지속 가능한 관광지를 만들기 위해서는 어떤 노력을 해야 할 것인가에 대한 고민으로 발걸음이 무거웠습니다.

공무원의 힘!
고창의 재평가

tvN의 인기 프로였던 〈삼시세끼〉 나영석 PD와 구성작가가 〈삼시세끼 고창 편〉의 제작 과정을 이야기하면서 다음과 같이 말한 적이 있었습니다. "일개 말단 공무원이 제안한 창의적인 발상과 노력이 때론 지방자치단체 브랜드 가치를 높이는 데 결정적일 수 있다."

당시 나영석 PD는 〈삼시세끼 영월 편〉이 공전의 인기를 얻은 후, 후속 작품 제작을 위해 수십 군데의 지방자치단체로부터 촬영 장소 제안을 받은 적이 있었다고 합니다. 그런데 별로 알려지지 않았던 고창군 공무원이 제안했던 제작 지원 내용이 제작진의 제작 의도와 예능 프로 콘셉트와 기막히게 부합했다고 합니다. 그래서 평범한 농촌 마을에 지나지 않았던 고창군 상하면 송림마을이 촬영지로 결정되었지요. 이후 〈삼시세끼 고창 편〉도 〈삼시세끼 영월 편〉 못지않게 인기를 얻어 전라도 서남부의 조용하고 작은 고창이 전국적으로 알려지는 결정적인 계기가 되었다고 합니다.

고창高敞의 매력은 참 많습니다. 역사적으로는 1894년 동학농민운동의 중심 무대였을 뿐만 아니라 동백꽃으로 유명한 아름다운 사찰 '선운사

禪雲寺'가 있으며, 유네스코 세계 문화유산인 '고창 고인돌 유적', 완벽한 성벽 모습을 갖추고 있는 '고창읍성', 그리고 새롭게 복원 중인 '무장읍성茂長邑城'과 유네스코 생물권 보존 지역인 '운곡 람사르 습지' 등이 주요 볼거리랍니다. 그중에서도 가장 유명한 곳은 '고창읍성高敞邑城'입니다. 고창읍성은 충남 서산 해미읍성海美邑城, 순천 낙안읍성樂安邑城과 함께 조선 시대 3대 읍성이라고 불리고 있습니다. 조선 단종端宗 때 왜구의 침입을 막기 위해 축성된 성곽으로 호남지역 방어의 전초기지 역할을 했습니다. 현존하는 읍성 중 비교적 원형이 잘 보존되어 있어, 전남 순천에 있는 낙안읍성과 함께 전라도 지역의 대표적 성곽으로 평가받고 있답니다.

조선 시대 서해안 지역에서 최고의 요충지 역할을 하던 고창읍성은 야트막한 야산 위에 성벽을 쌓은 산성山城에 가까운 읍성입니다. 읍성 안의 도로는 사람이 다니면서 만들어진 자연스러운 산길로 이루어졌습니다. 정확한 계산에 따라 인위적으로 만들어진 순천 낙안읍성의 길과는 다소 차이가 있답니다. 성안에는 주로 행정을 보는 관아官衙 건물만이 있었으며, 백성들 대부분은 성城 밖에서 생활했다고 합니다. 이는 고창읍성이 주로 방어 위주의 목적으로 지어졌다고 볼 수 있는 징표이지요. 그리고 고창읍성은 해마다 돌을 머리에 이고 성을 한 번 돌면 다리 병病이 낫고, 두 번 돌면 무병장수하고, 세 번 돌면 극락왕생한다는 속설이 있는 "답성踏城 놀이"를 개최하고 있답니다. 그 시기에 맞춰서 방문하시면 한복을 곱게 차려입은 여자들의 답성 놀이를 볼 수도 있고, 직접 답성 놀이에도 참여할 수 있다고 합니다.

화창한 봄날, 활짝 핀 철쭉 길을 곁에 두고서 1,684m의 성벽 길을 걸으니 기분이 날아갈 듯 가벼웠습니다. 왜 따뜻한 봄날 고창을 찾아야만 하는지를 알 것 같았습니다. 눈에 띄게 인상적인 것은 입장료 3,000원 중 2,000원을 지역 상품권으로 돌려주어 고창을 찾는 관광객에게 새로운 소비를 유도한다는 점이었는데 참 좋은 방법이라 생각했습니다. 이번 여행은 〈삼시세끼 고창 편〉, 드라마 〈도깨비〉의 청보리밭과 공전의 인기를 얻은 〈대장금〉의 촬영 장소인 '내소사來蘇寺'를 돌아보는 것에 상당 시간을 할애했답니다. 한때 로케이션 헌터Location hunter 일에 관심이 많아서였는지 더욱 즐거운 시간이었습니다.

어린이들과 함께 여행하는 분들은 고창 '상하목장上下牧場'도 꼭 한번 들르시길 바랍니다. 상하 목장은 매일유업에서 운영하는 데 드넓은 목장에 치즈 등 유제품 만들기 프로그램 등 여러 가지 체험시설을 갖추고 있습니다. 독특한 디자인으로 지어진 세련된 건물인 '파머스 빌리지Farmer's village'는 숙박은 물론 회의 시설, 레스토랑 등이 운영되고 있어, 학회나 세미나 용도로도 적합한 곳이라는 생각이 들었습니다. 그리고 상하목장 근처 '구시포九市浦' 해변에 있는 고창 풍천장어집에서 맛있는 장어도 먹고 한적한 해변도 걸을 수 있답니다. 아참! "풍천風川"은 특정 하천을 뜻하는 것이 아니라, 바닷물과 민물이 만나는 곳을 의미한다고 하네요.

거듭되는 얘기지만, 우리나라 보다 더 아름다운 곳은 없는 것 같습니다.

동백꽃 휘날리는 5월 선운사

"선운사에 가신 적이 있나요. 바람 불어 설운 날에 말이에요. 동백꽃을 보신 적이 있나요. 눈물처럼 후두둑 지는 꽃 말이에요. 나를 두고 가시려는 님아! 선운사 동백꽃 숲으로 와요. 떨어지는 꽃송이가 내 맘처럼 하도 슬퍼서 당신은 그만 당신은 그만 못 떠나실 거예요."

가수 송창식은 '선운사禪雲寺'를 이렇게 노래했답니다. "선운사에 가신 적이 있나요?"라고 시작되는 감미로운 이 노래는 선운사 동백꽃을 세상에 널리 알리는 데 큰 역할을 했다고 합니다. '선운사' 하면 '동백꽃'이 생각나고, '동백꽃' 하면 '선운사'를 떠올리게 되는 것도 70년, 80년대 통기타 가수로서 인기를 끌었던 송창식의 노래 덕분이라고 할 수 있겠죠? 그래서 선운사를 찾는 사람들은 송창식의 노래를 떠올리며 선운사 동백꽃도 함께 찾곤 한답니다.

오늘은 처연히 자신의 몸을 던지듯 떨어지는 동백꽃을 보려고 고창 선운사를 찾았습니다. 오랜만에 찾은 선운사에는 많은 사람으로 붐볐습니다. 선운사 경내를 둘러보기 전 먼저 도솔암兜率庵 쪽으로 발길을 옮깁니다. 도솔암으로 올라가는 숲길의 초봄이 너무도 생기발랄해서 내 마음도 덩달아 신이 났습니다. 행복한 발걸음이 무척이나 가볍습니다. 가는 길가에 늘어선 활엽수의 가지가 새록새록 파란 순으로 빛나고 있네요. 연초록 신록 속에 묻혀 있는 도솔암은 여전히 고즈넉합니다. 도솔암에서 아래쪽 풍경을 잠시 감상한 후 곧바로 선운사로 돌아와 극락보전極樂寶殿 뒤편 동백숲으로 향했습니다. 웅장한 2,000여 그루 동백나무 숲속에는 아직 지지 않고 있는 몇 떨기 동백꽃들만이 반겨 줍니다. 동백꽃은 어릴 적 할머니께서 집에 있는 동백나무에서 떨어진 동백 열매로 기름을 만들어 머리에 발라 참빗으로 곱게 빗으시곤 하셨죠. 이렇듯 동백꽃은 할머니의 단아한 생전 모습과 연결되어 있어 언제나 내 마음속 아련함이랍니다.

처음 가본
고군산 군도

"섬"은 각각의 이야기와 사연들을 가지고 있습니다.

예전에 직장 일 때문에 완도 섬들을 3개월가량 돌아다닌 적이 있었습니다. 그 당시 섬들을 돌아다니면서 알게 된 사실은 완도 금일도金日島가 제주도보다 바나나를 먼저 재배하였고, 일제 강점기에 신안 암태도巖泰島에 이어 소작쟁의 항일 운동을 벌였던 소안도所安島가 아름다운 상록수 숲을 가지고 있다는 사실을 말이죠. 또한, 보길도甫吉島 건너편 노화도蘆花島는 큰 광산이 있다는 구실로 유일하게 다도해 해상 국립공원에서 제외되는 꼼수를 부렸으며, 광산 개발의 호황으로 한때 커피와 술을 함께 파는 다방이 무려 일곱, 여덟 군데가 있었다는 사실도 알게 되었지요. 그리고 완도 횡간도橫看島에 무장 공비가 침투하여 우리 군경과 치열한 전투를 벌였다는 영화 같은 이야기도 그때 알게 되었습니다.

'섬'의 사전적 의미가 "주위가 수역水域으로 완전히 둘러싸인 육지의 일부"라고 합니다만, 요즘에는 연도교連島橋와 연륙교連陸橋가 많이 생겨, 어디가 섬이고 육지인지가 애매하게 되어 과연 섬에 대한 통계 숫자가 정확

한지조차 모르겠습니다. 어쨌든 통계에 의하면, 우리나라 섬은 총 3,382개 정도 된다고 합니다. 그중 유인도가 400여 개이고, 나머지는 사람이 살고 있지 않는 무인도라고 합니다.

오늘은 전북 부안에서 군산까지 33.9km에 달하는 새만금 방조제 길을 달려 고군산 군도古群山群島를 다녀왔습니다. 고군산 군도는 선유도를 중심으로 신시도新侍島와 무녀도, 장자도 등 16개의 유인도와 47개의 무인도로 이루어진 "섬의 군락群落"입니다. 고군산 군도 섬 풍경이라는 게 전라도 신안이나 영광과 크게 다르지 않을 것이라 지레 생각했지만, 의외로 다른 풍광을 보여 줍니다. 2017년 선유도仙遊島와 무녀도巫女島, 장자도壯子島, 대장도大長島 등 고군산 군도의 모든 섬이 다리로 연결되어, 이제는 이 모든 섬을 걸어서 다닐 수 있게 되었습니다. 자전거를 이용한다면 선유도와 장자도를 거쳐 대장도까지 다녀오는데 1시간, 그리고 무녀도까지 다녀오는데 또 1시간이면 충분하니, 약 3시간 정도의 여유만 있으면 네 개의 섬 모두를 대략 둘러볼 수 있을 겁니다.

고군산 군도에서 가장 유명한 '선유도'는 섬 뒤편 산봉우리가 두 신선이 마주 앉아 바둑을 두고 있는 것같이 보인다고 해서 그러한 이름이 붙여졌다고 합니다. 과거에는 3개의 섬으로 분리되어 있었으나, 오랜 세월 동안 파도에 쓸려온 모래가 쌓여 지금은 하나의 섬이 되었다고 하네요. 선유도 망주봉望主峰 아래 명사십리 해수욕장의 풍경은 포근하면서도 시원하기까지 합니다. 또한 선유도는 바다 위를 가르는 집라인 체험도 할 수 있으며, 몽돌 해변에서는 귀여운 돌멩이를 고르면서 한적한 시간을 보낼 수도 있답니다. 최근에는 선유도 외에 "한국의 이스터섬"이라는 야미도夜味島와 여러 색깔의 특이한 마을버스가 다니는 무녀도巫女島 역시 인스타그램에서 유명한 섬이 되고 있다고 하네요.

오후에는 군산群山 시내를 돌아봤습니다. 군산은 일제의 수탈 현장으로 전라남도 목포와 역사가 비슷한 곳이지요. 옛 '군산 세관'이라든가 '근대 역사 박물관', 일본인 가옥인 '舊 히로쓰 가옥', 그리고 일본 사찰 양식을 그대로 보여 주는 '동국사東國寺' 등 시간여행을 할 수 있는 문화재가 상당히 있었습니다. 특히 '동국사'는 사찰의 형태나 건축양식이 우리 전통 사찰의 모습과는 다르게 일본풍의 지붕과 건물 형태를 가지고 있답니다. 일본 관서 지방의 나라奈良에 있는 '동대사東大寺'의 축소판 같았습니다. 해방 후 일본 잔재 청산이라는 명분으로 많은 일제강점기 근대 유산이 사라진 와중에도 지금까지 남아 있다는 것이 참으로 다행이라는 생각이 들었습니다. 그리고 시인 고은高銀이 동국사 승려로 있던 시절 지역 문학가들과의 교류를 통해 문학적 역량을 키운 곳이 바로 군산이기도 하지요.

군산에서는 여러 곳의 근대 문화 유적을 보는 것도 중요하지만, 단팥빵으로 유명한 우리나라 3대 빵집인 '이성당'을 지나칠 수는 없겠지요? 혹자들은 이성당 단팥빵을 먹어보지 않고서는 빵에 대해 논하지 말라고 할 정도로 전국적으로 유명하답니다. 필자도 가끔 온라인으로 이성당 빵을 주문해서 지인들에게 선물하곤 하는데, 받는 사람들 반응이 무척 좋았습니다. 그리고 1998년 한석규, 심은하가 주연한 영화 〈8월의 크리스마스〉의 촬영 장소인 '초원사진관'도 들러 이곳을 배경으로 사진도 찍고 풋풋한 시절 한석규와 심은하의 모습도 그려보시길 바랍니다. 영화 속 초원사진관이라는 상호는 배우 한석규가 자 신의 동네 사진관 이름을 추천해서 그렇게 명명했다고 하네요. 역시 군산은 옛날을 생각나게 하는 아련함의 연속입니다.

제4장

꿈!, 지리산 종주 산행

지리산을 왜 가는가?

"어서 와! 지리산智異山은 처음이지?"

언제부터인지는 모르겠습니다. 자꾸만 없어지는 머리숱과 비례해서 세상을 살아가는 자신감마저 없어지고 있는 것 같아 걱정됩니다. 뭔가 돌파구를 마련해야 할 것 같았습니다. "산티아고 순례길을 다시 걸을까? 세계일주여행을 떠나 볼까? 아니면 코이카 봉사활동을 가볼까?" 여러 생각들을 해보지만, 여전히 치매와 노령으로 요양원에서 투병 중인 어머니 때문에 외지로의 장기 출타는 도저히 실행에 옮길 수 없었습니다. 그러다가 얼마 전 한국전쟁 당시 빨치산 남부군 대장이었던 이현상李鉉相에 관한 유튜브 영상을 보던 중, 갑자기 지리산을 한번 오르고 싶다는 생각이 들더군요. 사실 지리산 종주는 개인적 버킷리스트Bucket list 중 하나였답니다. 그래서 더 늙기 전에 우리 현대사에 있어 이념의 격전지였던 '지리산'을 올라 봐야겠다는 결심을 하게 되었던 것이죠. 처음에는 홀로 지리산을 가려 했습니다만, 얼마 전 생업을 접고 또 다른 인생 2막을 시작하려는 친구에게 작은 삶의 영감Insight이라도 주려는 마음에서 지리산 종주를 같이하기로 했습니다. 누군가 그러더군요. 지리산은 등산登山이 아니라 입산入山이라고요. '지리산' 등반을 그냥 육체적으로 산을 오르고 내리는 단순한 일이 아닌, 우리 삶을 돌아보고 또 다른 삶의 방향을 정하는 하나의 전환점이 될 수 있는 사건이라고 본다면, 세속의 욕심과 탐욕을 버리는 '입산入山'과 같은 과정이라고도 할 수 있겠지요. 가기 전의 준비 과정으로 작가 이병주李炳注의 『지리산』, 이 태李泰의 『남부군』, 그리고 조정래趙廷來의 『태백산맥』이라는 소설들을 일독하려 했습니다만, 어쩔 수 없는 게으름으로 이 소설들을 기반으로 만들어진 드라마와 영화 몇 편을 보는 것으로 준비를 대신했습니다.

'지리산'은 해발 1,915m로 우리나라 최초의 국립공원입니다. 경상남도와 전라북도, 그리고 전라남도 등 3개 도道에 걸쳐 있으며, 노고단, 반야봉, 천왕봉의 3대 주봉을 포함해서 1,500m 이상의 큰 봉우리만 10여 개나 되는 우리나라 대표적인 산이지요. 이번 지리산 종주는 소위 '화대종주華大縱走', 즉 화엄사에서 대원사까지의 45km 보다는 짧은 34km의 '성중종주性中縱走'라는 코스랍니다. 성삼재→노고단→반야봉→연하천→벽소령→세석평전→장터목→천왕봉→산청군 시천면 중산리로 하산하는 여정입니다. 체력적으로 힘들고 발목 염좌도 걱정이 되지만, 810km 산티아고 순례길도 걸었던 호기로 도전해 보려 합니다. 다만 단풍 절정기가 아니어서 지리산의 화려한 단풍을 보지 못할 것 같아 조금은 아쉽습니다.

종주 1일 차 : 성삼재 → 연하천 대피소

광천동 유스퀘어 터미널에는 이른 시간임에도 꽤 많은 사람으로 부산합니다. 구례행 첫 버스는 장도壯途의 시작을 알리려는 듯 신새벽의 한가운데를 힘차게 달려 나갑니다. 추수를 모두 마친 남도의 들판은 황량하기까지 합니다. 구례읍 터미널이 단정하고 깨끗한 모습으로 우리를 반깁니다. 터미널 매점에서 따뜻한 아메리카노 한잔으로 친구 필수와 출정식을 하고, 작고 귀여운 성삼재행 마이크로버스를 타고 구불구불한 길을 한참이나 달려 성삼재性三峙 주차장에 도착했습니다. 성삼재는 지리산 능선 서쪽 끝에 있습니다. '성삼재'라는 고개 명칭은 마한馬韓 시대에 성씨가 다른 3명의 장수가 이곳을 지켰다고 해서 이름이 지어졌다고 합니다. 성삼재 주차장에 많은 차량이 주차된 것으로 보아, 우리가 출발하는 시간이 상당히 늦었음을 알 수 있었습니다. 가벼운 스트레칭을 마치고, 드디어 지리산 종주의 첫발을 내딛습니다. 청명하고 맑은 전형적인 가을 날씨가 너무도 좋습니다. 성삼재 주차장에서 '노고단 대피소'까지 가는 길은 가벼운 산책길 같았습니다. 시간 절약을 위해 경사가 조금 있는 지름길을 택했습니다. 노고단 중계소 근처 전망대에서 바라보는 구례읍 전경과 인근 벌판 모습이 한 폭의 그림입니다. 멀리 겹겹이 쌓여 있는 듯 보이는 산그리메의 풍경도 멋집니다. 공사 중인 '노고단 대피소'에서는 지리산 종주 수첩 스탬프만을 찍고 번잡한 공사장을 벗어나 빠른 걸음으로 '노고단 고개' 입구까지 왔습니다. 여기서 잠시 고민을 했습니다. 원래는 노고단 정상을 들르려고 노고단 정상 출입을 위한 사전 입산 신고도 했지만, 노고단 정상을 갔다 온다면 오늘의 숙소인 '연하천 대피소'에 너무 늦게 도착할 것 같아 그냥 지나쳐 가기로 했습니다.

노고단 고개에서 평탄한 산 능선길을 30분 정도를 걸어가니 '돼지령'이라는 곳이 나옵니다. 자생하고 있는 둥굴레를 먹기 위해 멧돼지가 자주 출몰한다고 해서 '돼지령'이란 이름이 지어졌다고 합니다. 이어서 '피아골 삼거리'를 지나 한동안 계속되는 돌계단을 오르니 끝 무렵에 '임걸령 전망대'가 있습니다. 한동안 이곳에서 쉬면서 주변 풍광을 즐겼습니다. 멀리 내려다보이는 산하가 아득해 보입니다. 그런데 이쯤에 있어야 하는 '임걸령 샘물'이 보이질 않습니다. 가파른 언덕길을 한참을 올라가서 여기저기를 찾아봤으나 샘물터가 보이질 않습니다. 안 되겠다 싶어 반대편 연하천 대피소에서 오는 등산객에게 물어보니 우리가 이미 그곳을 지나쳤다고 합니다. 가지고 있는 물도 얼마 남지 않았는데 정말 낭패였습니다. 등산 배낭을 등산로에 놔두고 혼자서 가파른 내리막 산길을 10여 분 내려가니 임걸령 전망대 반대편 구석진 곳에 임걸령 샘물터가 있지 않겠습니까? 아까 우리가 잠깐 쉬었던 임걸령 전망대 반대쪽에 있네요. 허탈했습니다.

그렇지만 이곳 샘물 맛은 소문답게 단맛이 날 정도로 맛이 있었습니다. '임걸령'은 지리산 일대에서 팔도행상들의 물건을 털어 빈민을 구제했던 '임걸년'이라는 도적과 관련된 곳이라 이름을 그렇게 지었다고 합니다. 임진왜란 당시 의병의 활약상을 그린 남원 의병장 조경남의 『난중잡록亂中雜錄』에 "1594년 6월 영남 사람 '임걸년'이 패거리를 모아 지리산 반야봉 일대에 출몰하며 도적질하였다."라고 적혀 있는 것으로 보아 '임걸년'이라는 이름이 와전되어 '임걸령'이 되었다는 설이 유력한 것 같습니다.

임걸령 샘물 찾기 소동을 한차례 겪은 후부터 무릎이 조금 이상합니다. 가파른 길을 허겁지겁 오르내린 여파라는 생각이 들었습니다. 임걸령을 지나 얼마 가지 않으니 '노루목'이 나타납니다. 노루목은 삼도봉과 토끼봉의 중간 지점에 있습니다. 뱀사골과 화개골을 연결하는 곳이기도 하지요. 노루목은 화개재, 장터목과 더불어 지리산 능선에 있었던 옛날 장터 중 하나랍니다. 경남 바닷가 쪽에서 연동골로 올라오는 소금과 해산물을 전북 지방에서 뱀사골로 올라오는 삼베와 산나물 등과 물물교환하던 장소였답니다. 노루목이란 명칭은 이곳의 암두巖頭 모양새가 노루가 머리를 치켜든 모습과 비슷해서, 또는 노루가 지나다니던 길목이어서 생겼다는 얘기가 전해지고 있습니다. 문순태文淳太의 장편소설 〈철쭉제〉에서는 "산에서의 세 갈림길"을 흔히 '노루목'이라 한다고 적혀 있는데, 지리산 노루목이 반야봉과 천왕봉 방향으로 갈라지는 지점에 있는 것을 보면 이 역시 타당성이 있어 보입니다. 이렇듯 노루목은 지리산 3대 주봉 중 하나인 '반야봉般若鋒'으로 가기 위한 갈림길 역할을 하고 있습니다. 노루목에서 1km 정도에 떨어져 있는 반야봉까지는 체력이나 시간 때문에 다음 기회에 가기로 하고 삼도봉三道峯으로 계속해서 길을 재촉했습니다. 경상남도와 전라남도, 그리고 전라북도 등 3개 도道가 만나는 곳에 있는 '삼도봉'은 일명 '날라리봉'으로도 불리고 있습니다. 해발이 1,449m로 남한 쪽 백두대간 중

높이가 3번째로 높은 봉우리입니다. 삼도봉의 정상부는 주름진 암릉으로 되어 있습니다. 이곳에는 널따란 바위 공간이 있어 쉬기에 아주 좋았습니다. 멀리 보이는 지리산 남부 능선 곳곳을 배경으로 사진도 찍으면서 짧은 휴식 시간을 보내고 다시 등반을 시작했습니다.

아참! 삼도봉에서 쉬는 도중 한국에 살고 있는 딸을 방문하기 위해 왔다가 지리산 종주를 하게 되었다는 캐나다 부부夫婦 브루스Bruce와 캐더린Catherine을 만났습니다. 브루스는 몇 년 전 캐나다 원자력 발전회사를 정년퇴직했다고 합니다. 이번 한국 방문은 10여 년 전 회사 출장 이후 두 번째라고 합니다. 사위가 한국 친구인데, 한국 방문 기간 중 등산을 좋아하는 장인 장모를 위해 이번 지리산 종주를 권유했다고 하네요.

삼도봉을 얼마 지나지 않아서 '550계단'을 만났습니다. 등산에서는 계단을 오르는 것보다 내려가는 것이 훨씬 힘든 것 같습니다. 무릎에 주는 부담이 오르막보다 3배 정도 가중된다고 이야기처럼 550개의 계단 구간이 오늘 종주에서 가장 힘이 들었습니다. '화개재'에서 경치를 구경하면서 잠시 숨을 고르다 '토끼봉' 쪽으로 올라갔습니다. 이곳부터는 계속해서 오르막의 연속입니다. 지루한 오르막을 계속해서 오르다 보니 어느덧 토끼봉입니다. 토끼봉에는 비상 상황을 대비한 헬기 착륙장이 있습니다. 여기에서 '연하천 대피소'까지는 3km 정도가 남았고, 천왕봉까지는 18km만 더 가면 되네요. 연하천 대피소까지의 첫날 일정 중 가장 힘든 구간이 토끼봉까지라고 알고 있었는데, 정말 그랬습니다. 화개재에서 연하천 대피소까지의 짧은 거리가 체력이 바닥나서인지 지금까지 걸었던 길보다 훨씬 길게 느껴졌습니다. 오르막과 내리막을 반복해서 걷다 보니 무릎 쪽에서 이상 증세가 시작됩니다. 연하천 대피소 직전 내리막 계단에서는 무릎 통증으로 걷지를 못하고 발을 질질 끌다시피 하면서 내려왔습니다. 무릎 통증의 고통 때문에 연하천 대피소가 얼마 남지 않았다는 안도감보다는 내일 이런 무릎 상태로 다시 걸을 수 있을까 하는 걱정이 먼저 들었습니다.

도착 예정 시간보다 늦은 오후 5시쯤 긴 봉우리 두 개와 작은 고개를 넘고 넘어 “구름 속에 물줄기가 연기처럼 흐른다.”라는 뜻을 지닌 ‘연하천 대피소’에 도착했습니다. 미리 도착해서 저녁을 준비 중이던 캐나다 친구 브루스 부부가 우리를 반깁니다. 연하천 대피소 시설은 그런대로 괜찮았습니다. 식수대도 대피소 건물 바로 앞에 있어 식사 준비가 편했으며, 화장실 역시 수세식은 아니었지만, 최근 개량했는지 비교적 청결한 편이었습니다. 저녁은 아내가 준비해 준 제육볶음과 햇반으로 먹은 후 특별히 할 일도 없어 일찍 잠자리에 들었습니다. 이곳 대피소는 발전기로 전기를 만들어 사용하고 있어서인지 저녁 9시 정도가 되면 전기를 모두 차단해 암흑천지가 되어 버립니다. 그래서 대피소의 등산객 대부분은 그 이전에 잠자리에 듭니다. 오늘 우리는 대피소 침상 입구 쪽으로 잠자리를 배정받았는데, 초저녁임에도 옆 사람의 코골이가 장난이 아니네요. 아무래도 오늘 잠자기는 틀렸다는 생각이 들었습니다. 오늘 이른 새벽부터 집을 나와 성삼재에서 연하천 대피소까지 13km 정도를 정신없이 걸었습니다. 피곤한 하루였습니다. 잠이 쉽사리 들 것 같지는 않았지만, 내일을 위해 잠을 청해 봅니다.

종주 2일 차 : 연하천 대피소 → 세석대피소

지리산에서의 첫 새벽을 맞이했습니다. 예상했던 것처럼 기차 화통火筒을 삶아 먹은 듯한 옆 사람의 코골이로 한숨도 자지 못했습니다. 산티아고 순례길을 걸을 때는 더 열악한 상황이었음에도 비교적 숙면을 했는데, 이번 지리산 대피소에서의 첫날은 왜 이리 잠을 이룰 수 없었는지 모르겠네요. 아침부터 비몽사몽입니다. 다행히 통증이 극심했던 무릎은 지난밤 붙였던 파스 효과 때문인지 그런대로 견딜만합니다. 수프와 빵으로 간단히 아침을 먹은 후 출발을 준비하고 있는데, 브루스가 아침 인사를 합니다. 연하천 대피소 현판 앞에서 기념사진을 같이 찍은 후 브루스에게 현판 옆에 붙어 있는 이원규李元揆 시인의 〈행여 지리산에 오시려거든〉이라는 시구詩句를 설명해 주니, 직접 구글 번역기로 시구절을 번역해 보고 엄지척을 해줍니다.

대피소에서 바로 이어진 긴 나무 데크를 따라 숲속으로 걸어 들어가면서 종주 2일 차를 시작합니다. 숲길 여기저기에서 새들의 아침 인사가 계속됩니다. 잠을 제대로 자지 못해 몽롱한 상태였지만, 마음을 다잡고 발걸음을 힘차게 내딛습니다. 오늘은 어제와 마찬가지로 약 13km가량을 걸어

장터목 산장에서 숙박한 후 다음 날 새벽에 천왕봉 일출을 볼 계획입니다. 천왕봉까지 15km 정도 남았다는 이정표가 나옵니다. 벌써 반 정도를 온 것 같아 조금은 안심이 됩니다. 벽소령 대피소까지의 3.6km 되는 여정은 주변 경치가 좋은 구간이라고 해서 무척 기대했습니다. 그런데 가는 길이 온통 돌길이어서 무척 힘들었습니다. 지리산 종주를 하기 전 몇 차례 등반했던 무등산은 흙길도 간혹 있어 그리 어렵지는 않았는데, 이곳 지리산은 산길 대부분이 바위나 작은 돌길이어서 걷는 게 상당히 부담스럽습니다. 오르락내리락을 반복하면서 '형제봉'까지 계속 갑니다. 멋있는 형제봉을 배경으로 사진도 찍고 가져온 간식도 먹으면서 꿀맛 같은 휴식 시간을 보냈습니다. 형제봉에서 가파른 나무 계단을 힘겹게 지나니 '벽소령 대피소'가 눈앞에 보입니다. '벽소령'은 달밤이 되면 푸른 숲 위로 떠오르는 달빛이 푸르게 보일 정도로 매우 희고 맑게 보여 '벽소한월碧宵寒月'이라고 부른 데서 유래한 이름이라고 합니다. 벽소령 대피소는 작은 규모지만 아주 깨끗하다는 느낌을 받았습니다. 화장실도 깨끗하고 야외에 테이블도 많아 이곳에서 쉬는 등반객이 많습니다. 그리고 이곳에서 내려다보이는 '의신마을' 쪽 풍경이 아주 멋있더군요. 지리산 등산객들 사이에서 호텔급 대피소라고 소문이 났는데, 정말 아담하고 정갈한 건물과 풍광이 좋습니다. 대피소 앞에는 '음정마을'에서 올라온 듯 보이는 단체 등산객들이 삼삼오오 모여 간식을 먹다가 우리에게 몇 가지 음식을 건네줍니다. 대피소에서 식수를 보충하고, 다시 길을 걷습니다.

보통 지리산을 종주하는 사람들에 따르면 2일 차 여정이 비교적 쉽다고 하는데, 개인적으로 생각하기에는 그렇게 쉽지만은 않는 것 같습니다. 계속해서 오르막과 내리막을 반복하니 지루하기도 하고, 바위나 자갈길도 많아 무릎에 무리가 오는 것 같습니다. 벽소령 대피소를 나와 1km 정도는 완만한 평지 길입니다. 이후 '덕평봉德坪峰'까지는 오르막 내리막이 반복되어 무척 힘들었습니다. 가뜩이나 안 좋은 무릎에서 드디어 이상 신호를 다시 보내옵니다. 점심을 먹기 위해 나무 그늘 쉼터에 앉아 있는데, 캐나다 친구 브루스 부부가 같이 점심을 먹자고 합니다. 이런저런 얘기를 하던 중 캐더린이 "지리산 종주에 한국 여자들이 많이 보이지 않던데, 등산을 싫어해서 그러냐?"고 묻더군요. 그래서 한국 여자들은 체력이 남자들에 못 미쳐 긴 종주 등반은 하지 않지만, 가벼운 등산은 자주 한다고 설명해 줬습니다. 이번 지리산 종주를 하면서 놀랐던 것은 외국인들이 지리산을 많이 찾는다는 점이었습니다. 이제 K-pop과 더불어 K-climbing이나 K-tracking도 유행할 것 같은 생각도 해보았습니다.

'선비샘'에 도착했습니다. 사회에서 천대받다 죽은 후 이곳에 묻혀, 샘물을 먹는 사람들이 자연스럽게 절을 하게 만들었다는 노인의 이야기가 전해 오고 있는 선비샘은 생각보다 실망스러웠습니다. 샘물도 한두 방울 겨우 떨어져 제대로 물 마시기가 힘들더군요. 이후 '칠선봉七仙峰' 가는 길까지는 멋진 풍경이 계속됩니다. 칠선봉은 바위와 고산지대에서 자생하는 나무들, 그리고 그 뒤로 펼쳐지는 풍경이 장관이었습니다. 간간이 사진도 찍고, 간식도 먹으며 쉬다 보니 자꾸만 여정이 늦어집니다. '세석대피소'를 얼마 남겨놓지 않고 만난 지옥 같은 오르막길을 지나 급경사의 내리막에서 오른쪽 무릎 통증이 심해집니다. 오르막은 그런대로 오르겠는데 내리막은 심한 통증으로 내려갈 수가 없습니다. 등산 스틱에 의지해 겨우 흐느적거리며 내려가는 형편이었죠. 벽소령 대피소에서 세석대피소로 가는 여정은 그야말로 험로 그 자체였습니다. 무릎도 안 좋은 상태에서 길까지 돌길이어서 최악의 시간을 보냈습니다. 불안했습니다. 오늘의 목적지인 장터목 대피소까지 과연 갈 수 있을까? 라는 의문이 들었습니다.

세석대피소에 겨우겨우 왔습니다. 대피소 직원은 걷는 모습이 걱정되었는지 그냥 산장 가까운 마을로 '탈출'("중도 포기"라는 등산 용어)하라고 충고하더군요. 아무래도 더 이상 걷는 게 무리일 것 같아 오늘 숙소를 장터목 대피소에서 세석대피소로 변경하고, 이곳에서 하룻밤을 지낸 후 무릎 상태를 보고 산행을 계속할지, 포기할지를 결정하기로 했습니다. 장터목 대피소에서 숙박하기 위해 떠나는 캐나다 친구 브루스 부부에게 무릎 통증 때문에 불가피하게 오늘 여정을 여기에서 마무리하니 한국에서의 남은 일정을 잘 보내라며 작별 인사를 했습니다. 다행히 세석대피소에 잠자리가 몇 자리 남아 있네요. 이곳의 침상은 마치 군대 내무반처럼 어두침침하고 답답한 느낌을 줍니다. 시설은 그런대로 괜찮았지만, 화장실과 식수대가 50m 정도 떨어져 있어 무척 불편했습니다. 그러나 한밤중 화장실을 다녀오다 올려다본 밤하늘의 별들이 장관이었습니다. 멀리 산 아래에서 불야성을 이루고 있는 산청읍 읍내 야경 또한 멋있더군요.

원래 계획은 장터목 대피소에서 숙박하고 새벽 5시경 천왕봉에 올라 지리산 일출을 보려 했습니다만, 불가피하게 천왕봉 일출은 보지 못할 듯합니다. 꿩 대신 닭이라고 천왕봉 일출에 못지않은 '촛대봉' 일출로 대신하기로 했습니다. 오늘 하루 무릎 통증 때문에 제대로 즐기면서 산행할 수가 없어 무척 속상했지만, 이 정도라도 걸을 수 있어 다행이라고 애써 위안을 해봅니다. 내일은 무릎이 좋아지길 바라는 기도를 하며 잠자리에 들었습니다.

종주 3일 차 : 세석대피소 → 산청읍 중산리

일어나 보니 새벽 5시가 조금 넘은 시간입니다. '촛대봉' 일출을 보기 위해서, 라면으로 이른 아침을 먹고 세석대피소를 나섰습니다. 칠흑 같은 어둠 속에서 희미한 랜턴 불빛에 의지해 꾸역꾸역 20여 분가량 산길을 오르니 어느덧 촛대봉 정상입니다. 여전히 주변은 깜깜합니다. 몰아치는 새벽 찬바람 속에서 한참을 기다리니 서서히 동쪽 하늘에서 여명이 밝아옵니다. 순식간이었습니다. 눈 깜짝할 사이에 붉고 탐스러운 해가 떠오릅니다. 장관입니다. 지금까지 보아온 어떤 일출보다도 멋집니다. 한동안 떠오르는 일출을 바라보면서 나만의 소원을 빌어봅니다. 몸에 한기가 올라올 무렵, 멀리 보이는 '천왕봉'을 향해 다시 출발했습니다. 어둠 속에서 올라왔던 대피소 쪽을 돌아보니, 세석평전細石平田이 새벽 여명에 어슴푸레 드러납니다. 한때는 무분별한 지리산 등반객의 훼손으로 망가졌던 '세석평전'이 지금 푸른 관목과 숲으로 뒤덮인 모습으로 탈바꿈되고 있는 것을 보면서 환경보호의 중요성을 다시 한번 생각하게 되었습니다.

걱정했던 무릎 통증은 자고 일어나니 상태가 약간 호전되었습니다. 삼신봉三神峰을 지나서 지리산 능선 25km 중에서 가장 아름답고 멋있는 연

하선경煙霞仙境을 만났습니다. 신선이 노닌다는 '연하선경'은 세석평전, 촛대봉, 연하봉까지의 2.6km 산길을 일컫습니다. 사전적 의미로 '연하煙霞'는 안개와 노을이라는 뜻이라고 합니다. 기대를 많이 했는데 막상 마주하고 보니 그냥 평범한 산길 같아서 다소 실망했습니다. 그래도 내려다보이는 연하선경의 모습은 동양화를 연상케 할 만큼의 아득함은 조금 있더군요. 세석대피소에서 장터목 대피소까지는 대략 6km 정도의 산길인데, 여정이 얼마 남지 않았다는 생각이 들어서인지 그리 힘들 것 같지는 않았습니다. 무릎 통증이 여전히 나를 괴롭혔지만, 잘만 관리하면 완주는 가능할 것 같았습니다. 천왕봉이 다가올수록 지리산의 상징인 죽은 주목朱木들이 눈에 들어옵니다. 장터목 대피소에 거의 도착할 무렵 장터목 대피소 쪽에서 올라오는 외국인 커플 한 쌍을 만났습니다. 세석대피소에서 헤어졌던 브루스 부부 소식이 궁금해서 물어보니 브루스 부부는 일찍 '천왕봉'에 올라갔다가 지금은 돌아와 장터목 대피소에서 아침을 먹고 있을 거라고 합니다.

장터목 대피소에 도착하자마자 이슬비가 내립니다. 종주 3일간의 날씨는 운이 좋아서 쾌청한 가을날의 연속이었는데 마지막 날 비를 만나네요.

그래도 다행입니다. 비가 내리고 구름이 끼어서인지 쌀쌀하고 춥습니다. 아마도 천왕봉에 오를 시간이면 비가 더 많이 올지도 모르겠습니다. 장터목 대피소 주방 건물 앞에서 아침을 준비하던 브루스 부부를 만났습니다. 마치 이산가족을 만난 것처럼 서로 반갑게 얼싸안았답니다. 근처에 있던 체코에서 온 아가씨에게 기념사진 촬영을 부탁해서 지리산 2박 3일 여정에서 만난 귀중한 인연을 추억으로 남겼습니다. 브루스 부부는 장터목 대피소에서 우리와는 반대 방향인 백무동白武洞 쪽으로 내려가, 내일 캐나다로 출국하기 위해 서울로 가는 고속버스를 탈 계획이라고 합니다. 아쉬운 석별을 한 후 마지막 고비인 천왕봉을 향해 발길을 옮겼습니다. 장터목 대피소에서 천왕봉까지 오르는 길이 가파르고 험해서인지 기진맥진한 몸이 생각처럼 되질 않습니다. 체력도 바닥을 드러내고 있어 한발 한발 걷는 게 정말 힘들었습니다. 울퉁불퉁한 돌길을 걷는 발목이 하중을 감당하기에는 힘에 겨웠습니다. 안 좋은 무릎 역시 통증이 계속됩니다. 그렇지만 올라가는 산길 곳곳에 펼쳐진 쓰러진 주목과 주변 풍광의 아름다움이 이런 고통을 잠시나마 잊게 해줍니다. 멋진 풍경이 내려다보이는 전망대에서 한동안 주변 산그리메의 아련한 모습을 보면서 이제 여정의 절정인 천왕봉도 멀지 않았음을 실감합니다.

급경사를 오르다 사진으로 자주 봤던 "하늘과 통하는 문"이라는 '통천문通天門'을 만나게 되었습니다. 통천문을 지나면서 산 아래를 내려다보니 이제 본격적인 가을이 시작된 듯 울긋불긋한 색깔이 눈에 들어옵니다. 외롭게 서 있는 고사목 한 그루가 무척 인상적입니다. 전형적으로 지리산의 풍경을 소개할 때 자주 보는 시그니처 장면이었습니다. 드디어 눈앞에는 말로만 들었던 해발 1,915m 높이의 '천왕봉天王峯'이 보입니다. 벅찬 감정보다는 허탈한 기분입니다. 지리산 종주를 떠나기 전까지만 해도 산 중의 산, 지리산의 최고봉인 천왕봉까지 무사히 오를 수 있을까? 하는 걱정을 했습니다만 이렇듯 눈앞에 나타난 현실이 좀처럼 믿어지지 않습니다. 천왕봉 정상석頂上石이 있는 봉우리에는 항상 등산객들이 붐벼 편하게 움직일 수 있는 공간이 없다고 하는데, 늦은 시간이어서 그런지 사람이 별로 없어 편안하게 기념사진도 찍고, 주변 풍광도 바라보면서 시간을 보냈습니다. 날씨가 아주 맑은 날에는 이곳 천왕봉에서 245km 정도 떨어진 제주도 한라산까지 보인다고도 하는데, 정말 볼 수 있는지는 모르겠습니다. 어쨌든 천왕봉에서 바라보는 산 아래 세상이 멋집니다. 물들기 시작하는 단풍 모습도 아름답습니다.

하산할 시간이 되었습니다. 중산리로 내려가는 길은 천왕봉 정상 바로 아래쪽에 있더군요. 그런데 깜짝 놀랐습니다. 내려가는 계단 길 경사도가 장난 아니게 가파릅니다. 가뜩이나 오른쪽 무릎 통증이 심해지고 있는 상태에서 이렇게 가파른 계단을 내려가게 된다면 무릎이 완전히 망가질 수도 있다는 걱정이 들었습니다. 아니나 다를까 계단에 첫발을 내딛는 순간 외마디 비명이 나옵니다. 동행한 친구 필수가 무척 걱정합니다. 반대편 중산리 쪽에서 올라오는 등산객들이 가쁜 숨을 몰아쉬며 "천왕봉까지 얼마나 남았느냐?"고 묻습니다. 그래도 농담할 정신이 있었는지 웃으면서 "열심히 올라 가면 언젠가 도달합니다"라고 말해 주었습니다. 3시간 정도면 천왕봉에서 중산리 탐방지원센터까지 갈 수 있을 거라는 예상은 오른쪽 무릎 통증으로 인해 크게 빗나갔습니다. 한발 한발 조심스럽게 하산했습니다. 이렇게 천천히 내려 가다가는 중산리에서 진주晉州로 가는 버스를 놓칠 것만 같았습니다. 그래서 통상적인 하산 루트인 칼바위 쪽이 아닌 '순두류' 방향으로 우회해서 버스를 타고 '중산리 탐방지원센터'로 가기로 했습니다.

지리산 종주를 떠나기 전, 친구 동호가 중산리 쪽으로 내려가면 '법계사法界寺' 주지 스님에게 인사도 하고, 차 한잔 얻어 마시라고 했지만, 시간 여유가 없어 법계사에는 들르지 못했습니다. 법계사 앞을 지나 '로터리대피소'에서 컵라면으로 간단히 전신만 머은 후 순두류 방향으로 계속해서 내려왔습니다. 원래 '칼바위' 쪽 하산 길이 험하다고 하지만, 순두류 방향도 돌길의 연속이어서 걷는 게 쉽지는 않았습니다. 그나마 다행인 것은 물들기 시작한 단풍으로 가득 차 있는 계곡의 아름다운 풍경이 조금은 위안이 되더군요. 쉬엄쉬엄 내려오다 보니 순두류 환경연수원에서 중산리 탐방지원센터까지 내려가는 버스 시간이 애매합니다. 버스 종점인 중산리 탐방지원센터에서 중산리 시외버스터미널까지 또다시 20여 분을 걸어야 하는 것까지 생각하면 진주까지 가는 시외버스 시간을 도저히 맞출 수 없을 것 같아 난감했습니다. 다행히 하산 길에서 만난 등산객이 자신의 승용차로 시외버스터미널까지 태워줘서 무사히 버스를 타고 진주에 도착할 수 있었습니다. 진주 시내에서는 시외버스터미널을 혼동하여 버스를 놓칠 뻔한 상황을 겪는 등 우여곡절 끝에 무사히 광주로 돌아올 수 있었답니다.

지리산 종주를 마치면서

그대는 나날이 변덕스럽지만
지리산은 변하면서도 언제나 첫 마음이니
행여 견딜만하다면 제발 오지 마시라

- 이원규의 '행여 지리산에 오시려거든'에서

전라남도 구례군 성삼재에서 경상남도 산청군 시천면 중산리로 이어지는 2박 3일간의 지리산 '성중종주'를 마치고 무사히 광주로 돌아왔습니다. 사실 지리산 종주 등반을 무등산 오르는 수준으로 생각했던 오만함이 깨지기까지 그리 오랜 시간이 필요하지 않았습니다. 나름 파타고니아 '토레스 삼봉' 트래킹은 물론, 810km의 산티아고 순례길도 걸었던 자신감으로 지리산 종주 정도를 짐짓 "지리산 종주 그까짓 것!"이라고 우습게 보았던 자신을 깊이 반성하고 있답니다. 힘들었습니다. 일단 그 같은 무모한 짓을 하기에는 물리적 연령이 너무 많았고, 체력 역시 동네 뒷산 정도나 겨우 오를 정도였으니 이번에 지리산 종주에 있어 경험했던 고생의 강도는 충분히 추측할 수 있을 겁니다.

그렇다고 고생만이 전부였던 것은 아니었습니다. 산 중의 산인 지리산의 아름다운 진면목眞面目을 볼 수 있었고, 발아래 보이는 산그리메의 멋진 모습과 3대代가 좋은 일을 해야 볼 수 있다는 지리산 일출도 좋았습니다. 동행했던 친구 필수에게 즐겁고 귀중한 시간을 준 것 같아 마음이 뿌듯했고, 여정에서 만난 외국인 친구들과의 시간도 즐거웠습니다. 다만 우려했던 발목과 무릎이 종주 기간 내내 좋지 않아, 하산 길에서 힘들었던 고통의 시간은 조금 아쉬웠습니다. 그 또한 추억의 한 부분일 거라고 애써 위안합니다. 다시 이렇게 무모한 시도를 할 수 있을지는 모르겠습니다. 당장은 인생의 갈무리를 잘해야 할 시간이기에 새로운 시도보다는 평화롭고 조용한 일상이 필요할 듯합니다. 고통스러웠지만, 또한 즐거운 시간이었습니다.

구석구석 전라도 여행

발 행 | 2024년 6월 24일
저 자 | 이지훈
디자인 | 꽃마리쌤
펴낸이 | 한건희
펴낸곳 | 주식회사 부크크
출판사등록 | 2014.07.15(제2014-16호)
주 소 | 서울 금천구 가산디지털1로 119, A동 305호
전 화 | 1670 - 8316
이메일 | info@bookk.co.kr
ISBN | 979-11-410-9090-6

www.bookk.co.kr